光文社文庫

ストロベリーナイト

誉田《ほんだ》哲也

KOBUNSHA

光 文 社

目次

目をえぐられた女　切り裂かれるその喉元　噴き出す鮮血

――あなたは　これを　生で　見たい　ですか

第一章

世界を灰色に染める、腐った雨が降っていた。

いや。実際には目の前を通り過ぎ、わだちの泥水を跳ね上げたタクシーが緑色だったことや、路地から出てきた小学生の傘が鮮やかなオレンジだったこと、そのランドセルが赤かったことは、目で見て分かってはいる。自分の制服の肩、ブレザーの紺が濡れてほとんど黒になっているのも、見れば分かる。が、頭では分かっていても、その色を、僕の心はまるで感じてはいなかった。

灰色の視界。モノクロ写真のような感じではない。あんなに親切な味わいや、深い奥行きや現実味はない。むしろ濃淡だけで表現された、下手糞な水墨画。余白すら暗く墨を流した、僕がいるのは、そんな灰色の世界だった。

古い建売の、濡れて黒ずんだ家。鍵はかかっておらず、挨拶もなく暗い玄関に入る。途端、全身に絡みつく饐《す》えた臭い。気のせいではなく、実際にこの家は腐っている。

垂れ流した糞尿。獣臭にも似た人いきれ。閉めきって、こもった空気。カビだらけの壁、床、天井。こんな家に暮らしていれば鼻も馬鹿になりそうなものだが、不幸にも僕のそれはまだこの不快を充分に感知し、胸を腐らせた。

「帰ったかぁ……」

ヘドロの詰まった排水口が絞り出すような声。それが廊下の先、仄明るいリビングから聞こえた。耳に無理矢理ゴキブリが入り込むような不快を感じ、耳を塞《ふさ》いだ。

応えずにいると、

「帰ったのかって訊いてんだオラァーッ」

口から黒い泥を吐き出す影が、大きくリビングの戸口を塞いだ。

いつから替えていないのか、灰色、たぶん本当は茶色に汚れたランニングシャツを着ている。その他は何も身につけておらず、股間にはだらしなく性器がぶら下がっている。それを、特別に汚いものとは感じなかった。それ以上にこの家の全てが、充分に汚かったから。いや、この世界に、綺麗なものなどありはしないのだから。

「帰ってんじゃねえかよ、オエッ」

楽しいのか。僕をいたぶるのが、そんなに楽しいのか。

父親だと威張り散らし、どこかの組をクビになり、盗んだのか、大量の薬を抱えて帰ってきたあんたが、自分の肉体が破滅するのと薬が尽きるのとを、ケラケラと笑いながら競争するのは勝手だけれど、でも、でも、僕は、全然関係ないじゃないか。

「こっち、こっちこいってんだやァァァーッ」

いつものように髪を鷲掴みにされ、リビングに引っ張り込まれる。切り刻まれてスプリングの飛び出たソファには、糞まみれの母親が横たわっていた。

目はこっちを向き、僕を捉えてはいるが、何もしようとはしない。もう、助けてほしいなどとは思わなかった。けれど、少しくらい悲しい顔はしてほしかった。その細い腕が注射の跡でドス黒くなろうと、僕がいたぶられるのを見ているのなら、眉をひそめるくらいはしてほしかった。

「けっひっひ……。腹減ったろ？　腹、減っただろ。食えよ。いっぱいあるぜ。いっぱい、あるぜぇ……」

男は右手に黒い糞を、左手に白い粉を持っていた。

「お前には、こっちだァァーッ」

濡れた、だがもう冷えきった糞と、分厚い掌が僕の鼻柱にガツンと当たった。勢いでそのまま床に倒れると、

「きぃえェェーッ」

男は僕の腰に馬乗りになった。またあれか。尻を剝き出し、肛門に指をねじ込んで掻き回すのか。今日はそれを自分で食うのか。母親に食わせるのか。それとも僕に塗りつけるのか。

「へっ、へっ、へぇっ、へっ」

この男のどこにこんな力が残っているのか。ヤクザとして落ちこぼれ、家庭を維持することは端《はな》から考えず、食うことを忘れ、ただ薬と、飽くなき変態行為に明け暮れるこの男のどこに、こんな怪力が残っていたのか。破滅という名の泥沼に頭の天辺《てっぺん》まで浸かったこの男のどこに、こんな腕力が眠っているのだ。

制服が破れた。たぶん一昨日自分で縫ったところだ。糞で汚れもした。また明日は、ジャージで学校にいかなければならないだろう。

学校にいっても、もうクラスメイトは誰も僕と口を利かない。それは教師も同じ。そばに寄ってもこない。だがそれも致し方ない。臭いんだから。反吐《へど》が出るほど臭いんだから。校門で追い返されないだけ学校には感謝しなければならない。この家以外に、昼間だけでも僕に居場所を与えてくれるのだから。

教室での席は一番後ろ、窓際のどん詰まり。そこは元々掃除用具入れのロッカーがあった場所だ。誰かが僕のためにロッカーを移動して作った場所。そのロッカーは今、僕の席の右隣にある。つまり、僕は窓とロッカーにはさまれて、黒板も半分しか見えない場所で授業を受けるのだ。むろん、指されることはない。だからたった一人、一日中灰色のジャージで過ごすことくらい、別にどうということではない。この苦痛に比べれば。

服を破かれ、殴られ、蹴られ、肛門や性器を弄《いじ》られ、あるいは捻じ込まれ、首を絞められ、糞を食わされ、床に顔面を叩きつけられる毎日。色を失い、味覚を失い、言葉を失い、ただ悪臭だけを克明に感じる日々。破滅の泥沼に浸かっているのは、何もこの男だけではない。それは僕も同じ。破滅の道連れ。いつ殺されるか分からない、ずっとそう思いながら生きていた。でも、そんな僕でも、まだ自分から死のうとまでは思わなかった。

どう変わるかは分からない。でもいつか、何かが変わる。そう思い続けていた。

このときが、まさにそれだった。

気づくと目の前に、平べったいペンのようなものが転がっていた。ピンク。綺麗なプラスチックのピンクだ。先は銀色、尻尾は白。それだけが、この世界から浮き上がって見えていた。僕の胸ポケットから転げ出た、安物のカッターナイフ。

「……んあ?」

男は、何が起こったのか分からないという顔で僕を見下ろした。喉元を押さえた掌から、真っ赤な血が飛沫《しぶき》となって散る。その赤が、鮮やかな赤が、僕に降り注いだ。天然色の雨となって僕を包んだ。この世界は、決して灰色だけではなかった。

「うぅぎ、うわぎ、いぎッ、いぎッ」

男は泣きそうな顔で転げ回った。てっきり死にたがっているのだとばかり思っていたから、その表情は少し意外だった。

なんだ。案外、大したことないんだ。

それが僕の、そのときの、正直な感想だった。

「たた、たす、たすけ、たすけ」

男は怯《おび》えた目を僕に残しながら、助けを求めて壁際に這った。なぜ壁に助けを求めるのだろうと思っていたら、やがて母親の横たわるソファに至り、足にしがみついて揺さぶった。

「たす、たたす、たすけてくれっ」

ときおり僕を振り返っては、涙を流して母親を揺さぶる。だが彼女は鈍い視線を足元にくれるだけで、何かをしようという気力すら見せなかった。そのうち男の命乞いも、僕によこす怯えた視線も、母親のそれと同じように鈍くなっていった。

「……きれい」

僕は思わず呟《つぶや》いた。

垂れ流した糞尿も、撒き散らした白い粉も、全てが一様に赤く染まっていた。血の色が、灰色だった僕の世界を鮮やかに染め抜いていた。悪臭を放つだけで、ただただ暗かった僕の世界を、血が別世界に塗り替えてくれた。

解放。そんな言葉が頭に浮かんだ。

糞まみれだった母親も、綺麗に赤く染まっていた。だがしばらく見ていると、その赤も鈍り始めた。血は乾き、やがては黒く変色していく。そうなったら僕は、またあの灰色の世界に逆戻りじゃないか。

僕は慌てて、母親の喉元にもカッターナイフをすべらせた。

忌み嫌ったあの家が燃えていた。

窓から血より明るい赤を噴き出し、抗うような黒い煙が濛々《もうもう》と辺りに立ち込めた。まるで黒雲が町を包んでいるようだった。その中に街灯がぼんやり浮かぶと、薄雲のかかった満月みたいに風情があった。

すでに消防隊による消火活動が始まっていて、放水するたびに今度は白い煙が大量に噴き上がった。少し離れた公園の植え込みから見ていたので定かではないが、懸命の消火活動の甲斐もなく火の勢いはなかなか衰えないようだった。とても、愉快だった。

あれだけ燃えれば、二つの死体はきっと灰になってしまうだろう。警察が調べれば、生前のあの男が薬物中毒だったことは簡単に分かるはずだ。そうなれば、気が触れて妻と心中したのだと判断するに違いない。完璧だ。僕はまんまとあの男の支配から解放され、破滅を回避したのだ。

「じゃあ、いくよ。今日のことは……いや、今までのことは全部、忘れろ。全部忘れて、お前は新しい人生を生きるんだ」

僕はうんと頷《うなず》いた。そうするつもりだったが、別れはつらかった。

「もう、会えないの?」

「ああ。その方がいい」

「ずっと?」

「ずっとじゃないけど、しばらくは」

また僕は、独りぼっちになってしまうのか。

黒煙と白煙。街灯の明かりと公園の暗闇。あの灰色の世界に、僕はまた、連れ戻されてしまうような気がした。

1

東京都文京区大塚。

姫川玲子《ひめかわれいこ》は東京都監察医務院近くの日本蕎麦屋で、監察医の國奥定之助《くにおくさだのすけ》と昼食を共にしていた。

「……でも、完全に炭化するまで遺体を焼くのって、けっこう大変なんでしょ?」

いま食べているのは、玲子が天ざる、國奥が盛り蕎麦だ。今日は國奥が奢《おご》る番なので、多少の罪悪感は感じている。だが、この店にきて自慢の天ぷらを食べない手はない。かといって、コレステロールを気にしている國奥に、無理に天ざるを付き合えともいえない。結果として、あくまでも仕方なく、玲子は一人で天ざる(特上)を食べているのである。

國奥が美味そうに猪口《ちょこ》の汁をすする。

「ああ……素人が死体を焼こうと思っても、まあまず、黒コゲのボクサー様姿勢が限度じゃろうな」

焼死体のボクサー様姿勢なら知っている。どちらが正式名称かは知らないが、「闘士状姿勢」とも呼ばれるもので、屈筋と伸筋とでは熱による縮み具合が違うことから起こる現象である。要は、背中を丸めて四肢を前に抱え込んだ焼死体のことだ。

死体を焼いて処理しようとする殺人犯は今なお多い。しかし、警察官である玲子がいうのも変だが、実はこれがあまりお勧めできる方法ではない。人体を完全に炭化するまで焼くのは、大きな釜でもない限り不可能なのだ。だから、空き地などで死体を焼いたとしても、先のボクサー様姿勢で固まるのが関の山で、却《かえ》ってかさが大きくなるのがオチだ。また死体を焼くと熱で体内の組織状態が固定されるため、むしろ死後変化は少ないとも聞いたことがある。どちらにせよ、合理的な死体の処理方法ではない。

他殺体を焼死体に仕立てるのにも無理がある。死体は息を吸わないから、当然煙も吸わない。解剖すれば気管に煤《すす》が入り込んでいないのですぐ分かる。その時点で他殺、少なくとも焼かれる前に死んでいたことが判明する。自然死なのに死体を焼いたとなれば、それはそれで刑法第一九〇条に抵触し、死体損壊罪で罰せられる。

「じゃが最近、完全に炭化した焼死体も診《み》たぞ。……気の毒に、焼却炉に子供が落ちてな。かろうじて火に包まれたとき生きていたことは分かったが、事故か否かは断定できんかった。

最終的には、所轄が事故と判断したようじゃったが」

國奥とは月に一、二度、こんなふうに食事を共にする。洒落《しゃれ》たフレンチレストランのときもあれば、裏通りの焼き鳥屋、ラーメン屋のときもある。だが、話題はいつだって風変わりな死体についてだ。

前回は高級インド料理店で「ネグレリアフォーレリ」という、夏場の淡水湖などで繁殖する寄生アメーバの話を聞かされた。なんでも鼻腔から脳に直接入り込み、増殖し、最終的には脳味噌をドロドロに溶かしてしまうのだそうだ。そのネグレリアフォーレリの、国内二人目の犠牲者が都内で出たという話だった。

むろんそれは感染症というか、ある種の事故死なのだが、玲子と國奥は真剣にそれを他殺に応用できないか検討したりもした。その後に都内の池などで水質調査をするといっていたが、結果はどうだったのだろうか。

國奥が猪口に汁を注ぎ足す。

「小さな子供を亡くした遺族は、気の毒でとても見ておれんよ。若い両親は半狂乱。挙句《あげく》に焼却炉に落ちたのは、どうやらそこの爺さんの不注意が原因らしくてな」

玲子は頷きながら、國奥のトレードマークとでもいうべき、もじゃもじゃの白髪頭に目をやった。実年齢より明らかに老けて見える國奥が、事件関係者を「爺さん」と呼ぶのは滑稽《こっけい》だ。

だがその爺さんとデートをするのが、玲子はわりと好きだった。それは彼が、大ベテランの監察医であるからに他ならない。

監察医は「不自然死」のエキスパートだ。医師の加療中の死亡と、明らかな他殺の間にある、あらゆる不自然死を日常的に扱っている。事故死、突然死、自宅での病死、自殺、自殺を装った他殺、自然死を装った他殺。刑事である玲子にとって、國奥の話はどれも興味深い。

ふいに、國奥が悪戯《いたずら》っぽい目を向ける。

「姫は、まだオトコができんのか」

思わずむせそうになった。

「……んもぉ。先生までそんなこといわないでよ」

「まで、ってのは、どういうことじゃ」

玲子は口を結び、鼻を鳴らしてみせた。

「父親、母親、一番うるさいのが親戚の叔母さん。玲子ちゃんももう三十なんだから、いつまでも泥棒ごっこしてないで、って。来年で三十になるのは確かだけど、『泥棒ごっこ』はひどいと思わない？　しかも、最近はちゃんとあたしの非番にお見合いの日取りを当ててくるの。しつこいったらありゃしない」

國奥は楽しそうに笑った。

「それで、見合いの首尾はどうだった」

玲子もニヤリとしてみせる。

「今年に入って二回すっぽかして、この前はお見合い中に電話がかかってきてね、そっから現場に直行してやったわ」

二人で大笑いしていると、蕎麦湯が運ばれてきた。玲子はそれを、たっぷりと猪口に注いだ。店内はいささか冷房が利きすぎている。入ったときは心地好かったが、今はちょっと寒く感じていた。温かいものが欲しいと思っていたので、ちょうどよかった。

ねえ先生、と訊き、猪口を盆の端に置く。

「先生は、何が楽しくてあたしなんかを呼び出すの？」

國奥も倣《なら》って猪口を置く。

「そりゃ、姫とメシを食うと楽しいからだ」

「孫みたいで？」

「失敬な。恋人じゃろう」

「それはあたしに失敬でしょ」

國奥がひょうきんな泣き顔を作る。

「悲しいことをいうの……ま、片思いも、この歳になると楽しいもんじゃが」

「仕事は？　変死体の解剖ばかり何十年もやってて、楽しい？」

「うむ、楽しいな。いまだに日々新しい発見はあるしな。法医学は臨床と違って、飛躍的な進歩というものがないじゃろ。新薬もなければ最先端の医療器具もない。あるのは解剖によって蓄積されていくデータと、経験じゃ。経験によって培われる、注意力と勘じゃ。経験は、そう簡単には若造に追い越されん。そこが、わしのようなナマクラには合っとるんじゃ」

再び猪口を取る。手の甲には、大小いくつものシミが浮き出ている。

「……玉に瑕《きず》といえば、給料が安いということかの。所詮は、福祉保健局の職員じゃからの。開業医でもやっとれば、もうちと、マシな暮らしもできたろうとは思うが、わしはこうやってたまに姫とメシを食って、口の利けんようになった仏さんと、メスを触媒に会話を交わす暮らしが、案外気に入っとるんじゃよ」

玲子は、こんな國奥を本当のお祖父さん、は失礼だから、伯父さんのように思っている。一般人が顔をしかめるような職業を、さらりと「楽しい」といってのける、そんな國奥が好きだった。

自分も、そんなふうにありたいと思う。

玲子はノンキャリアとしては異例の早さ、二十七歳で警部補に昇進し、その後まもなく警視庁本部に取り立てられ、捜査一課殺人犯捜査係の主任を拝命した。

若い女で、殺人班の刑事で、主任警部補。当然、自分より年上の部下もいる。周りには「試験勉強が得意なお嬢ちゃん」と陰口を叩く者も少なくない。一つしくじれば、男の三倍も四倍も評価を落とす。「それ見ろ、試験と現場は違うんだ」と、聞こえよがしにいわれる。

決して、居心地のいい職場ではないのだろう。だが、転属などは一度も考えたことがない。なぜか。それはひとえに、玲子が刑事という仕事に誇りを覚えるからだ。いや、今は刑事以外の生き方は考えられないといってもいい。逃げ出すことはできない。だから、できることなら國奥のように、「楽しい」といえる自分でありたいと思う。幸い自分の班、捜査一課十係姫川班の部下とはうまくいっている。それは玲子を捜査一課に引っ張った直属の上司、今泉《いまいずみ》十係長警部の采配《さいはい》によるところも大きい。

信頼できる上司と部下。むしろ自分は、組織人としては恵まれている方か、とも思う。

却って今は、仕事を離れているときの方が風当たりが強い。いうまでもなく、家族から受ける「行かず後家」のプレッシャーだ。来年には「パラサイトシングル」から、とうとう「パラサイトサーティ」に格上げされる。もはや笑ってはすまされない。

板橋で起こったストーカー殺人の捜査を八月頭に終え、ようやくもらった三日間の休暇を、居心地の悪い南浦和の実家で過ごした。今は本部在庁期間。殺人事件が起こって臨場要請がくるのを待っている状態だ。

今日お声がかからなければ在庁も六日目。殺人事件が起こらないのは世間的にはけっこうなことだが、未だ実家で両親と同居している玲子にはつらい日々だった。帳場（捜査本部）が立たない限り、また今日も南浦和まで帰らなければならない。最近は神経痛がつらいのか、母親のしかめっ面には凄みが増している。

——ああ、神様。あたしに仕事をください……。

いや、殺人事件担当の刑事に仕事をくれる不謹慎な神様などいるはずがない。いるとすれば、それは悪魔のような殺人犯のみだ。

「あのなぁ、姫……」

そう國奥がいいかけたとき、玲子の胸で携帯電話が心地好く震えた。嬉々として取り出すと、それは待ちに待った警視庁本部からの電話だった。

「はい姫川」

『ああ、私だ。今どこにいる』

いつものダミ声、今泉十係長警部だ。

「大塚です」

『國奥先生と一緒か。ならすぐ出られるな』

「はい。可能です」

『助かる。実は日下《くさか》が、急性盲腸で入院してな』

「は？」

日下守《まもる》。十係の、もう一人の主任警部補。この世で二番目に嫌いな男。同じ十係でも、日下班は姫川班の天敵。その奴が急性盲腸とは笑える。

「じゃあ、ウチが繰り上がりで臨場ですか」

『そういうことだ。状況次第で、次は勝俣《かつまた》が出ることになる』

勝俣健作《けんさく》。五係主任警部補。勝俣班は俗に「一課内公安」と呼ばれる情報戦のプロ集団だ。連中とは組んでもまったく得にならない。こっちが上げた情報は吸い上げるが、あっちからは何もよこさない。そういう連中だ。こっちが先に捜査にたずさわっても、よほど気を引き締めてかからないと、まず間違いなく出し抜かれる。

「分かりました。短期決戦で」

『場所は金町《かなまち》、所轄は亀有《かめあり》。住所をいうぞ』

「お願いします」

システム手帳に書き取り、腕時計を見た。ここなら金町まで五十分ほどか。

「三時前には着きます」

『頼む。こっちもすぐに向かう』

携帯を閉じると、目の前の國奥が微笑《ほほえ》んでいた。

「やけに、嬉しそうじゃの」

そうなのだ。不謹慎だが、殺人事件の現場にいくのが、嬉しくて仕方ないのだ。

「別に……これで、うっとうしい両親のいる実家に帰らなくてすむなって、思っただけ」

まだちょっと、素直に「嬉しい」とは、いえそうにない。

2

八月十二日火曜日、午後二時三十七分。玲子はJR常磐線を金町駅で降りた。京成金町線に乗り換えて南にひと駅いけば、あの寅さんで有名な柴又帝釈天《しばまたたいしゃくてん》にもいけるが、今日はバスで北に向かう。

今泉に聞いた住所を愛用のポケット地図で調べると、遺体発見現場は都立水元《みずもと》公園のすぐ近くだと分かった。水元公園は小合溜《こあいだめ》という、川のように大きな溜め池に沿って造られている。葛飾区のはずれに位置し、その向こうは埼玉県の三郷《みさと》市だ。

気を抜いていたわけでもないのだが、バスを降りた途端押し寄せてきた熱気に、玲子は思わず立ちすくんだ。

冷たい吐き気のようなものが込み上げる。

大嫌いな夏。忌まわしき夜の記憶。

あの黒く塗り潰された、十七歳の夏。

――大丈夫よ。もうあたしは、高校生じゃない……。

玲子は暴れようとする「夏の魔物」を、心の中で抑え込んだ。それは、かつての自分。弱かった頃の記憶。それも、ここ数年は大分楽になってきている。特に警部補になってからは負けなくなった。警察官であるという自覚、警部補であるという自負が、今の玲子を支えている。

——今のあたしには、日焼けのシミの方が、よっぽど問題なんだから……。

軽く頭を振り、気休めのハンカチを額にかざした。

二十三区内といえども、この辺りまでくると高い建物は都心と比べて格段に少ない。それに伴って日陰も少なく、そのせいかやけに暑く感じられる。

往来の激しい大通りを渡ると、川のような水面がフェンスの下に見えた。これが地図に載っていた内溜という溜め池なのだろう。要はコンクリートで囲まれた、三角形の釣り堀だ。かなり大きな水面なのに、ちっとも涼しく見えないのは困りものだ。

釣り船か、ペンキの剝げた小さなボートが二十艘近く岸に繋がれている。釣り人の姿はない。平日の昼間ではそれも当たり前か。

内溜に沿ってせまい道路を進むと、向こうに警察関係者の姿が見え始めた。地図で見当をつけた通り、現場はこの内溜沿いにあるらしい。だが警察の車両は見えない。どこか別の場所に停まっているのか。歩きながら「捜一」の腕章に左腕を通す。

『警視庁／立入禁止／KEEP OUT』

見慣れた黄色いテープがせまい道を塞いでいる。そこに立つ見張りの制服警官が、「なんだ、この女は」と訝《いぶか》るような目で玲子を見る。が、腕章が目に入ったのだろう。彼は「ご苦労さまです」と敬礼をしてみせた。一応、本部の人間であることは認めてもらえたらしい。すぐに彼の背後から玲子の部下、湯田《ゆだ》巡査が声をかけてきた。

「主任、ご苦労さまです」

「あらコウヘイ。早いのね」

このやり取りで制服の彼は、玲子が本部の主任、つまり警部補であることを悟ったようだった。先の表情を打ち消すような、畏敬の念が頬に貼りつく。それが、手に取るように分かる。

玲子は彼が持ち上げたテープを、わざとゆっくりとくぐってみせた。

——うむ。これぞ階級社会の醍醐味よ。

警察は、軍隊と同じ階級制の社会だ。

警察界には、一般企業にもある役職とは別に、九つの階級が存在する。下から順に巡査、巡査部長、警部補、警部、警視、警視正、警視長、警視監、警視総監。所轄の署長は警察庁にいったら課長と同格で、警視庁の主要部長は小さな県警の本部長よりも格上になる。

階級は、初対面同士でも身分の上下を明確にし、迅速な命令系統の確立を可能にする。たとえばこれから所轄である亀有署と、東京都警察本部である警視庁とが合同で設置する捜査本部も、この階級という制度があるからこそ機能するのである。

左胸のバッジからすると、この制服警官は巡査だ。玲子より二つも下の階級になる。それは年も性別も外見も、経験も人格も超えて「玲子の方が偉い」ことを示している。この問答無用さが、今の玲子には何よりの後ろ盾になっている。

警部補まで上がってしまえば、この警察という単純な階級社会はもはや居心地がいいとすらいえる。ノンキャリアだが、努力は人一倍した。それによってこの階級を、二十七歳という若さで手にした。だから玲子は、階級の力を思うがままにかざす。運やコネで手に入れたのではない、実力で手にしたのだから遠慮は無用だ。

――誰がなんといおうと、あたしは警部補なのよ。

玲子は湯田を従え、堂々と現場中央に進んだ。左右に立っている私服警官たちは亀有署の強行犯係か。面識のある人間は一人もいない。先の制服警官と似たような視線をちらほら感じるが、今は無視してやり過ごす。連中への挨拶はあと回しでいい。

「みんなは」

玲子は前を向いたまま湯田に訊いた。

みんな。捜査一課殺人犯捜査十係、姫川班の部下。石倉《いしくら》保《たもつ》巡査部長、四十七歳。菊田《きくた》和《かず》男《お》巡査部長、三十二歳。大塚《おおつか》真二《しんじ》巡査、二十七歳。それにこの湯田康平《こうへい》巡査、二十六歳。玲子の部下はこの四人だ。

「たもっつぁんと菊田さんは、機捜（機動捜査隊）とひと回りしてくるって、出ていきました。大塚さんは……」

湯田は前方を指差した。

内溜に沿ってさらに二十メートルほど先。左手のフェンスと右手の電柱に紐を結ぶ恰好で、今度は青いビニールシートが道を塞いでいる。あの中が遺体発見現場で、時間的にはまだ本部の鑑識が作業をしている頃と思われる。ここからそのシートまでは、現場保存の黄色い通行帯が敷かれている。そこを小走りしてくる男、彼が大塚巡査だ。

「……ご苦労さまっす」

息を切らして玲子に会釈する。

「様子はどう」

「もうそろそろ、終わりそうです」

「鑑識はどこ」

「小峰《こみね》さんとこです」

鑑識課の小峰主任。苦手なタイプだが、経験豊富で腕はいい。

「遺体はどんな」

「それは……」

大塚はチラリ、湯田と目を見合わせた。

「主任が直接ご覧になった方が、早いと思います」

「あらそう」

今度は玲子が通行帯を歩く。大塚と湯田も後ろに続く。道の両端には所轄と本部の鑑識が入り交じってしゃがみ込み、犯人逮捕に繋がるのなら砂粒一つも見逃すまいと懸命に作業をしている。目が合って玲子に会釈をするのは本部の鑑識課員。所轄の鑑識係員は無関心か怪《け》訝《げん》な目を向ける。

玲子たちはシートの前で立ち止まった。

「十係、姫川です。小峰主任、入ってもよろしいでしょうか」

「……ん、ああ」

低く覇気《はき》のない声が返ってくる。玲子は目にも眩《まぶ》しい青の真ん中を割って中を覗いた。

シートは、この面と正面向かいと右側をコの字に覆い、左手の内溜側はフェンスの向こうに垂らす恰好になっていた。右手は別の道に通じている。現場がT字の交差点になっているというわけだ。道幅は、普通車ならギリギリ曲がれるか、という程度だ。

一見、シートで覆われた中は鑑識課員が立っているばかりで空っぽ、遺体はないように見えた。が、よく見ると左手、内溜のフェンスと道路との間、幅のせまいわずかな植え込みに、何か大きなものが載っかっている。大人一人分くらいの、青いビニールシートの包み。

「まあ、入れよ」

小峰が顎で示す。玲子はシートをくぐりながら、青い包みを見やった。

「これが、マル害（被害者）ですか」

「ああ」

「なぜシートを」

「知るか。ホシに訊け」

「え？」

「そんなことはホシに訊け。なんで死体をわざわざ青いビニールシートで包んだのか。それが知りたきゃホシに訊けって」

あまりに見慣れた青だったので、てっきり鑑識が包んだのかと思ったが、少し考えれば彼らがそんなことをするはずがないと分かる。

「遺体は、この状態で遺棄されていたのですか」

「正確にはこのヒモで、両端と首、肘関節回り、腰、膝の辺りをガッチリ括《くく》られていたが、まあそういうことだ」

小峰が「ヒモ」といったのは、若い鑑識課員が持っている白いビニールヒモだ。古新聞を括ったり、引っ越しで大活躍する、あれだ。今は切ったものを丸く束ねてある。

玲子は遺体の方に一歩踏み出した。

「見せてもらっていいですか」

「どうぞ」

小峰はふて腐れた顔で、遺体を包むシートを剝いだ。青の小部屋に、白、赤、茶、黒、紫

――。迷彩柄になった遺体が、初めて姿を現わす。

思わず、玲子は顔をしかめた。

「……ずいぶん、ですね」

「ああ、嗅いでみろ。けっこうくるぞ」

遺体をつぶさに見る。

全裸なので、性別は男性で間違いない。年齢は三十代半ば、身長百七十センチくらい、中肉。顔面から上半身にかけて小さな切創が無数にあり、血が乾いて全体に赤黒くこびりついている。圧痕や擦過傷も多数見られる。傷口のいくつかにはキラキラ光る何かが入り込んで見えるが、それはどれも致命傷ではなさそうだった。

致命傷は、おそらく喉元。左頸動脈をスッパリと割っている、鋭利な刃物による切創だ。だがそれより何より異様なのは、みぞおちから股関節にまで達する、大きく長い切創だ。こちらは死後切開されたらしく、喉の切創と比べてあまり創縁が縮んでいない。不思議なのは、下半身がほとんど無傷だということだ。夏場のため、傷口はどれも腐敗が進んでいる。

小峰が一つ咳払いをする。

「死後、二日前後ってとこかな」

「死因は失血死？」

「たぶんな。こっちが致命傷」

小峰は遺体喉元を指し、すぐ腹部に移した。

「こっちは死後……って、そんなこたぁ、死体マニアのあんたなら、いわれなくても分かってるか」

——死体マニア？　あたしが？

カチンときたが、ぐっと堪《こら》えて質問を続ける。

「……この、光ってるのは」

「ガラス片だ。科捜研（科学捜査研究所）に見せなきゃなんともいえんが、下手したらただの窓ガラスかもしれん。そうなったら、このシートといいビニールヒモといい、特定は手間だろうな」

この青いシートは、建築現場などでは使い捨てにされるほどありふれたものだ。それを拾うのだろう、ホームレスがテントに使っているのをよく見かける。たまたま出荷数の少ないメーカーの商品ならいいが、大手だとしたら入手経路をたどるのは難しい。今はこのシートとビニールヒモの組み合わせに、犯人の計算高さを感じるのみだ。

玲子はマル害の顔を覗き込んだ。キスできるくらいまで近づく。

「……またかよ」

小峰が「変態」とでもいいたげに吐き捨てる。だがこれは玲子なりの、マル害とのコミュニケーションなのだ。欠かせない儀礼だ。省くわけにはいかない。

──教えて。あなたが最期に見たものを、あたしに教えて。

死後硬直も解けた男の顔は無表情で、濁った目は半眼に開いたまま、宙の一点に止まっていた。それでも死体は、ときに恐怖を訴えたり、無念を伝えたりすることがある。この男はどうだろうか。悔しかっただろうか、悲しかっただろうか、怖かっただろうか、憤っただろうか。

──何も、思わなかったの？

今回、目の前の死体は何も語ってはくれなかった。國奥だったら、この死体から一体何を読み取るだろう。このマル害は明らかに他殺。司法解剖扱いのため、移送先は大学の法医学教室になる。監察医務院ではない。いまさらながらに、その畑違いが口惜《くちお》しい。國奥ならば、この死体とも言葉を交わすことができるだろうに。

さっき別れたばかりの國奥に、また、無性に会いたくなった。


地取り。現場周辺を虱《しらみ》潰《つぶ》しに当たる聞き込み捜査。初動捜査、基本中の基本。

菊田が、現場付近に散らばっていた捜査員を呼び集める。

「集合ォォォーッ」

姫川班において、号令は彼の役目だ。

玲子には主任になりたての頃、無理にがなって声を引っくり返し、大恥をかいた経験がある。それからというもの、号令はいつも菊田が代わりにかけてくれるようになった。いつも傍らで玲子を助けてくれる、ちょっと年上の実直な部下。一番大きくて、一番頼りにしている直属の部下。それが、菊田和男巡査部長だ。

「一課、機捜、前列で整列。早くしろッ」

玲子は黙って、列が整うのを待つ。

これから地取り捜査のための「地割り」を行う。本部と所轄、二人ひと組のペアに担当区域を割り当てるのだ。捜査員の頭数を数えると、捜査一課が四人、機捜が六人、所轄は――。

「所轄、十一ですね」

玲子はあとから到着した今泉警部に伝えた。

「じゃ、お前入れ」

「はい」

玲子は一人余っている、所轄捜査員の前に進み出た。が、

「あッ」

その顔を見て思わず声をあげた。隣の菊田がこっちを見る。

「アアッ、き、キサマ、なんで」

菊田は震える指で彼を指した。

その捜査員はだらしなく笑い、

「え？　は……てへっ」

舌を出してみせた。

井岡博満《いおかひろみつ》。去年の暮れ、世田谷署管内で起こった殺人事件を共に捜査した巡査長刑事だ。年は確か、玲子より一つか二つ上。ちなみに巡査長というのは正式な階級ではないため、実際には巡査と同等になる。

「ちょ、ちょっとあんた、世田谷じゃなかったの」

井岡は頭を掻いた。

「いやぁ、あのあと四月でしたか、王子《おうじ》署に異動になりましてな。そっからまたこっちに、先月からお世話になっとるんですわ」

そうだった。出目の出っ歯、さらに猿耳の強烈な顔に加え、インチキ臭い関西弁が特徴的な男だった。

「なんでそんな、頻繁《ひんぱん》に異動するのよ」

「それは、各署がワシの捜査能力を欲しとるから、と違いますか」

「そんなわけないでしょ。どうせ方々で嫌われるようなことしたんでしょ」

「おい姫川、うるさいぞ」

振り返ると、クリップボードを持った今泉が肩を怒らせていた。

「すみません……」

気を取り直し、列に加わる。井岡が含み笑いを漏らしたので睨みつけると、下手糞なウィンクが返ってきた。

そう。この男は、巡査長であるにも拘わらず玲子にわきまえのない口を利き、挙句に口説いたりしてきたのだった。悪い男ではないが、警察という組織には馴染《なじ》まないタイプだ。

「一区、姫川。四十の一から八」

「了解」

「了解でっすぅ」

始終この調子。ふざけたのが大嫌いな菊田は、何度もこの井岡を殴りつけそうになっていた。確かに刑事としての勘は悪い方ではないが、その他に差し引くべき点が多すぎる。なんだか、今回の捜査は先が思いやられる。

地割りが終わると、十一組二十二人の捜査員は地取りに散らばっていった。菊田が去り際、井岡に険しい視線を向けていったのが気になる。

「ほな、ワシらもいきましょか。玲子主任」

井岡は、顔の横で揉み手をしてみせた。

「気安く名前で呼ばないように」

「エエやないですか。知らん仲やあるまいし」

「誤解を受けるようなこといわないで」

「あん。つれなくしないで」

「一人でヘラブナでも釣ってなさい」

玲子の嫌味に乗ったつもりか、井岡は内溜に向かって竿を投げるフリをした。

そう。羨ましいくらい、この男は馬鹿なのだ。


地取りの担当地区は、現場に近ければ近いほどよいとされている。単純に情報量が多く、手柄になりやすいからだ。玲子がそういう割り当てを確保できるのも、警部補だからこそ、である。ただ、セクショナリズムというものも、階級とは別に存在している。

殺人事件は捜査一課の専門分野である。当然、主導権は一課にあり、機動捜査隊はその下ということになる。一課員の上から下に、次いで機捜の上から下に、地割りは順々に遠ざかっていく。今回、井岡が捜査一課主任の玲子と組めたのは、所轄捜査員としては幸運なことといっていい。

「ほんま、主任と組めてラッチーですわ」

だがその言葉には、場違いな甘い響きが含まれている。これから事件が解決するまで、ずっとこれに付き合わなければならないのかと思うと、まだ何もしていないのに、ひどく疲れた気分になる。

「……第一発見者から当たるわよ」

玲子は溜め息をつき、頭を振りながら、井岡に背を向けた。

現場を覆うシートを再びくぐり、右手の道路に抜ける。同じように黄色い通行帯が延びており、周囲では鑑識が作業を続けている。その先には警察関係の車両、主に鑑識のライトバンと機捜の覆面パトカーが並んでいる。道路には歩道と細い水路がある。おそらく水元公園の小合溜と繋がっているのだろう。

第一発見者は現場に面した民家の主婦だ。「平田」と表札のかかる門柱《もんちゅう》のインターホンを押すと、ふくよかな体格の、背の低い中年女性が顔を出した。平田《ひらた》夫人だろうか。

「恐れ入ります。警視庁の者ですが」

身分証を見せると、彼女はあからさまに眉をひそめ、顎を引いて玲子を見た。

「……あれのことだったら、交番のお巡りさんに、全部話しましたけど」

二度手間を面倒がるふうにいいながら、その目には玲子個人に対する嫌悪感がありありと窺《うかが》えた。若い女、偉そうな女、背の高い女。

――ちょっと美人だからって鼻にかけちゃってやーね、とか思ったんでしょ。やーね。

玲子は表情を変えないよう努めた。

「はい。それは存じております。が、お手数ですが、今一度詳しく私共に、発見時の様子をお聞かせ願えませんでしょうか。他に、お訊きしたいこともございますし」

「……はあ」

彼女は不満そうな顔で門扉を開け、二人を中にいざなった。

「失礼します」

水撒きをしたのか、木陰もある小さな庭はとても涼しかった。家屋自体は決して新しくないが、玄関に入ると掃除も行き届いており、清潔な感じがした。

「どうぞ」

エアコンが程よく利いたリビングに通された途端、井岡はひょいと手をあげた。

「奥さぁん。すんませんけど、冷たいの一杯お願いできますかぁ。もぉワシ、のぉど渇いて喉渇いて」

玲子は反射的に、井岡の腰を叩いていた。

――ちょっと、よしなさいよ。

夫人は「はい、じゃあお掛けになってて」とソファを勧め、キッチンに入っていく。

「……あなた、いきなり何いい出すの」

玲子は声をひそめ、今一度肘でつついた。

「何って、のどぉ……」

それでなくとも相手は面倒がっているのに、上がり込むなり冷たいものを出せとは何事だ。これ以上不愉快にさせてどうする。などと思っていると、

「……本当は、おビールの方があれなんでしょうけど、でも、お仕事中じゃねぇ」

意外にも平田夫人は、えらくにこやかな顔で戻ってきた。

「すんませぇん、いただきますぅ」

井岡が麦茶を一気飲みすると、妙に嬉しそうに二杯目を注ごうとする。

——なんなのよ、一体……。

挙句、世間話までし始める。外は暑いでしょう。エエ、そらもう堪《たま》りませんわ。大変ねこんな季節に。ほんま、事件は涼しくなってからにしてほしいもんですわ。それはないでしょう。ありまへんか。わははははは。

——バッカじゃないの。

玲子は咳払いで、二人の会話に割って入った。

「ええ……早速で恐縮ですが、まず家族構成から、お伺いできますか」

途端、夫人はまた最初の不快そうな表情に逆戻りした。

「……はあ。ええと、主人は、普通の勤め人です。それから息子。大学生で、あとは、義父です。今はカルチャーセンターにいってます。それと私です」

「息子さんは」

「出かけてますが」

「いえ、お一人ですか」

夫人は怪訝な顔をした。

「ええ。学生ですから、独身ですけれど」

これは、玲子の訊き方が悪かった。

「いえ、そうではなくて、一人息子さんですか」

彼女は目を丸くし、「あら、ごめんなさい」と、なぜか井岡を見て笑った。

「息子は二人ですけど、上のはもう大学を卒業して、今は会社の独身寮です。宇都宮なんだから、お盆休みくらい帰ってくればいいのに、ねえ」

井岡が「そうですなぁ」と笑みを返す。

――お盆休み、か。

世間のスケジュールと足並みのそろわない仕事をしていると、ついそういう日取りを忘れがちになる。確かに休みの取れる会社なら、今週一杯くらいはお盆休みになるのかもしれない。一般的にはどうだろう。明日から五連休くらいが相場か。

「では、ご主人は会社ですか」

「ええ。そっちは逆に外資系なもんで、お盆休みってないんですよ」

玲子は頷きながら、「いただきます」と前置きして麦茶を飲んだ。だが、井岡のように一気飲みはしない。ひと口に留めておく。飲んだ水気は汗に変わる。汗をだらだら流す女は、男以上に嫌われる。聞き込み捜査中は特に注意が必要だ。

井岡に家族全員の名前を書き取らせ、再び彼女に向き直る。

「では、発見時の状況をお伺いしますが、今朝ということで、間違いございませんか」

「ええ、はい。あの、寝室がね、私と主人の寝室が、この真上なんですけど、窓があそこに面してましてね。朝、カーテンを開けるんですが」

「何時頃でしょう」

「六時ちょうどです。そのときに見たのが、最初です」

「植え込みに、ですか」

「ええ。最初は、ゴミだと思いましたけど。裏の神社の雑木林に、このごろ、ゴミの不法投棄っていうんですか、そういうのがあるんで、それが、あの植え込みにまで出てきたのかと」

不法投棄か。これについて、鑑識は調べただろうか。

「しかし、そのときは通報なさってませんね」

「ええ……だって、朝はこっちだって、忙しいですから。主人を会社に出して、おじいちゃんと息子を起こして、ご飯食べさせて、それこそゴミ出しして、洗濯機回して」

「実際に通報なさったのは、午前十一時半ですが、なぜその時間に」

「それは、ええと、おじいちゃんを、カルチャーセンターにいかせるのに、バス停まで送っていって。往きにも、嫌だなぁ、こんなに大きなモノ捨てて、とは思ったんですけど、でも、帰りに見たら……その、あの、人の……人の形に、み、見えちゃったものですから、それで急に、怖くなって」

「通報なさった」

「はい。もし、もしね、あれが、そういうモノじゃなかったとしても、あれだけ大きなゴミだったら、通報したってね、いいんじゃないかって、怒られないいんじゃないかって、思ったもので」

「ええ。適切なご判断だったと思います」

「ですよねぇ。そ、そうですよ」

彼女は何を案じ、何に安堵したのか。だがどちらにせよ玲子には、彼女が善意の第三者であるようにしか感じられなかった。それまでは青いシートに包まれた死体をゴミだと思い、急に人形《ひとがた》に見えて怖くなり、通報した。辻褄《つじつま》は合っているし、リアリティがある。

「では昨日、あれが置かれていない植え込みを見た、最後の時間は何時でしょう」

「置かれて、ない？」

「ええ。ですから、平田さんがご存じの範囲で、何時以降にあれが置かれたのか、参考までにお伺いしたいと思いまして」

彼女は、急にほっとしたような顔をした。

「ああ、昨日はなかったと思いますよ。買い物にいって、帰ってきたときも」

「何時頃でしょう」

「四時半、五時になってたかしら」

「ではその、寝室のカーテンを閉めるのは、何時頃ですか」

「寝る前ですから、十二時くらいですか」

「そのときは、ご覧にならなかった」

「それは、見ても暗くて、気づかなかったと思います」

なるほど、そうかもしれない。

「この付近で不審な物音や、車を見かけたことはありませんか」

「それは、あれをあそこに運んできた車、って意味ですか」

「ええ」

「それは、ここも一応は道が抜けてますからね。通りは少ないかもしれないけど、だからって知らない車が通るのまで、そんなに気にしてられませんから」

「……そうですね、ごもっともです。では昨日、ご家族は何時頃に、お帰りになってますでしょうか」

「主人は、八時頃。息子は十時半頃だったですか。おじいちゃんは、昨日は出かけませんでしたから」

「ご主人と息子さんは、何か仰《おつしや》ってませんでしたか。植え込みについて」

「いいえ、何も。でも、夜でも通れば目に入ると思いますから、見たんだったら、何かいうと思いますけどねぇ。……でも、息子は何もいわないかしら。そうね、いわないかもしれないです」

おかしい。いや、彼女がおかしいのではない。あんな場所に死体を遺棄することが、おかしいのだ。

暗くなれば目立たない釣り堀沿いの植え込みとはいえ、朝になればこんなふうに近所の住民が発見する。人通りも少なからずある。それは犯人とて、少し考えれば分かったはずだ。あそこは決して、死体を遺棄するのに相応《ふさわ》しい場所ではない。まだビニールヒモで括られていた状態の遺体をデジカメ画像で見たが、それはそれは厳重な梱包だった。あの周到さと、遺棄場所のずさんさに大きなズレを感じる。感じるが、それについてはまだ上手く説明できない。

玲子は一つ頷き、彼女に頭を下げた。

「ありがとうございました。大変申し訳ありませんが、後日また事情をお伺いするのに、署においでいただくことがあるかもしれません。その際はなにとぞ、ご協力ください。それからご家族、特に息子さんに、何かお心当たりがおありになるようでしたら、お手数ですがお知らせください。どんなことでもけっこうです」

自分の名刺の裏に、亀有署の電話番号を書いて差し出した。彼女は丁寧に両手で受け取り、内容を確認してからチラリ、玲子の顔と見比べた。

——なによ。これで警部補かっていいたいの？

だが、彼女に警部補の意味がどれくらい分かるかは疑問だ。下手をしたら、巡査部長の方が格上だと思うかもしれない。一般市民の警察に対する認識なんぞ、その程度だ。

——それともなに、名前負けしてるっていいたいの？　だったら失礼ね。

しかし、そう思って見た彼女の顔、その化粧が、意外にちゃんとしていることに初めて気づいた。最初からこんなにきちんとしていただろうか。もしかしたら、麦茶を用意しにキッチンに入ったとき、こっそり塗ってきたのかもしれない。

——あ。あたし、もしかしたらヤバいのかも。

玲子は自分の化粧が崩れていないか、急に気になり始めた。

門扉《もんぴ》を閉め、改めて平田家を振り返る。強く西陽を浴びる家屋は、その家族構成に見合った大きさだった。

「麦茶、美味しかったですわ」

井岡は、早くも汗の出始めた額を拭った。

「そうね……」

そのとき、玲子の胸で携帯が震えた。取り出すと、図々しくも井岡が表示を覗いてくる。

「なんや、お宅からやないですか」

「家からで何が悪いのよ」

ディスプレイには「姫川自宅」と出ている。つまり母だ。会社勤めの父が、この時間に家から電話をかけてくるはずがない。

携帯はまだ小刻みに震えている。どうせ「今日は夕飯までに帰ってきてよ」とか、「次の休みはいつなの」「横浜の叔母さんにはちゃんと電話したの」とか、なんにせよろくな話ではないのだ。

玲子は「切る」ボタンを押した。

「な、なんも、切らんでも」

「いいのよ。次いくわよ」

玲子は井岡を従え、隣の「松宮」と表札のかかる家の呼び鈴を押した。押してから、

――あ、チクショウ。電話なんかかかってくるから。

自分が、化粧を直し忘れていたことに気づいた。

3

八月十二日火曜日、午後七時三十分。

亀有署で一番大きな会議室。その入り口には「水元公園変死体遺棄事件特別捜査本部」と

書かれた紙が貼り出されていた。あの死体発見現場は、正確にいえば水元公園内ではないはずだが、まあよしとしておこう。

玲子はその会議室の、一番前の真ん中に座っていた。

「それでは、始めます。起立、礼……」

会議には、鑑識を含めて三十人前後の捜査関係者が出席していた。地取りとしては充分な時間をかけたためか、捜査員は全員、時間通りに戻ってきている。

上座には亀有署長、和田《わだ》捜査一課長、今泉十係長が並んで座っている。司会進行は捜査一課、橋爪《はしづめ》管理官が務める。

「まずこちらから、司法解剖の結果を報告する。マル害は三十代半ばの男性、身長百七十一センチ、体重七十キロ前後。血液型、B型。死因は、頸部切創からの大量出血による出血性ショック死。死亡推定時刻は一昨日の午後七時から十時。切創は下顎骨左下から咽頭上部に抜けるかたちで、一直線。創底二センチ五ミリ。長さ十二センチ。左頸動脈を切断するに至っている」

橋爪は自分の喉元を切る真似をした。

「凶器はカミソリ、またはカッターナイフのような、厚みのない、薄型の刃物。力のかかり具合から、マル害は背後から、回り込むように切りつけられたと考えられる。ここまで、何か質問はないか」

特に拳手はない。

「次に、上半身に数多く見られた切創について。傷は大小合わせて九十四ヶ所。いずれも浅く、出血してはいるが死因とは無関係。そのうち五十二ヶ所からは、大きさは様々だがガラス片が採取されている。また、比較的深い傷の周辺には、生活反応のある打撲痕が見られた。それが十一ヶ所。骨折はない。以上からマル害は、仰向《あおむ》けで上半身に、板状のガラスを載せられた状態で、拳大の鈍器により、突くように殴られたと考えられる。つまり」

再び、橋爪が具体的に動作で示す。上座の机に人が仰向けに寝ていると想定し、上から殴る真似をしてみせる。

ふいに、井岡が隣で呟く。

「……マジックでも、するつもりやったんですかな」

まさか。それはないだろう。

玲子がまず思い浮かべたのは、私刑。リンチだ。ガラス板を載せたまま鈍器で殴りつけ、しかもその後に別の方法でとどめを刺す。それがリンチを想わせる。喋らせるためか、見せしめのためか、現段階では分からない。同じように考えた者もいるようだった。会議室のどこからか「リンチかな」という声が聞こえた。

マル害は、一体どんな理由でリンチを受けたのだろうか。殺されたのは、ガラス板リンチが効いて、最終的に喋ってしまったからなのか。あるいは、告白が許されざる内容だったたのか。いや、あまり決めつけて考えるのはよくない。固定観念は捜査の邪魔にしかならない。

「質問がなければ次に移る。……これが切創としては最後だ。みぞおちから股関節に達する、死後につけられた切創。創底九センチ五ミリ。長さ三十六センチ。これはある程度厚みのある刃物、ジャックナイフであるとか、出刃包丁の類によるものだ。まず、みぞおちに深く刺し、そのまま少しずつ股関節まで切開している。創洞《そうどう》内はかなり複雑に傷ついており、両手で何十回と力を入れ、三十六センチ、腹を断ち割ったと考えられる。何か、これについての質問は」

玲子はすかさず挙手し、橋爪の指名を受けた。

「その腹部の切開は、ただ切開しただけなのでしょうか」

橋爪が怪訝そうな顔をする。

「どういう意味だ」

「はい。たとえばマル害が、ホシが目的とするような何かを、腹部に埋め込んで隠し持っていたとは考えられないでしょうか。リンチを受け、結果そのことを喋り、喉を切られて殺害された挙句に、腹部を切開されたと。だとしたら、ただ切開したのではなくて、ホシは創洞内部を掻き回したのではないか、と思いまして」

橋爪は手元の資料を凝視した。向こうにいる所轄の若い刑事が口を押さえる。想像して気分でも悪くなったか。隣にいる大塚が、大丈夫かと背中をさする。

「そういう所見は、どこにも見当たらんな。もしそのようなことがあれば、間違いなく所見にあがってくるだろう。それがないということは、つまり、ないということだと思うが」

おそらく橋爪のいう通りだろう。切開して掻き回したのなら、必ず解剖所見にその旨が記載されるはずだ。

「分かりました」

玲子が座ると、橋爪は解剖所見のページをめくった。

「では次、手首の圧痕と擦過傷について。手首の表皮から、微量だが接着剤が検出された。まだはっきりとは分からないが、おそらくガムテープで手首を固定されていたのだろうと考えられる。抵抗し、あるいはガムテープを解こうとし、丸まったのだろう、手首の甲に幅一センチほどの圧痕と擦過傷がある。手首を縛られ、自由を奪われて、マル害はガラス板越しに殴られ、背後から喉元を切られたということになる。司法解剖の結果としては以上だが、何か質問は」

特に挙手はない。

「では次、鑑識。本部から」

玲子より後方に座っている鑑識課員が立ち上がった。小峰主任だ。

「はい。まず、遺体を包んでいた青いビニールシートは、建設現場などでよく使われるもので、製造元は『ミノワ資材株式会社』、所在地は川崎《かわさき》と判明しました。指紋は七種類出ていますが、一つはマル害のもので、他六つも全て、犯歴はありませんでした。次にビニールヒモですが、これは今、科捜研がメーカーを割り出しています。……残念ながら、身元はまだ判明しておりません。歯に治療痕があるので、手配を法歯学会に回しました。一両日中には照合結果が出ると思われます。ええ、次に現場周辺に関してですが……」

以下、小峰と所轄の鑑識係による現場周辺の鑑識結果が報告されたが、めぼしい物証は何もあがっていないようだった。採取されたものの何点かは科捜研に持ち込まれたので、明日ないし明後日には、何か新しい情報が得られるものと思われる。まあ、鑑識の一時報告とは大概こんなものだ。

「では次、地取り。一区」

「はい」

玲子が立つ。本当はマイクが欲しいところだが、なんとか地声で頑張る。

「こちらは現場周辺の聞き込みをしました。第一発見者は平田康子《やすこ》、現場正面の民家の主婦です。康子は今朝六時、二階の寝室の窓から遺体を包んだビニールシートを目撃しています。そのときはゴミの不法投棄と勘違いし、通報するには至っておりません。次に目撃したのは、十一時過ぎに義父を水元公園バス停まで連れていったときです。その帰り、包みが人形《ひとがた》だと気づき、十一時半に通報しております。これは現場に最初に臨場した水元公園前派出所の、新井巡査部長の報告とも一致しております。

康子は昨日、包みを見ておりません。また夜間の不審な物音、車両にも心当たりはないようでした。先ほど改めて平田家に電話をしましたが、帰宅した康子の夫、幹夫《みきお》、義父の安次郎《やすじろう》も、今朝から包みがあったことは知っていましたが、他は特に心当たりはないようでした。平田家にはもう一人、大学生の次男、正行《まさゆき》が同居していますが、こちらは不在で聴取できておりません。後日改めて訪問します。次に……」

　その後、担当した他の家についても報告したが、証言の内容は似たり寄ったりだった。いや玲子に限らず、あとに続いた地取りの報告はどれも同じようなものだった。

　夜間の不審な物音、車両に気づいた周辺住民はいなかった。朝になると、誰もがあの青い包みを見ていながら、死体だなどとは思わず通り過ぎていった。

　やはり、おかしい——。周辺の住民が、通りがかりに見るような場所に死体を置くというのは、どう考えてもおかしい。それがあまりに大胆であったため通報は遅れたが、犯人がそれを計算に入れていたとは考えづらい。

　なぜ犯人は、あそこまで頑丈に死体を梱包しておきながら、あんな中途半端な場所に置いたのか。発見されることに、何か意味でもあるのだろうか。それは、遺体の身元がはっきりしてみないとなんともいえない。だが、マル害が周辺の住民でないことだけは確かなようだった。周辺住民で、日曜の夜から行方不明になった者はいない。少なくとも地取りをした範囲の住民にはいない。だとしたらその知人か、地域にたずさわる人間か。今はマル害が、都内の歯科にかかっていたことを祈るのみだ。

捜査会議が終わりに近づく。初回としては短い方だった。それだけ有力な物証や証言が、現状では得られていないということだ。

締めに和田一課長がマイクを取る。

「マル害の身元も、また犯人の犯行目的、動機も、現時点では、何も明らかになっていない。だがこの計画的、且つ猟奇的殺害方法を見るに、犯人が第二、第三の犯行に及ぶ可能性は充分に考えられる。だがそれだけは、なんとしても回避しなければならない。明日からまた、捜査員全員が一丸となり、一日も早い、いや一分一秒でも早い、事件の解決に臨んでもらいたい。本日の捜査会議は、以上とする」

橋爪管理官の号令で、起立、礼、解散。会議は終了した。


荷物をまとめると、後ろの席から菊田が声をかけてきた。

「主任。一杯、どうですか」

「そうだね。いこうか」

玲子は上座を見やり、係長の今泉に猪口を傾ける真似をしてみせた。が、今泉は顔をしかめ、手を振って「いかない」と返した。

——ま、胃潰瘍のあとじゃ仕方ないか。

玲子は会釈し、今度は石倉に向き直った。

「たもっつぁんも、たまにはどう」

若い捜査員の多い姫川班だが、五十に近い石倉もれっきとしたメンバーの一人だ。ベテランだけあって大塚や湯田ほど扱いやすくはないが、だからこそ一緒に飲みたいとも思う。玲子の部下であることに変わりはないのだ。他の若い者と同じように、腹を割って話す機会が欲しい。

「せっかくですが、今日は……。ここからだと却って家が近いもので、たまには早く帰ってやりたいと思いまして」

石倉は厚く肉のついた背中を丸めて詫びた。

「そっか。たもっつぁん、市川《いちかわ》だもんね」

石倉には大学生の娘と中学生の息子がいるが、息子は不登校、娘も就職が決まらなくて悩んでいると聞いている。直接ではなく、菊田から教えられたというのが引っかかるが、事情は一応把握している。無理には誘えない。

「うん、じゃあまた明日。お疲れさま」

石倉は何度も頭を下げ、上着を丸めて逃げるように会議室を出ていった。

「ほなら、ワシがご一緒しますわ」

急に井岡が割って入ったが、

「ちょちょちょ。井岡さんはこっち」

大塚が後ろから井岡の腕を取る。

「こっちて、チミらも一緒なんちゃうの」

井岡は大塚と湯田を見比べた。

湯田も倣って井岡を捕捉する。

「いえ。僕らは別行動なんです」

「え、どうして？」

その、玲子の問いは無視された。

「いや、ワシは玲子ちゃんと一緒が……」

そこだけ、菊田の眉がピクリと反応する。

大塚が、井岡の肩を抱き込む。

「まぁそういわないで。世田谷の張り込みで、一緒に雨に濡れた仲じゃないですか」

「別にワシは、チミと濡れたかったんちゃうで」

「そうですよ、井岡さん。一緒にいきましょうよ」

湯田は大塚に完全同調だ。

「な、なんやねんなんやねん」

「はいはい、いきましょういきましょう」

「ちょい待たんかい」

「はい、カバンは僕が持ちますからねぇ」

「そういうことちゃうやろ、コラ」

菊田は黙っている。玲子も黙っていた。

井岡は大塚と湯田に両腕を抱えられ、後ろ向きに会議室から連れ出されていった。あのまま階段も後ろ向きだったら危ない。

「……じゃあ、俺らも、いきますか」

どことなく、菊田の表情が硬い。そうなると、玲子も鈍い方ではないから、ははんと思う。仕込みは大塚と湯田だけだったのだろうか。石倉や、今泉も嚙んでいたのだろうか。

「そうね。じゃ、いこうか。二人っきりで」

そういって覗き込むと、息を吞んだ菊田の頰が、少し赤くなったように見えた。


ここでいいかと落ち着いたのは、チェーン店の居酒屋だった。

「お疲れぇ」

「お疲れっす」

まずは、争うように生の中ジョッキを一杯空けた。

やがて二杯目と、二皿三皿つまみが運ばれてきた頃。菊田は、玲子の目を見ずに訊いた。

「……そういえば、例の見合い……どうなったんすか」

玲子はわざと、口を「へ」の字にして睨みつけた。

「菊田、あんたまでそんなこというの。ねぇどうして？　そんなにあたしって、早く結婚しなきゃいけないの？」

「までって、なんすか」

睨んだまま答えないでいると、菊田は枝豆の粒を弾きながら独りごちた。

「ああ、國奥先生っすか」

角張った逞《たくま》しい顎が豆を潰す。大きな口が、玲子のオーダーした海藻サラダを頬張る。喉仏の突き出た太い首には、ジョッキを傾ければ傾けるだけ、いくらでもビールが流れ込んでいくようだった。もう見慣れた、菊田の豪快な飲みっぷりと食べっぷり。いつもなら「これぞ男の」と見惚れる、逞しき生命力の発現。だが今は、それが自らの口を塞ぐために詰め込み、流し込む、なんとも女々しい行為に映る。

――あんたは、どういう意味でいってんのよ。

玲子は子供でも馬鹿でもない。菊田くらい不器用で実直な男の気持ちくらい、言葉にしなくても分かっている。けれど、分かっているから言葉にしてくれなくていい、というものではない。そういう女もいるのかもしれないが、玲子は違う。ちゃんと、気持ちを言葉にして伝えてほしい。いいたいことありげな雰囲気だけ漂わせて、肴とビール、挙句に仕事の話に逃げられるのでは堪らない。

——あんたはどうしたいのよッ。

仕事中の寡黙は許す。こっちにも許す理由がある。けれど、こうやって仕事が終わってから誘っておいて、ガツガツ食べてグビグビ飲んで、それでも「好き」の「す」の字もいわないのは許せない。許せないとは傲慢《ごうまん》な。そんなことは自分でも分かっている。しかし、だったらなんのために二人きりなのかと逆に訊きたい。

そもそもこういうことは、今日が初めてではない。玲子の見合いが終わった頃、大体こんなタイミングで誘ってくる。気になっているならそういってほしい。好きなら好きだとはっきり示してほしい。それさえいってくれたら、それさえいってくれたなら、自分は——。

玲子は空いたジョッキを、通りがかりのウェイターに向けて突き上げた。それを合図とするかのように、菊田はぼそりと呟いた。

「やっぱ、アレはリンチっすかね」

いつもの、お決まりのパターンだった。そうと分かっていながら、つい乗ってしまう自分も悪いのだろう。仕事の話を持ち出されると、煮え切らない菊田に対するイライラも、指の間からこぼれる乾いた砂のごとく抜け落ちていく。もう頭の中にはくっきりと遺体の図が描かれている。捜査会議で仕入れた情報まで、注釈のように浮かび上がってくる。

「……それは、どうかな」

自然と眉間《みけん》にしわが寄り、口が勝手に答えてしまう。

「リンチかどうかは、やっぱりマル害の身元がハッキリするまでは考えても仕方ないと思う。むしろあたしが気になるのは、腹部の切創三十六センチ。あの意味が分からない」

「ああ、会議でもツッコんでましたね」

菊田が四つ目のジョッキを空ける。

「……また、表現がエグい。創洞内を弄り回す、とかいうから」

「うそよ。掻き回す、っていったのよ」

玲子も三杯目を空けた。

「似たようなもんでしょ。ほら、あの口押さえてた若いの、あれ、誰だか知ってます？」

「ああ、大塚の相方《あいかた》の若い子。んーん、知らない」

「あれ、北見《きたみ》第三方面本部長の、息子さんらしいですよ」

第三方面は、渋谷、目黒、世田谷を統括する本部だ。方面本部長といえば立派な警察官僚。階級は警視長。その息子といえば、そこは推して知るべしだ。

「つまり、あの坊やもキャリアってわけか」

「ええ。警大（警察大学校）卒業して、研修中ってことじゃないっすか」

菊田がらしい苦笑いを漏らす。玲子は首を傾《かし》げた。

「でも変ね。どうして研修中のキャリ坊を、わざわざ帳場になんか入れるのかしら。どうせ三ヶ月かそこらでしょ。適当にクルクル回しときゃいいのに」

「それがね、なんでも本人が、これも一つの経験とかホザいたらしいっすよ」

「なにいってんだか。それで会議で気分悪くなってりゃ世話ないわ」

「ええ……ですね」

そのとき玲子は、菊田が、自分を真っ直ぐに見ていることに気づいた。そう、こういう話題でなら、菊田は自分を真っ直ぐに見られるのだ。見合いについて訊いたときは所在なげに泳いでいた目が、今は押し倒さんばかりの強さで玲子を見つめている。その目のまま、そのまま「好きだ」といわれてみたい。はずみで「はい」といえるくらい、強く——。

だが、菊田にそんな想いが通じるはずもない。

「やっぱいいっすね、キャリアは。あの若造でさえ、警部補なんだから」

玲子はズッコけ、そのまま菊田の平らげた皿を、全て膳から払い落としたくなった。

——あんた、こんだけ一人で食っといて、割り勘とかいわせないわよ。

金町の夜は、静かに更けていった。

4

八月十三日水曜日。

早朝の会議で今日の捜査方針を確認し、タクシーで亀有署を出た。現場付近に到着し、ようやく地取りを再開しようかと思った午前九時半、玲子のポケットで携帯が震えた。命令は至極簡潔。緊急会議、捜査本部に戻れ。

「帰ってこいってさ」

玲子は携帯をしまいながら、苦笑いをしてみせた。

「はぁ。なんぞ出ましたんかいな」

「マル害の身元が割れたって。やっぱ、歯の治療はマメにしとくもんね」

井岡が小さくガッツポーズする。

「よっしゃ。これで実り少ない地取りともオサラバでんな」

「敷鑑《しきかん》(被害者の関係者に対する聞き込み)の実りが多いか、そりゃ、やってみなけりゃ分かんないわよ」

だが実のところ、玲子も「よし」と思っていた。

この事件、地取りはいくらやっても無駄なのではないかと踏んでいた。犯行は計画的、しかもかなり入り組んだ背景があると見える。一課長は「猟奇的」と表現したが、そうともいいきれない堅実さを、あのビニールシート梱包には感じた。周囲の住民にまったく心当たりがない点も同様だ。これ以上当たっても、この土地から何かがあがってくるとは思えない。

その点では早々とホシに白旗ムード。強いて何かあがるとすれば、それは鑑識か科捜研絡みだろう。むろん、地取りに充分な日数をかけたわけではないから、これは単なる印象にすぎない。すぎないが、しばらくは別の切り口で捜査がしたいと思っていた。

——それにしても、気になるな。

玲子は大通りに出ようと、井岡と並んで内溜沿いの道を戻り始めた。歩きながら、ふと死体遺棄現場を振り返る。内溜沿いの、幅のせまい植え込み。細かい葉のびっしり詰まった、濃い緑の植え込み。

——なぜ、あの場所に置いたのかしら。

曇り空。内溜の水面は、暗い墨色に濁っていた。

「先ほど中野の歯科医師から、治療痕と一致する患者がいるとの連絡が入ったので報告する。金原《かねはら》太一《たいち》、三十四歳。事務機器リース会社、大倉《おおくら》商会社員。現住所、東京都練馬区平和台〇×の△、グランドハイツ平和台七〇七号。既婚、子供はない。金原には昨夜、家族から所轄の練馬署に捜索願が出されている。……早速、姫川と大塚は、中野の歯科医院で遺体レントゲンとカルテの照合、そのまま大倉商会本社で敷鑑。石倉と菊田は鑑識を帯同して被害者宅、及びその周辺。湯田は待機。機捜は地割りを再編する。一区と二区、池上。三区と四区、萩尾。五区と六区……」

玲子は地割りを最後まで聞かずに席を立ち、上座左手にいるデスク担当に資料をもらいにいった。受け取った茶封筒には、マル害の歯のレントゲン写真、いま読み上げられた金原太一なる人物のデータと、歯科医院や勤め先の住所が書かれたメモが入っていた。

会議室出口に向かうと、すぐ後ろに井岡、大塚、それと昨夜、菊田がいっていた「キャリ坊」の北見警部補が並んでついてくる。北見にこちらから挨拶をする義理はないし、向こうから挨拶をしてほしいとも思わない。だが邪魔だけは、絶対にしてくれるなと思う。捜査員としてはまったくの戦力外なのだから、せめて遅れずについてこいといいたい。

早足で階段を下りていると、

「主任。どうでした、ゆうべ」

大塚が小声で訊いてきた。

「何が」

「あ……いや別に。なんでもないっす」

さほど不機嫌な声を出したつもりはないが、大塚はそれだけで歩を遅らせ、後ろの北見と並んだ。

——どうもこうも、割り勘だっつーの。

玲子は鼻から溜め息を吹いた。

代わって井岡が隣に並ぶ。

「これで、忙しくなりますなぁ」

「そうね。少しは先が見えるといいわね」

「中野やったら、いったん大手町まで出て東西線に乗り換えれば、三本でいけまっせ」

「あらそう。タクシーにしようかと思ったけど、こっからじゃ時間が読めないか」

結局、井岡の提案に従った。金町から常磐線で北千住《きたせんじゅ》、千代田線に乗り換えて大手町、東西線に乗り換えて中野まできた。改札を出たところで腕時計を見ると、午前十一時ちょうどだった。

まずはマル害が通院していたという歯科医院を訪ねた。その名も「中野デンタルクリニック」。駅から徒歩三分、やや古びた雑居ビルの四階にあり、改装したのか医院の内部は明るく清潔な印象だが、聞けばかなり古くから開業しているのだという。

捜査本部から訪問するとの知らせが入っていたため、マル害に関する書類はすでにそろえられていた。

応対したのは院長の息子。今は彼がほとんどの患者を診ているらしい。

「朝一番でファックスを見て気づいたんです。この親不知《おやしらず》、生え方に特徴があるし、もう虫歯になってますでしょう。それで金原さんに、こうなったら思いきって抜いちゃいましょうって、いったのを思い出したんです。でも彼、抜くのをすごく怖がってましてね。私が診たときより、虫歯は随分と進行してますね」

遺体レントゲンと医院に残っていたそれを合わせると、確かに治療痕がぴったりと重なった。その旨を捜査本部に伝えると、今泉は金原宅前で待機している鑑識に指紋を採取させると告げた。

ようやく、捜査は動き始めた。


むろん大倉商会にも連絡は入っていた。場所は歯科医院と同じ中野で、社屋は十階建てのビルだった。

上司から刑事がくると知らされていたのだろう、受付嬢は玲子が警察手帳を見せただけで素早く立ちあがった。

「六階の第三会議室で、営業二課の麻田《あさだ》がお待ちしております。通路奥、左手のエレベーターからお上がりください」

いわれた通り、六階でエレベーターを降りる。第三会議室を探すまでもなく、開いたドアの前にはスーツ姿の男が立っていた。

「お待ちしておりました」

四十前後だろうか、やや前髪が寂しい、背の高い男だ。

「警視庁捜査一課の、姫川です」

「は。私、金原の上司で、営業二課の課長をしております、麻田と申します。さ、どうぞ、こちらでお話をお伺いしますので、どうぞ」

殺人事件だと聞いたからか、通された会議室には社長や専務、常務、部長やらなんやら、難しい顔をしたのが七、八人そろっていた。放っておくと、麻田は全員を紹介し終えるまで続けそうだったので、玲子は途中で遮《さえぎ》った。

「……あの、申し訳ありません。事件の性質上、こちらから皆様にお話しできることは限られております。現状では金原太一さんと思《おぼ》しき男性が殺害されたと、それしか申し上げられません。誠に勝手なお願いですが、こちらは一人一人、お話を伺う必要がございます。お手数ですがいったん、皆様にはご退室いただくか、別の場所……せまくてもけっこうです、私共に別のお部屋を、お貸しくださいますでしょうか」

するとし社長と紹介された五十そこその男が、麻田に別室を用意するよう命じた。

社長は玲子に向き直った。

「姫川さん、と、仰いましたね」

「はい。警視庁捜査一課の、姫川と申します」

「捜査の責任者はあなた、ということで、よろしいのかな」

「はい。今日のところは、そう思っていただいて差し支えありません」

すぐに麻田が戻り、別の会議室を用意したと告げた。そこが、臨時の取調室となる。

玲子は、大塚と北見を残して別室に移動することにした。彼らには、何か善からぬ相談などしないようお偉方を見張らせる。必要ならばここから一人一人呼び出し、玲子が別室で面接する。だがおそらく、それが必要なのはお偉方ではなく、もっと身近な同僚や上司、部下だろう。金原と特別な関係でもない限り、取締役クラスに用はない。

誰だろう。さっきからずっと、玲子を追いかけてくる視線がある。それとなく見ると、その主はあの社長だった。

――なんか、ヤラしい感じ。

玲子は部屋を出る間際、彼にだけは軽く会釈をしておいた。


用意された別室は、十人前後で使う会議室だった。取り調べには広すぎるが、不都合はない。少々蒸し暑いが、それはいま冷房を入れたばかりだからだろう。

最初に面接したのは、上司の麻田だった。

金原が殺害されたと思われる日曜の夜、彼は自宅にいたという。証明できるのは家族だけらしいが、特に疑わしい印象はない。

また麻田は、金原夫人から月曜の午前中に連絡を受けていた。最初は、金原が会社にいっているかどうかの確認だった。出社していないと告げると、警察に届けた方がいいだろうかと相談された。そのときは、もうしばらく様子を見た方がいいと答えた。最終的に夫人は、その翌日夜、練馬署に捜索願を出している。

「金原は、実に真面目な男でした。いや、堅物というのではないんですが、人当たりもよかったし、付き合いもよかった。外回りの営業が主な仕事でしたが、イベントなんかを仕切らせても要領のいい男でした。……殺されたっていうのは、間違いないんでしょうか」

金原太一が殺された、そのこと自体が信じられない。麻田の言動には、そんな気持ちが滲み出ていた。芝居なら大したものだ。

「最近の金原さんの行動に、何か不審な点はありませんでしたか」

麻田は首を傾げた。

「いえ、特に……なかったと、思います」

「変わったこととか、新しく何か始めたこととか。交友関係でも、なんでもけっこうです」

「……特に、思い当たることは、ないです。はい」

「では、誰かに恨みを買っていたようなことは」

「いえいえ、そんなのはないですよ。そういう男ではないですよ」

「そう断言される根拠は」

「こ、根拠と、いわれましても……家庭も大切にしていたし、仕事だって人一倍、一所懸命やっていましたし」

「仕事上で、誰かとぶつかるようなことは」

「それはまあ、営業職ですから……他の業者さんの、お得意様を取るような形になることも、なくはないですが、それは別に、特別なことではありませんでしょう。それで一々、営業マンが恨まれたり殺されたりするんじゃ、命なんていくつあったって足りませんよ」

もっともだ。実際の殺害方法を知ったら、この麻田はもっと激しく否定するだろう。

「では、社内で仲が悪かった方とかは」

「いません。金原は上にも下にも横にも、人望の厚い男でした」

「では逆に、仲の良かった方は」

「仲が、良かった……」

麻田はしばらく考え込んだ。

「……特別に誰かと、というのは、なかったかも、しれないです。いや、何度もいうようですが、決して嫌われていたとかはないですよ。孤立もしていません。ただ親友とか、そういうのは、社外にはいるのかもしれませんが、少なくとも私の知る範囲では、社内にはいなかったように、思います。……そう考えると、腹を割った感じは、なかったかもしれない。亡くなったあとでこんなことをいったら、罰が当たるかもしれないですが、強いていえば、強いていえばですよ、上辺《うわべ》だけの付き合いだった……のかも、しれないです。はい」

あとから考えると、その人が本当は何を考えていたのか分からない。それは、決して特別なことではない。むしろ正直な心象であるといえる。

現代社会で、ことに企業内で、人を真っ白くいうのは得てして会社のためだ。真っ黒くいう場合は、利害の対立に起因する個人的見解の域を出ない。人と人との付き合いは、おおよそが灰色。そんなものだ。

玲子は益々、この麻田という男に興味が持てなくなった。

「分かりました。では金原さんに、部下の方はいらっしゃいましたか」

「ええ、はい。金原は主任をしていましたから、六名ほど」

「男性ですか」

「はい。全員、男です」

「その中で金原さんと一番親しい、もしくは長く付き合っていたのは、どなたですか」

「……親しいのも、長いのも、小沢《おざわ》でしょうか。彼は金原の五、六年後輩になりますが、二課の前が同じ支社でしたし、営業ですから仕事自体はまったくの個人個人ですが、前の支社では、金原が小沢に仕事を教えた時期もあったんじゃないかと思います。部下の中では、可愛がっていたように見えました」

「では、その小沢さんを、ここにお願いできますか」

麻田は沈痛な面持ちで退室し、代わって少し若い男が入ってきた。顔を引き攣《つ》らせた小沢は開口一番にいった。

「金原さんが殺されたってのは本当ですかッ」

面倒なタイプだ。このままでは話が廊下まで筒抜けになってしまう。

「本当です」

「どうしてですか、なんで金原さんが……どこでですか、誰にですか」

「とりあえず、お座りください」

まずは、落ち着かせるところから始めなければならない。手のかかる坊やだ。

玲子は胸の前で手を組み、彼を見上げて語りかけた。

「……小沢さん。我々は、金原さんを殺害した犯人を捕まえたい。ですが、現状はまだ、金原さんご自身の情報を集めている段階です。どうか、細大漏らさず、金原さんについてご存じのことを、お教えください」

「どうやって殺されたんです」

誰か、この若造に人の話を聞くよう教えてやってくれ。

「それは、まだお教えできません」

「い、いつ、殺されたんですか」

「日曜日の夜、八時前後です。そのころ小沢さんは、どちらに？」

「あっ……」

一瞬、自分が疑われていると思ったのか、小沢の眉は吊り上がった。だが昨今、警察による、あらゆる関係者に対するアリバイの聴取は常識と知られている。そこに考えが至ったのだろう、小沢は短い息を吐き、ようやく椅子に座った。少し、冷静さを取り戻したようだった。

「……僕は、金曜の夜から友人の別荘にいってました。大学時代の友人です。別荘は、軽井沢です。日曜の夜中だったら、帰りの渋滞にはまってました。どこから何キロとかは覚えてませんが、随分大きな事故渋滞だったはずです」

「お車の運転は、どなたが」

「別荘を持っている、友人です」

「料金所の領収書とかは」

「……捨ててなければ、その友人が持っているはずです」

「では、そのお友達のお名前とお電話番号、教えていただけますか」

小沢は、今日は携帯電話を自宅に忘れてしまった、手帳がないと分からないというので、井岡と取りにいかせた。井岡をつけたのは、その友人に電話やメールをさせないためだ。だからといって、別に小沢を怪しいと思っているわけではない。疑いようのない人物だと分かれば、リストから除外できる。むしろ玲子は、それを期待している。

友人について書き留め、質問を再開する。

「金原さんは、どういう方でしたか」

「とても、真面目な人でした。一所懸命働いて、一所懸命遊んで、一所懸命……奥さんを、大切にしていらしたと思います。遅くなるときは必ず電話を入れてましたし、ちょっとしたお土産とか、よく買ってました」

「恨みを買うようなことは」

　ほんの一瞬、小沢は間を置いた。

「恨み、なんて……」

　隣で井岡が大きく鼻から息を吸い込む。「ここがツッコみどころ」といいたいのだろう。だが玲子は、そうはしなかった。質問の切り口を変えて続ける。

「最近、金原さんご自身、または周辺にでもけっこうです。何か変わったことはありませんでしたか」

「変わったことって、たとえば、どういうことですか」

「交友関係、好みの店が変わったとか、行動の変化でも、見た目の、印象的な変化でも、なんでもけっこうなんですが」

　小沢は言葉に詰まった。

　井岡が静かにノートを閉じる。これも「たたみかけましょう」という合図だ。そもそも聴取している間、ノートに一々記録を取ったりはしない。具体的な人名や団体名、地名が出てきたときには控えるが、それ以外はあまり書かない。実際、井岡の開いていたページには、軽井沢を共にした友人に関すること以外、何も書き込まれてはいない。書かれると思うと、人は口が重くなるものだ。井岡はノートを閉じて、話をしやすくしたのだ。

　——そうね。そろそろ、仕掛けてみようか。

玲子は再び両手を組み、机に肘をついた。声色も意識して変えてみる。

「ねえ、小沢さん。詳しいことはいえないですけど、金原さんはですね、とても……惨《むご》い殺され方を、したんですね。ちょっと、普通じゃありません」

「……通り魔とかじゃ、ないんですか」

玲子は答えず、ただかぶりを振った。

「ですから、どんなことが手掛かりになるか、今は我々にも分からないんです。ねえ、小沢さん。最近、金原さんに何か、変わったことがあったんじゃないですか？　恨まれるようなこととか、何か心当たりがあるんじゃないですか？」

「そんな、恨まれるなんて……」

小沢は大きく息を吐いて、背中から力を抜いた。

玲子には、彼が、迷っているように見えた。重要な何かを、喋ろうか喋るまいか、決めかねている。喋ることで後々、死んだ金原に何か不名誉な事態が起こるのではないか、残された遺族に迷惑がかかりはしないか、そんなことを心配しているのだ。

やがて考えがまとまったか、小沢はゆっくりと喋り始めた。

「……金原さんは、ちょっと僕なんかからすれば、真っ直ぐすぎるっていうか、正直、疲れちゃうようなところは、ありました。別に、お前たちももっと頑張れとか、いうわけじゃないんです。いわないんですけど、自分自身の行動で示すっていうか。そんなプレッシャーは、ありました。特に、この春先くらいから……」

井岡の指が微妙に動いた。玲子も「この春先」というひと言に引っかかるものを感じた。

「度を越えて頑張ってたっていうか。……この本社の営業っていうのは、支社の営業と違って、主に顧客が企業なんです。だいたい、従業員数が千人以上の企業を担当します。そこにコピー機やファクシミリ、電話機はもちろん、机やロッカー、書棚でも文房具でもなんでも、当社がまとめてリース、及び販売をする……とまぁ、そういう企業を、一人で何社も担当するわけです。特にリース期限が切れる頃とか、別の業者に乗り換えられないように、先手先手で提案していかないと、あっという間に取られてしまうんです。正直、自分が任された顧客を失わないようにするのが精一杯な部署でして、大体上からも、そんなに新規開拓は期待されていないんです。ところが金原さんは、今年に入ってから……正確に、いつ頃からかは分かりませんが、果敢に新規開拓に動いてました。それも、そんじょそこらの企業じゃなくて」

小沢はひと呼吸置いた。

「……東都銀行に、食い込もうとしてたんです」

東都銀行といえば、都市銀行では五本の指に入る大手だ。

「東都銀行に、一括リース、ですか」

「いえ……そりゃ、そんな契約が取れれば、それ以上凄いことはないですよ。全国の支店から何から、納入できることになるんですから。ですが、現状でも東都さんは、大口の融資先である事務機器リース業者と、傘下の中規模業者、それから大口の顧客であるメーカーと直接、リース契約を結んでいるはずです。全部まとめてってのは、夢のまた夢です。でも、その一部がウチに流れるだけでも、莫大な売り上げが見込めるんです。傘下の業者の分を取るだけでも、ウチにとっては大事件です」

「でしたら、恨みを買うようなことも？」

小沢は複雑な笑みを漏らした。

「それは、ないですよ。だって結局、金原さんは何もできなかったんですから。契約を横取りしてもいないのに、恨まれる理由なんてありませんよ。そもそも、そういう大口の契約を取る場合は、東都さんだったら最低でも二十人くらいのプロジェクトチームを組んで交渉に当たるのが通例です。それを、一人で切り込むってのは、却ってどうかと思いますよ。何か個人的にルートがあるなら別ですが、そういったことでもないようでしたし」

「では周りの方は、それを約半年もの間、傍観していた……と」

玲子の「傍観」という言葉に腹を立てたか、小沢は眉間に小さくしわを寄せた。

「それは、先ほど申し上げた通りです。我々は、担当の顧客をキープするのが主な仕事です。それを金原さんは立派にこなしていたんですから、僕らが文句をいえることではないです。ですから、悪い人ではありませんでした。とてもいい人で、凄い人だったと思います。ですが、そういった点で、少し……なんていうのかな、疲れちゃうっていうか、こんなこといいたくはないんですけど、ちょっと、距離を置きたくなっちゃう感じは、ありました。正直なところ」

「そうですか」

玲子はそれで、小沢への聴取を切り上げた。小沢は喋ってしまったことを後悔しているのだろうか。出ていく後ろ姿が少し、入ってきたときより小さく見えた。

「頑張りすぎて死んだにしては、派手すぎますなぁ」

井岡が椅子にのけぞって伸びをする。

時計を見るとすでに十二時五十分だった。

昼食は、大塚たちと四人でコンビニ弁当を搔っ込んだ。仕出しか何かを出すと麻田にいわれたが、職務上それは困ると遠慮した。制服姿の女子社員が淹れてくれたお茶だけ、ご馳走になった。

午後からはもう一人、貫井《ぬくい》という金原の部下に面接した。残念ながら他の四人は営業に出ており、後日に回さざるを得ないという結論に達した。他には女子社員二人、他課だが同期が一人、人事部から二人。この日は全部で八人に面接して終わった。

5

八月十三日水曜日、午後九時。夜の捜査会議。

機動捜査隊が担当するようになった地取りからは、特に新しい情報はあがってこなかった。気の毒といえば気の毒だ。おそらくそれは、彼らの責任ではないのだから。

次に一課が担当する敷鑑の報告に移った。まず玲子が、大倉商会社員八人に対する面接結果を報告した。

「……金原に対する周囲の印象は以上のように、真面目で一所懸命な人、というので一致しています。ですが、その中で小沢と貫井という直属の部下たちは、やや金原のペースについていけないと感じていたようです。無言のうちに、金原の仕事ぶりにプレッシャーを受けています。特に小沢はそれを、この春先から、と区切っています。明日は残りの部下四名にアポイントを取ってあるので、再び大倉商会本社にて面接します。それから金原が営業を仕掛けていた、東都銀行関係者の名前も業務日報から割れていますので、午後からはそちらを予定しています。報告は以上です」

「何か質問はあるか」

橋爪管理官が欠席のため、今夜は今泉係長が司会をしている。玲子に対する質問は特になかった。

「では次、マル害宅の報告」

「はい」

一つ後ろの菊田が立ち上がる。

「本日はまず、マル害宅を訪問し、金原夫人に事情を聞きました。金原は殺害当夜、仕事関係の人間と会うといい、家を出ています。具体的な相手は分かりません。出かけたのは夕方の六時過ぎです。車は持っていますが乗って出てはいません。電車かタクシー、もしくはバスです」

電車、タクシー、バス。虱潰しに当たらせるとしたら、かなりの人数が必要になるが――。

「仕事関係で飲むことは珍しくなかったそうですが、夜中の一時、二時を過ぎても連絡がないのは珍しかったので、まず携帯に電話してみたところ、通じない。そのまま朝まで帰らず、会社に連絡してみたが、出社していない。昼頃まで様子を見て、再度会社に連絡を入れてみたところ、まだ出社しておらず、そのときになって初めて、上司の麻田に事情を説明したそうです。麻田に捜索願はしばらく待つようといわれ、一日待って昨夜七時、練馬警察署に直接出向いて、捜索願を出しています」

この辺りは、玲子が麻田に聞いた話と一致している。

「金原と夫人は大学の先輩後輩で、学生時代に付き合ったまま、七年前に結婚しています。

子供はありませんでしたが、夫婦仲はよかったようです。ですが、この春頃から、金原は月に一度、休日の夜に家を空けるようになってます。理由はそのときどきで違ったようですが、それまでは休日、家に仕事を持ち込むことはあっても、一人で出かけることはなかったそうです。まったくなかったわけではないが、極めて珍しかった。最初は夫人も気づかなかったようですが、さすがにそんなことが半年も続くと、疑うようになった。先々月以前のことは定かではありませんが、先月は間違いなく十三日、第二日曜だったそうです。殺害当夜の十日も、第二日曜です。これは何かある、と思った矢先の出来事だったそうです」

学生時代からの付き合いとなると、すでに十年以上経っていることになる。ということは——。

「夫人に女の可能性についても訊きましたが、絶対にないとはいえないが、たぶん女ではないだろうといっていました。根拠はないんですが……まあ、女の勘ってやつでしょうか。強いていえば、月に一度、日曜の六時頃に出ていって、十一時には帰ってくる。それ以外は、特に何かをする暇があるとは思えないんだそうです。また、金原の人柄についてですが、夫人は……」

菊田の報告は続いていたが、玲子は思わず考え込んでしまった。

——金原は月に一度、第二日曜の夜に、誰かと会っていた。

まず考えられるのが、東都銀行関係者だ。つまり接待だ。だが小沢の話からすると、よほど特別な関係でもない限り、一人で進められる規模の仕事でもないらしい。中規模事務機器リース会社の、それも役員でもなんでもない金原が、大型都市銀行の誰を接待すれば、契約が取れるのだろう。社内における個人の裁量も、もしくは金原が自腹を切っていたにしても、自ずと限度は知れている。

逆に、今まであがっている金原の人柄には反するが、既存の契約業者への揺さぶりや、偵察行為も頭に入れておいた方がいいだろうか。その方があの殺害方法、リンチじみた切創への流れは理解しやすい。第二日曜にスパイ行為、それが発覚して報復、リンチ、殺害。いや、一般企業が顧客の取り合いでそこまでするだろうか。そもそも、第二日曜と限定してできることとは何か。

――こりゃ、ちょっとした迷路だな。

玲子は自分の考えは隅に置き、報告に集中しようと視線を上げた。

「……マル害宅周辺は、石倉から」

菊田が報告を石倉に譲る。今泉が「では石倉、続けて」と促す。石倉がのっそりと立ち上がる。

「ええ、まず金原の、近所の評判ですが……」

捜査会議は十時半まで続いた。

翌日も、翌々日も、玲子と井岡は仕事関係の敷鑑に当たった。だが、いくら関係者に話を聞いても、金原殺害に怨恨の線は浮かんでこなかった。真面目な人でした、一所懸命な人でした。口をそろえて誰もが「惜しい人を亡くした」と、上辺だけは嘆いてみせた。

金原が果敢に営業を仕掛けていたという東都銀行の線も、特にめぼしい手掛かりにはなりそうになかった。聞き込みの結果、金原は東都銀行本部に直接食い込んで契約を取ろうとしていたのではなく、支店単位で営業を掛け、まずは個々の付き合いから固めていこうとしていたと分かった。

「本当に一所懸命、足繁く通っていらっしゃいました。たとえばコンピュータ関係なんてのは、おいそれと新規の業者さんにお任せできるものではありませんし、コピーやファックスも、本店が決めた業者さんが入っていると申し上げて、最初にお断りしたんです。……ですが、消耗品があるでしょう、と。コピー用紙でもいい、ボールペンでも消しゴムでも、名札でもバインダーでもいい、何か小さな事務用品から、お付き合いさせてほしいと仰いまして」

なるほど。金原は「小さなことからコツコツと」タイプだったわけか。

「正直、困りました。確かに支店単位で自由になる買い物もあります。ですが、そういったものも、今までお付き合いいただいている業者さんがありますから。……しかしまあ、こんなことをいってはなんですが、そんなね、ケチな話でも一所懸命、半年も続けられるとですね、少しくらいは融通してあげなきゃいけないんじゃないか、少しくらい面倒見てあげたっていいんじゃないのかって、このところね、思ってはいたんですよ。本当に、残念です。……亡くなられたんですか、金原さん。ま、ウチとは実質、お付き合いがなかったわけですが、大倉商会さんにとったら、大きな損失になったんじゃないですかね。いい営業マンだったと思いますよ。ウチに欲しいくらいでした」

そういったのは中野支店の次長だが、他の支店、たとえば池袋支店などは、すでに小口の付き合いを始めていたようである。参考までに、東都銀行とリース契約を結んでいる既存の同業他社も当たってみたが、他所はともかく、東都銀行に関しては大倉商会とぶつかっている事実はないという。これでは、恨みの買いようもない。

「こっちの線は、空振りですかなぁ」

亀有署に帰る電車の中。両手で吊り革にぶら下がる井岡は、まんま、ただのサルだった。

「なんか、そうかもね。プライベートで裏があるとすれば、また別だけど。けっこう、仕事離れると人格変わっちゃうタイプだったりして」

玲子は苦笑いしてみせた。それだったら玲子の組はお手上げだ。プライベート絡みの怨恨なら、手柄は菊田か石倉に持っていかれてしまう。まあ、それでも自分の部下があげるならいい。機捜に持っていかれるよりは面目も立つ。

「いや、奥さんの話からしても、それはないんとちゃいまっか。見合いとかならいざ知らず、学生時代からの恋人で、恋愛結婚でっしゃろ。裏があるようやったら、そないいうとるんちゃいまっか」

「そうかな。そうとは限らないと思うけど」

「十年以上付き合っとる恋女房にも、見せず気づかれぬ〝裏の顔〟でっか？」

「なんか、そういうと仕置き人みたいだけど、あり得ない？　あたしは、あってもおかしくないと思うけど」

「そうでっか。そないなもんでっかなぁ……」

それで、しばらくは会話が途切れた。電車の中で、あまり真剣に事件について話し合うことはできない。どこで誰が聞いているか分からないから、小声で、しかも単語も選びながらになる。自然とそれは、議論というよりはボヤキに近いものになる。

「……あ、昼のラーメン。あれ旨かったですなぁ」

「そうね。餃子も食べたかったけど、臭うからねぇ」

「明日もいきまっか、あそこ。巣鴨支店の取引内容、確認にいくのを昼に合わせればエエやないですか」

「やーよ、明日はあたしの番でしょ。ちゃんとさっき決めた順番で回るの。小石川にできた、イタリアンの新しいお店にいくんだから」

金町駅の改札を出る。時計を見ると七時半、まだ仄かに西の空が明るい。ビルの天辺、ぐるぐる回るネオンが薄紫の空に躍っている。通りは昼間の熱気がまだ冷めやらず、立っているだけでじんわりと汗が浮いてくる。

――あ……大嫌いな……夏の、夜……。

ほんの一瞬思ったが、すぐに「もうあの頃の自分じゃない」と心の内で唱えた。暗く意識を覆おうとする魔物を払い除ける。大嫌いな夏の夜は、ただの倦怠と蒸れた空気の塊だ。今はこうやって仲間だっている。昨日だってみんなと飲みにいった。玲子は過去に向きがちな思考を、強引に現在へと引き戻した。

一つ先の角には、初日に菊田と入った店が見える。そういえばあれ以来、菊田とはプライベートな会話を交わしていない。飲むときは大塚や湯田、昨日はこの井岡も一緒だった。ちなみに勤務が終わると井岡は亀有署の待機寮に帰り、姫川班の連中は署内の道場に布団を敷いて寝ている。

――冷房が利きすぎて寒いって、ボヤいてたっけ。お気の毒。

玲子は駅前の安いシティホテルに泊まっている。亀有署長は女子寮の空き部屋を使っていいといってくれたが、なんだかんだホテルの方が気兼ねがないし、ベッドのシーツも毎日替えてもらえるので気持ちがいい。帰りはいつも誰かが送ってくれるし、警部補で親と同居という状況にあるため、懐にも余裕がある。ホテル代くらいはどうってことない。まあ、あまり捜査が長引くとそうもいっていられなくなるが。

玲子はバス停で携帯を取り出し、着信がマナーモードになっているかを確認した。電車に乗るときにそうしたとは思ったが。

——あ、そういえば、今日もウチから電話が入ってたな。

玲子は現場に出ると、家からの電話にはほとんど出ない。いつも表示を見るだけで切ってしまう。あとでかけ直すこともしない。どうせ見合い絡みの小言に決まっている。ただでさえ頭は捜査でフル回転している。下らないことで煩わされたくはない。

玲子はついでに、着信の履歴も削除した。

前を向くと、水元公園に向かう戸ヶ崎操車場行きのバスに目が留まった。そういえば、あれに乗ったのは臨場初日だけ。翌朝からは聞き込み先に直行している。あれ以来、死体遺棄現場にはいっていない。さらに、初日の地取りは上がりが早かったため、暗くなってからの現場は見たことがない。今、初めてそのことに気づいた。

——もう一度、見ておく必要があるか……。

玲子は反対側、馬橋行きに乗ろうとしていた井岡を呼び止めた。

「なんでっか」

何か勘違いしたのだろう、井岡が笑顔で振り返る。

「水元の現場、見にいってみようよ」

「は？　なんででっか」

「いいからいいから。ほら、あのバスすぐに出るわよ」

「今からいったら、会議に遅れまっせ」

「どうせ最初は地取りの報告よ。なんか出たなら連絡くらい入るって。そんなのあとでもいいからさ」

ふと大学時代の、授業をサボるあの感覚を思い出す。

「はぁ。まぁ、主任がそう仰るのなら、ワシはどこへでも」

玲子はとっさに井岡の手を取った。心のどこかでウキウキもしていた。


バスを降りると辺りはすっかり暗くなっていた。

横断歩道を渡り、内溜沿いの道を歩く。左手、フェンス越しの水面は黒々と沈黙し、浮かんでいるはずの釣り船を見分けるのも難しくなっていた。帰宅する近隣の住民とでも出くわさなければ、なるほど暗く寂しい場所だった。

「主任……」

井岡が後ろで何かいいかけたが、玲子は無視した。

——この状況で、もっと遅くなってから、死体は遺棄された。周囲の民家の明かりも消えた頃、金原の遺体は運ばれてきた……はず。

玲子は暗い内溜沿いの道を、死体遺棄現場に向かって進んだ。こんなときは、不思議と夏の夜の闇も怖くない。

「主任ったら、こんな暗いとこに、ワシを誘ったりしてぇ……」

——死体をこの付近まで運んだのは、まず間違いなく車だ。だとしたら、どっちから？

「あのぉ、ワシね、初めて会ったときから……」

——ここ以外だったら、水元公園からの道ってことになる。初日に鑑識のバンが停まってた道だ。そことの交差点が、あの遺棄現場だ。どっちからきたのか……ああ、分からない。

「綺麗な人やなぁ、可愛い人やなぁ……て、思てました」

——確かに朝がくれれば、誰にでも分かる場所だ。でも、これ以上暗くなったら、簡単には見分けられない場所でもある。その、T字路の、交差点。T字路の、交差点。死体遺棄、T字路、植え込み、フェンス、内溜……。

「れ、れ、玲子ちゃんも、わ、ワシのこと……」

——あ。なんか急に見えてきた。もう少しだ。もう少しここにいれば、もっとちゃんと、何かが見える。

「覚えてて、くれたやないですか。ワシ、嬉しかったですわ」

——ゴチャゴチャうるさいな。あ、あれ？　なんだっけ。あたしが疑問に思ってたことって、一番引っかかってたことって、なんだっけ。

「運命、いうんですかなぁ。こう、玲子ちゃんの小指とぉ、ワシの小指がぁ……」

——そうだ。切創だ。あの、腹部の切創だわ。ガラスによる切創は、痛めつけるため。咽頭部の切創は、息の根を止めるため。だったら、腹部は？　死後につけた、腹部の切創は、一体なんのため？

「赤い糸、いや……毛糸。いやもっと、ロープくらい、太いんですわ。きっと」

——腹部を切開して、ここに置いて、どうなる？　逆に、切開しないでここに置いといたら、どうなる？　どう違ってくる？

「そう思いますやろ。去年の末でっせ、ワシらが運命的な出会いを果たしたのは。そんで、ワシが異動して、また異動して、でもここで再び、ワシらは出会ったんでっせ。これはもう、もう……む……む……」

——死後の損壊は、なんのため？　主に、死体損壊は、なんのため？

「む……む……むむ、むむむ、むす、結ばれても、え、え、エエんと、ちゃいますか」

——死体損壊は、死体損壊は……。

「れれ、れ、玲子ちゃん」

——死体損壊は、死体損壊は……。

「玲子ちゃん、ワシの、この気持ち、受け止めて……」

——死体損壊は、死体損壊は、死体損壊は、死体損壊は……。

「玲子ちゃん、ワシを、抱いて」

——あ、分かった。ラッキー。

「玲子ちゃん、抱いてェーッ」

「やかましいッ」

玲子の右拳が、井岡の左顔面を打ち抜いた。

「……あんた、さっきからなにブツブツいってんのよ」

井岡は膝をそろえてヘタり込んだ。

「ぶ、ブツブツなんて、し、しどいわ。ワシの愛の告白を、玲子ちゃんたら……照れちゃって」

「そんなのどうでもいいわよ。分かったのよ、あたし、分かったのよ」

「ワシの、愛の尊さが、でっか？」

井岡が親指を噛む。

「そんなもん一生分かんなくたって困りゃしないわよ。そうじゃなくて、なぜ死体がここに遺棄されて、どうして腹部が切開されていたのか、分かったのよ」

「れ、玲子ちゃん……そないなこと、考えてましたん？」

玲子は井岡の頭を真上から叩いた。

「馴れ馴れしく玲子ちゃんとか呼んでんじゃないわよ。大体、そないなことって、それ以外何を考えるってのよ」

「強いていえば、ワシとの未来について」

もう一発。

「もういいわ。帰るわよ。会議よ会議」

玲子は踵《きびす》を返して道を戻り始めた。井岡の足音が慌てたようについてくる。

暗い内溜沿いの道。今度は右手になったフェンスが、中ほどでいったん途切れる。そこから水面に張り出すように、歩道のようなものが設けられている。陸に沿った桟橋とでもいえばいいか。おそらくここで、釣り人が糸を垂れるのだろう。

玲子はなんの気なし、その張り出しに入った。道幅は一メートル半くらいか。釣り人が自前の椅子に座って糸を垂れても、後ろをちゃんと通れるくらいの広さだ。長さもたっぷり三十メートル以上はある。

「……つりえサイ……なにこれ」

左手に何か看板が立っている。玲子はバッグからペンライトを出して照らした。

歩道に背を向ける形、つまり釣り人が振り返ると見える位置に、注意書きの看板はある。一つは「いらなくなった釣り餌は『つりえサイクルボックス』へ。良質の肥料として生まれ変わります」というもの。立て主は葛飾区だ。だが、玲子が怪訝に思ったのはもう一枚の方だ。

「東京都、環境局……」

大きな赤い文字で「遊泳禁止」とある。「水質が遊泳に適さないために危険」であると、今年の八月十日付けで東京都環境局が設置したものだ。

「なんですの、主任」

並んだ井岡が覗き込む。

「ねえ、井岡くん。ここで、泳ぎたい？」

玲子はペンライトを消してバッグにしまった。

「いやぁ、なんかばっちくて嫌ですわ。主任の水着姿が見られるなら、話は別ですが」

「つまり、いわれなくたって泳ぎゃしない、ってことね？」

「ええ、泳ぎまへんな。こんなとこでは」

「でも、わざわざ最近になって、こんな注意書きを出してる。しかも、東京都環境局が。何か事故でもあったのかしら」

井岡はしばし考え、急にポンと手を打った。

「ああ、ええと、あの、なんやっけな。なんか水質調査したら、菌だかなんだかが出たから、入ったらアカンて、なんかそないな話やったですわ。入らんっちゅに。ねえ？」

——菌か何か？　まさか……。

玲子の頭の中で、交わるはずのない二つの点が突如交わり、強烈にショートした。白い火花を激しく撒き散らし、その瞬《また》きがおぼろに黒い影を照らし出した。

――まさか、まさか、まさかまさかまさか。

玲子は携帯で監察医務院にかけた。コールはほんの二回だった。

『はい。東京都監察医務院です』

出たのは顔も知っている職員だった。声で分かる。

「お世話になってます。捜査一課の姫川です。あの、國奥先生、今そちらにいらっしゃいますか」

『はい。替わりましょうか』

「お願いします」

しばらく待つと國奥が出た。

『おお、姫か。どうしたどうした。もうわしが恋しくなったか』

「あのね、先生、一つ訊きたいことがあるの。この前、ネグリアなんとかって、バクテリアかなんかの話、してくれましたよね。あれで亡くなった方のこと、ちょっと教えてもらえますか」

『ああ、ネグレリアフォーレリのことか。いや、あれはバクテリアではなくて、寄生アメーバじゃよ。亡くなったのはな……ちょっと待っとれよ』

カルテだろうか、國奥は何かを取りに電話口を離れた。

『……あーと、これか。えーと、死亡したのは、フカザワヤスユキ、二十一歳。足立区在住。

これが、どうかしたか』

「その後、都内各所の水質調査をするっていってましたよね。で、そのフカザワが、どこでその、ネグなんとかに感染したか、分かりましたか」

『ネグレリアフォーレリな。うむ、調べてはみたんじゃが、残念ながら特定には至らんかった。なんというたかな、葛飾区の、なんとかって釣り堀で出たらしい。検出されたのは、都内ではそこだけじゃが、フカザワには釣りの趣味がないそうでな』

「それって、水元公園近くの内溜じゃありません？」

『いや、それはどうだったかの。わしが調査したんではないからの』

「どこが調査したんです」

『どこがって……環境局の環境指導課と、帝都大学の、環境衛生学研究室じゃが』

「すみません。今すぐ、その調査結果の報告書を手配してください」

『そんな、急にいわれてもなぁ』

「お願いします。事件絡みなんです。正式な要請、出してる暇ないんです」

國奥は、玲子の声色で事態を察したようだった。

『分かった。今すぐ手配する』

「助かります。それから、そのフカザワ某の、現状で分かる範囲でけっこうですから、データも一緒に、亀有署の帳場宛てに送ってもらえますか」

『ああ、分かった。ファックスで送っとくよ』

玲子は一人頭を下げ、携帯を切った。

「主任、何が、どないしましてん」

「すぐに分かるわ。さぁ、会議よ会議」

玲子も事件も、解決に向かって走り出していた。

6

亀有署前に横づけしたタクシーを降り、駆け足で玄関に向かう。立番の制服警官の敬礼を受け、玄関の自動ドアを通る。エレベーターはまどろっこしいので、階段で三階まで駆け上がる。廊下も駆け足、体当たりで会議室のドアを開ける。

「管理官ッ」

玲子は真っ直ぐ上座に向かった。

二十名以上、捜査員の大半が戻っていた。それらの視線が一斉にこっちを向く。中でも〝キャリ坊〟北見警部補の視線が厳しい。エリートは、遅刻するような人間がお嫌いか。

「なんだ、騒々しい」

そういいながらも橋爪は、玲子に「なんだ」と発言の機会を与えた。

「はい。管理官、お話があります。会議を一時中断していただけますか」

するとと隣の今泉がこっちを見、眉をひそめる。

「なんだ姫川、いきなり」

「係長、申し訳ありません。でももし、私の勘が当たっているなら、これはとんでもない事件です。緊急に幹部会議を設けて、捜査方針を修正する必要があります」

「だからなんだといってるんだ」

玲子は橋爪に向き直った。

「ですからそれは……幹部会議で申し上げます。いったん、会議を中断してください。お願いします、管理官」

亀有署長、副署長や刑事課長も、呆気《あっけ》にとられて見上げている。和田一課長がいたらさすがにこうはできないが、このメンバーなら多少の無理は通ると玲子は踏んでいた。

「お願いします、管理官」

幹部が顔を見合わせる。亀有署の刑事課長が強行犯係長に目配せし、その強行犯係長が北見警部補の顔をチラリと見る。それが、少しだけ気になった。

「姫川。聞く価値は、確かなんだろうな」

今泉の重たい声は、すでに玲子の言い分を聞き入れた証だ。

「はい。確かです」

橋爪が腕を組んだまま唸る。

「姫川……キサマがいつものようになんの根拠もなく、ただ勘だの閃きだので騒いでいるのだとしたら、少しははずしたときのことも考えろよ。今回辺りはキサマだけでなく、そろそろ今泉の責任も問われかねんぞ」

玲子はチラリと橋爪の隣を見た。今泉は、目で頷いていた。

いつもすまないとは思っている。たとえば同じ十係の日下警部補のように、物証で自供を固め、地道で的確な裏づけをし、迅速な送検手続きを常に実現していれば、まず上司が困るような事態にはならないはずである。だが日頃、玲子は今泉に「好きにやってみろ」といわれている。そして玲子は、それに甘えている。

自分は一足飛びに、結論に至ろうとしているのかもしれない。事件の筋を読むといいながら、実は下手な鉄砲を撃っているだけなのかもしれない。だが、そうでもしなければ、自分は一人前の刑事とは認めてもらえない。人並みな捜査をしていたのでは、人並みには認めてもらえないのだ。聞けば今泉も、現場に出ていた頃はそうだったという。勘が頼りの、無鉄砲な刑事だったと。今泉は玲子に、現役時代の自分を見ているのだという。だからこそ、現場を離れてから出会った玲子を、一課に引っ張ったのだという。

「聞いてやってください。管理官」

今泉は、溜め息をつきながら頭を下げた。

「……ま、お前がそういうなら、俺はかまわんが」

「すみません。ありがとうございます」

玲子も橋爪に頭を下げた。だが気持ちは今泉に向いていた。

——必ず、あたしが挙げてみせます。

橋爪は立ち上がり、会議は一時中断、再開まで全員待機と告げた。


場所を小さな会議室に移し、幹部だけの会議が開かれた。

席に着いたのは亀有署長、同署副署長に刑事課長、本部が橋爪管理官と今泉十係長、と玲子たち、の七人だった。和田一課長は別の帳場の会議を回っているため、ここしばらくはきていない。ちなみに井岡は、ちゃっかり玲子の後ろに立って本部ヅラをしている。

「で、どんな名案が閃いた」

橋爪は玲子に顔も向けず、耳の穴をほじっている。

無理もない。昨年末には被疑者を逮捕寸前で死亡させ、今年もすでに一つ、捜査本部を未解決のまま解散させている。姫川班としてはともかく、個人的にはまだ今年は何も挙げていない。その玲子が、いきなり会議を中断して自分の話だけを聞いてくれといっているのだ。嫌味の一つくらいは甘んじて聞こう。

「はい」

玲子は井岡と並ぶように立ち上がった。

「私は、マル害の腹部の切創について、ずっと考えていました。あの傷は一体、なんのためにつけられたのか。ホシはなんのために、ガラスで痛めつけ、頸動脈を切断して殺害した金原の、腹を縦に割ったのか、と」

橋爪が額の生え際を人差し指で掻く。

「それが、分かったというのか」

玲子は頷いてみせた。

「ホシが死体を損壊するのは、主に処理するためです。バラバラにしたり、焼くのがそれです。今回も同じだと思います」

「腹を割っただけじゃ、さっぱり死体の処理にはならんと思うが」

「その通りです。腹を割るのは、処理そのものではない。処理の、下準備にすぎません」

一同が顔を見合わせる。処理の下準備、という言葉が意外だったのか、それとも意味が伝わらなかったのか。いずれにせよ、まだ玲子の意図を悟った者はいなそうだった。

「もちろん、これは毎度のように、私個人の仮説にすぎません……と、最初にお断りしておきますが、ホシは、金原の遺体を、実は、内溜に沈めるつもりだったのではないか……と、思うのです」

幹部五人が色を失う。井岡も背後で息を呑む。

「ご存じのように、死体の内部には腐敗ガスが発生するので、水中に遺棄したとしても簡単に浮かんできます。一例では冷蔵庫に入れて沈めても浮かんでくるといいますから、腐敗ガスによって得られる浮力は相当なもののはずです。ですが、腐敗ガスを受け止める風船、この場合は内臓が、最初から破れていたらどうでしょう。当然、いつまでたっても風船は膨らまず、遺体は浮かんではきません。腹部の切創は、そのためではないかと考えました」

橋爪が人差し指を立てる。

「だったらホシは、どうしてさっさと沈めなかった。植え込みにひと晩、放置する必要なんてないだろう」

もっともな質問だ。

「私も、そう思いました。ですからこれは、ホシにとってもトラブルだったのではないか、と考えました。水中に遺棄するつもりが、されなかった。つまり、遺体をあそこまで運ぶ人間とは別に、水中への遺棄を担当する者がいたのではないか、という仮説です。なんらかの理由で、水中に遺棄する人間が、それをしなかった。現場にこなかった。たぶんそれは……水中への遺棄担当が、すでに死んでいたからなのだと思います」

今泉が割って入る。

「なぜ、そんなことがいえる」

「はい。ご説明します」

橋爪がうな垂れ、深く息を吐く。

「……ここに、ひと月前に不審な死を遂げた人物の死体検案書、の写しがあります。深沢康之、二十一歳。彼は、夏場の淡水湖や池に、ごく稀に発生する『ネグレリアフォーレリ』という寄生アメーバに感染し、その結果、脳がドロドロに溶け、死亡しています。感染当初は髄膜炎に似た症状で、一般の医師ではなかなか、ネグレリアフォーレリに感染したとは診断できないのだそうです。死亡したのが七月の二十一日。感染したのは、その約一週間前と考えられます。つまり、七月十四日前後。これは金原がひと月前に出かけた日と、ほぼ重なります」

資料を机に置く。

「この深沢康之は、一体どこで、ネグレリアフォーレリに感染したのか……現段階では、特定できていません。ですがかなりの確率で、それは内溜だったのではないか、と推測できます。環境局が都内全域で水質調査をした結果、内溜以外からはネグレリアフォーレリが検出されなかったからです。これが何を意味するのか。ちなみに深沢は保護監察中で、断りなく東京を離れることができませんでした。もちろんそれを破ってどこかに出向き、そこで感染した可能性はありますが、まず都内と考えた方が妥当です。だとしたら、深沢は七月十四日前後、内溜にもぐったか、誤って落ちたことになります」

手持ちの資料の、内溜のページを開いて見せる。

「ご存じのように、内溜は夏場だからといって泳ぐような場所ではありません。一辺は水門、二辺はコンクリートの壁、釣り人が座って糸を垂れる通路状の張り出しはありますが、遊泳には適さない造りになっています。なのに、あえて深沢は内溜に入った。七月十四日前後になんらかの理由で入水し、ネグレリアフォーレリに感染した。だとしたら……」

今泉は目を閉じて黙っていた。亀有署のお偉方も、苦虫を噛み潰したような顔で玲子の言葉を待っていた。井岡の鼻息だけが、フンフンとうるさい。

「……だとしたら、なんだ」

橋爪は腕を組んで背もたれに寄りかかった。

「はい。もしかしたら……金原以前の犠牲者が、内溜に沈んでいるかもしれません」

幹部連中が驚く顔。

これを見るのが玲子の、何よりの悦びだった。

赤黒く　焼け爛れた肌　その喉元を切り裂く　天染める　血飛沫
――あなたは　これを　生で　見たい　ですか

第二章

相変わらず、僕の人生は灰色だった。

保護者を亡くして引き取られた施設でも、たまに強制入院させられる病院でも、僕は居場所を見つけられず、生きているという実感を得られないままだった。

焼けてなくなったはずのあの家に、閉じ込められているという感覚。それが、依然僕を苦しめていた。悪臭、わめき声、怒鳴り声、暴力、破壊、狂気、破滅。

「お前なんざ生まれてこなけりゃよかったんだ」

こんな言葉は序の口だった。

「死ねよ。お前が死んでくれたら、いくらかまとまった金が入る。そしたらまた薬が買える」

「出たもんが入って、また出てきただけなんだよ。お前は入って出てきた、この糞みたいなモンさ。綺麗にいうと、ハ、イ、セ、ツ、ブ、ツ、だ」

排泄物。確かに、そうかもしれない。

意思もなく、ただ運ばれるまま施設にたどりつき、そこでも厄介を起こして病院行き。何を治してくれたんだか、時期がきたらまた施設に戻され、手に負えなくなったらまた病院行き。しばらく経つとまた施設に戻り、を繰り返す。病院、施設、病院、施設、病院。どっちが排泄して、どっちが便所で、どこが下水で、どこが汚物の処理場なのか。もう、自分でもよく分からなくなっていた。たぶん、全部なのだと思う。確かなのは、自分が親の排泄物だった、というだけではなくて、世の中全体にとって排泄物だった、ということだ。それだけは、よく分かった。

なのに不思議と、自分から死のうとは思わなかった。何かを探していた。それが自分の居場所なのか、生きていると実感できる何かなのか、心から欲しいと思えるものなのか、それは分からなかった。ただ、僕は何かを求めて街をさ迷うようになった。

渋谷は派手で、僕には合わない気がした。六本木や原宿なんてとんでもない。池袋はまあまあだったけど、でも、それよりも新宿。新宿が一番いいと思った。

すっごく汚くて、すっごくガヤガヤしてて、まるで僕の頭の中みたいだった。歌舞伎町なんて夜でも明るくて、でもちゃんと路地裏とかは真っ暗で、光と闇がたっぷり溢れていた。特に夜は灰色じゃなくて、白と黒がハッキリしててよかった。

ヤクザがいっぱいいるって知って、なんだかワクワクもした。浮浪者もたくさんいて、道端で叫んでる僕みたいな人もときどきいて、大きな公園には何かがひそんでいるみたいで、危ない感じで——。新宿は僕を、とことん傷つけてくれるような気がした。

でも、そんな所でも、いや、そんな所だからこそ、僕に優しくしてくれる人もいた。浮浪者のおっちゃんがそうだった。

「ずいぶんドロドロじゃないか。嫌じゃなかったら、これ着なよ。拾ったはいいけど、よく見たら小っちゃくて、俺には着られないんだ。また捨てるのもなんだから、嫌じゃなかったら、ほんとにこれ、着なって」

もらったのは、バイク乗りが着るような黒い革のツナギだった。ちょうど寒くなりかけた頃だったから、ありがたかった。以来僕は、ずっとそれを着るようになった。

もちろん、そういいことは滅多《めった》になかった。よくしてくれたおっちゃんは、ある朝冷たくなってたし、地下道の段ボール村は一掃されちゃうし。また歌舞伎町にいってみたけれど、汚れすぎていたせいか、誰もが遠巻きに見るだけで、なんだかまた排泄物気分が強くなって、それで、どうしたんだか、気がついたら病院で、そこからも抜け出して、また新宿に戻って、駅のトイレで病院の浴衣からツナギに着替えて——。

マコに出会ったのは、そんな頃だ。

「嫌だよね。こんなの嫌だよね。分かるよ、わたし、君のこと、分かるよ……」

いきなり、道端にうずくまっていた僕の頭を抱いて泣き出した。長くて白い髪が綺麗で、とっても瞳が澄んでいて、だから僕も、マコの膝で泣いた。

「ひどいよね。こんなことしなきゃ、生きてるって分からなくなっちゃったんだもんね。知ってるよ、わたしは知ってるから。だから、今、泣いちゃおうね。ね？　涙、一杯一杯、出しちゃおうね。悪いのは君じゃないんだもんね。そうだよ、君じゃないよ。わたし知ってるから、分かってるから。……おいで、友達に紹介するよ」

友達ってのは、つまり当時「ギャング」を名乗っていた同年代の少年たちで、縄張りとか、チームとか、果てはヤクザとか警察とか、いろんな所と問題を起こしながら、ぶつかりながら、それでも新宿で生きていた。

僕は、マコは好きだったけど、他の連中はあまり好きじゃなかった。「トキ」って呼ばれてたマコの兄さんは喧嘩が強くて、仲間内ではリーダーみたいな感じだったけど、僕を見る目がどこか、クラスの担任に似ていて嫌だった。それでも僕を追い出しはしなかったから、いい奴だったのかもしれない。食べ物だってみんなと同じにしてくれたし、怪我の手当ても何度かしてくれた。僕がいつもマコにべったりだったから、そんな目で見ていただけかもしれない。マコは、とっても綺麗だったから。彼はマコのことを、いつもいつも心配していたから。

僕は受けた恩義の分だけは戦った。怖いものなんて何もなかった。ヤクザも警察も、本気で殺してやろうと思っていた。だって、流れてる血は同じなんだろう？　偉そうにはしてるけど、その体に流れてる血は、僕とも、死んで灰になったあの父親とも、同じなんだろう？

ほら、僕の足から流れてる血。ツナギが黒いから黒く見えるけど、手に取って見ると、ほら、綺麗な赤。あんたの血も、ほら、同じ赤。青かったら驚いちゃうけど、そんなことはない。ちゃんと赤い。どっちが綺麗？　うそうそ。同じだよ。同じでいいの。同じだから、安心できるんじゃない。この赤が綺麗だから、綺麗な赤がみんなと同じだから、こうやって比べて見ても、どっちがどっちだか分からないから、安心なんじゃない。分かる？

でも、マコはいつも泣いた。僕が真っ赤に綺麗になると、いつもマコは狂ったように泣いた。それをマコの兄さんは羽交《はが》い締《じ》めにして抑えた。マコが泣くのは分かる。僕に「傷ついてほしくないの」っていってくれたから。だから、包帯だらけになると、ちょっと、マコに悪いなって気になった。

でも、それよりも他の連中が「お前、スゲエよ」って褒めてくれるのが嬉しかった。これが居場所なのかなって気がしていた。これが僕のやりたいことなのかなって思った。これが生き甲斐なのかもって感じた。仲間も僕に一目置くようになった。久し振りに色を感じて、マコの長い金髪を眺めた。

仲間はみんな短い名前で呼び合ってた。マコ、クス、エル、モチ、タジ、トキ。僕は喋れなかったから、地面に自分の名字を書いた。そしたら「じゃあ、君は『エフ』ね」と、マコが僕の呼び名を決めた。いい名前だと思った。本当の名字とはかなり違う響きだったから、生まれ変わったような気がした。

それからも、僕は仲間の先頭に立って戦った。強い、ってのとは、ちょっと違ったと思う。ただ、諦めなかっただけだ。相手が、もう勘弁してくれ、助けてくれ、っていうまで、どんなに自分が傷ついても向かっていった。むしろ傷は僕の方がひどい場合が多かったけど、一度も参ったとはいわなかった。いえなかったってのもある。どちらにせよ、最後には相手が命乞いをした。

そう、あの男と同じように。

次第に他のグループにも、「エフ」って名前は知られるようになっていった。すれ違うと、向こうがよけるようにすらなった。悪い気はしなかったけど、戦いが減ると景色は灰色に逆戻りした。それが、少し苦しかった。

そんな頃、マコが殺された。

見つけたのは別のグループの奴で、わざわざ知らせてくれた。マコは皇居の方に抜けるトンネルの中で、裸で死んでた。白黒だった。全然綺麗じゃなかった。

「あいつらだ。あいつらが、マコを輪姦《まわ》して、殺したんだ」

モチの声は震えていた。

「クソォ、クソォ」

タジは拳で思いきり地面を殴ってた。

仲間はみんな道路にへタり込んで泣いた。知らせてくれた奴も、仲間じゃないのに泣いてた。クラクションが何万も重なって聞こえた。でも、誰もそこをどかなかった。ずっとそうやって、トキの後ろで、みんな泣いた。

「……僕が、いきます。案内、して、ください」

初めて僕の声を聞いた仲間たちは、すごく驚いてた。最初は誰の声だか分からなかったみたいだ。仲間じゃない奴が「やめた方がいい」とかいったけど、すぐにトンネルの向こうからパトカーのサイレンが聞こえてきて、僕たちはバラバラに逃げなきゃならなかった。マコ一人をトンネルに残して、逃げなきゃならなかったんだ。


次の日から、マコを殺した奴らを探し始めた。僕は知らなかったけど、みんなは知ってるみたいだった。僕はただあとをついて歩くだけ。ポケットの中で、使い慣れたあのカッターナイフをカチカチ鳴らしながら、ただついていくだけだった。

探し始めて三日目。とうとうマコを殺したっていう奴らを見つけ出した。大学生くらいの三人組。本物かどうか分からないけど、ピストルを持ってた。もしかしたら恰好が違うだけで、ヤクザなのかもしれない。でも、そんなことはどうでもいい。世の中には二種類の人間しかいない。参ったする奴と、しない奴。それでも血の色は同じ。綺麗な赤。

「こいつがさぁ、どうしてもっていうもんだから……。でも、やりすぎだよなぁ、いくらなんでも。分かってる、悪かったと思ってるよ。ほんと、こいつに償いはさせるよ」

「お、おい、そりゃねえだろ」

「バカいってんじゃねーよ。お前がチョーシこいて、首絞めたり色々やってっから死んじまったんだよ」

「だって、お、お前らだって、見てたじゃねーかよ」

「見てただけだぜ。姦《や》ってねーぜ」

「そ、そういうこと、今、いう……」

いい。もういい。血を見よう。

「うわッ」

「おっと」

「なよ。……えっ?」

噴水だった。真っ赤な、噴水。その赤が飛び散った場所だけ、僕の視界は色を取り戻していった。ビルの谷間から見上げる薄紫の空。外壁の濃い緑。反対側のベージュ。そして、カッターナイフのピンク。

「うわ、うわ、うわっ」

いち早く、連中の一人が逃げ出した。でも、僕はなんだか気持ちがよくって、ぽわんと夕暮れの空を見上げていた。あの男を殺したときのことを思い出していた。母親のことも思い出していた。おっちゃんの暖かい段ボール小屋を思い出していた。優しかったマコの笑顔、声、綺麗だった金髪を思い出していた。

いつのまにか、僕の仲間たちもいなくなっていた。足元には、顔を熟れたイチゴみたいに真っ赤にした奴が、まだピクピク痙攣していた。それと、なぜかそいつの仲間が一人、残っていた。

1

八月十六日。水元公園隣の釣り堀、内溜周辺には警察車両が数台停まり、朝一番から物々しい雰囲気に包まれていた。

捜査本部からは和田一課長、橋爪管理官、今泉十係長、亀有署長、同副署長、同刑事課長、玲子を含めた十係捜査員とその相方、鑑識、合わせて約二十名。機動隊から水難救助部隊のダイバー六名と指揮官二名。交通整理と野次馬の処理に亀有署の地域課制服警官が二十名。

そう。この野次馬が、なんとも厄介だった。

間の悪いことに今日は土曜日。近所の住民や通行人だけならまだしも、内溜での余暇を楽しもうと竿を担いだ釣り客までが大勢集まってきていた。そもそも水元公園自体がある種の観光地なのだから、平日と事情が違うのは当たり前だ。だったら捜査を週明けに持ち越すか、というと、やはりそれもできない。

「これで何も出なかったら、お前、マズいぞ」

橋爪は辺りを見回すたび、玲子に同じことをいった。

「ギャラリーの数は関係ないじゃないですか」

玲子は適当に受け流し、水面に目を向けた。

「……まあな。だが、ここが水難部隊のいる第七方面ってのは不幸中の幸いだったな。管区をまたいで出動要請かけたら、それこそ、何も出ませんでしたじゃあすまされん」

何がいいたいのか、すでによく分からなくなっているが、どちらにせよ玲子にできる返事は「はい」だけだった。

「いいか姫川。出っ張るのは多いにけっこうだが、今のキサマのポストを狙ってるのは、二十人や三十人じゃないってことだけは、よく胆に銘じておけよ」

「はい」

——はいはいはいはいハイハイハイッ。そんなことは百も承知だっつーの。

警察の内部評価は徹底した減点法だ。手柄は挙げて当たり前。ミスればこれでもかというほど叩かれる。しかもそれは、上にいけばいくほど厳しくなる仕組みになっている。結果、積極的に動いてミスった者よりも、ミスも仕事もしないロクデナシが評価されたりする。警察とは、そんなおかしな世界なのだ。

——あたしが所轄の交通課に飛ばされたって、どうせあんたは痛くも痒くもないんでしょうが。

結局のところ橋爪が案じているのは、玲子が捜査一課主任の任を解かれることではなく、自分自身の管理能力が問われる事態なのだ。

今までは比較的、玲子の勘はよく当たってきた。だから今回も橋爪は、渋々水難救助部隊の出動を要請してくれた。だが実際にダイバーが現場にもぐり、ギャラリーが集まってくるのを見て、まあつまり、ビビったのだろう。思ったより大事《おおごと》になってしまったぞ、と。また、今日に限って朝の会議に顔を出した和田一課長に、水中を捜索する必然性について訊かれ、簡潔に説明できなかったことも気になっているのだと思う。

——でも、誰かが動いて誰かが挙げなけりゃ、何も始まらないじゃない。こっちはいつだって綱渡りなのよ。

玲子はダイバーのもぐった辺りを凝視した。

水面は照り返しが強く、この向きからだと一分と見ていられない。このまま作業が昼過ぎまで長引いたらと考えると、正直うんざりする。時計を見ると午前十時半。すでに薄手のブラウスは汗で半透明になっている。

「主任。ブラヒモ透けてまっせ」

そういった井岡は玲子の膝蹴りを股間に食らい、ここ三十分は静かにしている。

釣り船を貸し出している釣具屋に訊いたところ、内溜の一番深い所は三メートルくらいらしい。ちょうど、巨大な三角形の真ん中辺りだ。まあ、一々訊かなくても、真ん中が深そうなのは誰でも思うことだ。つまりホシも、死体を沈めるとしたら、あの辺を狙った可能性が高いということだ。ダイバーも、その辺りから当たっている。

水面にある四つの浮きは、現在の調査エリアを示している。五メートル四方くらいで、調査時間は五分か十分程度だ。終わると浮きを移動し、また次のエリアにもぐる。ダイバーが顔を出すたびに、何か出たのではと期待するが、六人全員が上がってくると、駄目だったかとギャラリーまでが落胆する。その繰り返し。

——ちゃんと探してんの？　頼むわよ、マジで。

玲子にも、絶対に死体が沈んでいると、そう断言できる材料はない。だから余計に苛々《いらいら》する。とにかく今は、ダイバーが「ありましたッ」と水面から飛び出てくるのを待つだけだ。

六ヶ所目くらいだったろうか。もぐって一、二分で一人のダイバーが上がってきた。空気タンクの調子でも悪くなったかと思ったが、そうではなかった。

「なんかある。カメラ、カメラ」

ダイバーは、陸に用意してあったフラッシュ付きの防水カメラを受け取り、またすぐにもぐっていった。何か、とはなんだろう。こっちはさっきから、トイレも我慢して見ているのだから、何かひと言くらいいってくれてもよさそうなものだが。

三分過ぎ、五分過ぎ、まずカメラを持たないダイバーが一人、顔を出して岸に近づいてきた。

「おい、何があった」

和田一課長はしゃがみ、水面を覗き込んだ。

「何か、人長《ひとだけ》のものが、立ってます」

何が、立ってる？

「いま汚れを取り除いてますが、どうやら、青いビニールシートの包みのようです」

――青い、ビニールシート……。

玲子は爪先から頭の天辺まで総毛立った。

次にカメラを持ったダイバーが、ハケなどの道具も一緒に持って上がってきた。部隊の指揮官や鑑識と話し始める。

「切っちゃっていいですか」

ダイバーに、鑑識の小峰が首を傾げてみせる。

「本当は、そのままの方がいいんだがなぁ」

「できないのか。みんなでやって、上げられないか」

指揮官が、二人の間を取り持つ恰好だ。

「やってはみますが、上から引っ張り上げて、変に破損することを考えると、却って切っちゃった方がいいように思いますが」

小峰が腕を組む。

「そうか。だったら、切るか……」

指揮官は頷き、水面を指差した。

「よし、切れ」

「分かりました」

ダイバーはまたもぐっていった。

しばらくすると、今度は六人そろってダイバーたちが上がってきた。だが、頭は七つ。黒い頭が六つ、青いのが一つ。やがてその青い一つは、浮上した潜水艦のように、人長の体を水面に露《あら》わにした。

方々で悲鳴が上がる。内溜をぐるりと囲んだ野次馬が騒ぎ始める。

今泉が、玲子の汗ばんだ肩に触れた。

「……やったな」

「はい。正直、ほっとしました」

何時間ぶりだろう。玲子は胸に溜め込んでいた息を吐き出した。

岸に上げられたビニール包みは、いったんその場で開けられた。

「こりゃひでえや」

あちこちからそう聞こえた。

遺体は全裸で、今回も男性だった。顔面は俗に「赤鬼状態」と呼ばれる巨人様顔貌で、通常の一・五倍くらいに膨れていた。血が抜けきった白い体に、赤黒い大きな顔がくっ付いているのがなんとも不気味だ。

喉元には金原と同じような、頸動脈を断つ切創がある。上半身にも傷が数多く見られるが、原因は分からない。そして、腹部の欠損。内臓の大半は腐敗して溶け出し、シート内側に白くふやけた肉片となって付着していた。どの傷も創縁がふやけており、金原の遺体を見ていなかったら切創と推測するのは難しかっただろう。

だが逆に、これだけ肉が残っているのはシートで密閉されていたからだともいえる。普通なら魚に食われ、波に洗われて白骨化しているところだ。手足も膨れて手袋・足袋状にはなっているが、一応は骨から剝離《はくり》せずに残っている。指紋が上手く取れれば身元の確認に繫がるかもしれない。

ダイバーが「切る」とか「切らない」とかいっていたのは、包みを水底に結びつけていたロープのことだったようだ。水底には工事現場などで使う、フェンス固定用の円形コンクリート片が沈んでおり、それとビニールシートがロープで結ばれていたのだという。腐敗ガスさえなければ死体は水に沈むのだから、重しとしてはそれで充分だったわけだ。

作業は一時中断され、遺体はそのまま大学の法医学教室に搬送された。だが水難救助部隊の一部は水中の捜索を続行する。沈んでいる死体が一体であるという保証はない。さらに二体、三体と沈んでいる可能性も充分に考えられる。

捜査員はいったん、亀有署に招集された。別の遺体が揚がったことを考慮に入れて、捜査方針を練り直すのだ。

午後一時。今は会議室で全員待機。水難救助部隊員の調書と水中現場写真の現像を待っている。現場を見ていない捜査員は、その様子がどうだったかを見た者に訊き、また水中捜索に立ち会った者は、今朝読み損ねた新聞に目を通したりしている。ぼんやりと麦茶を飲みながら煙草を吸っている者、デスクに溜まった捜査資料に改めて目を通している者、見渡せば時間の使い方は様々だった。

突如、会議室のドアを乱暴に開け放つ音がした。振り返ると入り口に五人、そろえたように地味なグレーのスーツを着込んだ男たちが立っている。

——ガンテツ……。

玲子は声に出さず呟いた。

ガンテツ、こと勝俣健作。警視庁刑事部捜査第一課殺人犯捜査第五係主任。勝俣警部補率いる勝俣班は、「一課内公安」と呼ばれる情報戦のプロ集団だ。実際、勝俣を含めた班員の大半が公安経験者だと聞いている。

——ヤッバい。完全に忘れてた。

そういえば今泉に、捜査が長引いて一課員を補充するようになれば、次にくるのは勝俣班だと聞かされていた。別に捜査が難航したわけでも長引いたわけでもないが、別の死体が揚がってしまえば捜査員の補充は必至だ。当然、順番通りに勝俣班が入ってくることになる。

戸口を通るなり、五人は真っ直ぐ玲子の方に向かってきた。

「よォ、お姫ちゃん。生理中の水遊びは体に毒だぜ」

勝俣の大声が部屋中に響く。菊田が顔を真っ赤にし、拳を握って腰を浮かせる。玲子はそれを座ったまま制し、代わりに立ち上がった。

「別に、もぐったのはあたしじゃありませんから」

「分かってるよ田舎モン。普通免許と英検二級のお前が、潜水できるわけねえだろ」

確かに、玲子の持っている公式な資格はその二つだ。潜水士の資格はない。しかも、実際に生理中ではないが、そろそろなのは確かだった。

――どうして、生理の日まで知ってんのよ。

勝俣は、あとから「普通免許と英検二級」と付け加えることで、先の発言も単なるセクハラジョークではないと示したつもりなのだろう。お前のことなら、なんでも知ってるんだぞ、と。ここまでくると、元公安というよりは現役のストーカーだ。

「おくつろぎのところ申し訳ないが、ちょいと顔貸せや、姫川」

途端、背後の四人がぞろりと玲子を囲んだ。また菊田が腰を浮かせる。大塚も湯田も、井岡もそれに倣う。石倉だけは、座ったまま新聞に目を落としていた。

「なんだよ。お姫ちゃんファンクラブに用はねえぞ」

勝俣は射るほどに菊田を睨んだ。菊田も負けじと睨み返す。だがそれでは勝俣の思う壺だ。ここは素直に従うしかあるまい。

玲子は再び菊田を制した。

「分かりました。いきます」

「ほぉ、さすがに物分かりがいいな。あとは、ゴリラの調教方法を会得したら満点だ」

肩まで上がった菊田の拳を、井岡と大塚が押さえつける。

玲子は勝俣について歩き出し、戸口で一度振り返った。菊田は、母親に置き去りにされた子供のような、情けない顔をしていた。玲子は黙って頷いてみせた。

勝俣は廊下に出て、隣の隣の会議室に入った。玲子が続くと、彼の部下が背後でドアを閉めた。

「まあ座れ」

手近にあったパイプ椅子を勧められる。

「いえ、けっこうです」

「若いつもりか、三十歳未満ギリギリは」

カチン、ときたが、まだ我慢できる。

「お話とはなんでしょうか」

「顔を貸せといっただけだ。お姫ちゃんにしてやる話など最初からない」

「では、どういうご用件ですか」

「だからまず座れといっている」

それでも玲子が座らないでいると、逆に勝俣が自分で椅子を引いて座った。

昆虫のように小さな目が玲子を見上げている。背が低く、ずんぐりとしてはいるが、これでなかなか身のこなしは軽い。今泉と同期だから年は五十前後のはずだが、それにしては短い髪に白いものが目立つ。気苦労が絶えないタイプには見えないが。

観念して、玲子も座ることにした。目線が同じ高さになると、昆虫の視線も多少は和《やわ》らいだ。

「ご用件は」

するると勝俣は、スッと椅子から立ち上がった。

「ああ。簡潔にいえば、お前らの持っている情報は包み隠さず、こっちに出してもらうってことだ。こっちはあとから帳場に入る身だ。それだけハンデがある。当然だな」

勝俣を目で追うと、その間に部下の一人が立ち塞がった。見回すと、すでに四人に囲まれている。まるで暗い井戸の底にいるような気分だ。これが同じ刑事でなければ、かなり身の危険を感じるところだ。

「今までの経過でしたら、調書と報告書をご覧になればよろしいかと存じますが」

部下の隙間から、歯を剝いた勝俣の顔が覗いた。

「バカいってんな。もう調書も報告書も穴が空くほど読み倒したよ。だがどこにもテメェが腹部の切創と溜め池でひと月前に死んだ男とを結びつけた直接の根拠は書いてねえじゃねーか。どうせまた勘だとかなんだとかホザいてイマハルを丸め込んで動かしたんだろうが、俺にゃそらぁ通用しねえぞ。テメェはなぜ植え込みに遺棄したホシと水中遺棄の担当が別々だと考えた？　どうしてその男が水中遺棄の担当だと分かった？　どうしてそんな捜査線上に浮かんでいない男が溜め池で死んでいると分かった？　どうして……」

玲子は思わず立ち上がった。

――っていうか、バカって何よ。

邪魔な部下を押し退ける。

「分かったわよ。別にこっちは隠し事なんてしちゃいないんだから、知りたいことがあるんだったらなんだって教えてやるわよ。ハァ？　なんだって？　何が知りたいって？」

勝俣は丸っこい肩を震わせた。

「……そう、そうこなくっちゃな、お姫ちゃんよ。じゃあまず、お前が腹部の切創と、水中遺棄を結びつけた理由から聞かせてもらおうか」

玲子は鼻で、怒り混じりの溜め息をついた。

「……几帳面なシートの包み方と、捨ててあった場所が適当すぎることに、ギャップを感じたのよ。それで、三段階の切創について考え直した。死後の切創は、死体を処理するためじゃないかって思いついた。植え込みの向こうは溜め池。ただそれだけのことよ」

「包装と運搬、遺棄が別々の担当だってのは」

「水中遺棄の仮説を成り立たせるには、そう考えるしかないでしょ。それに、実際に遺棄されてた植え込みは、T字路の交差点よ。暗ければ目立たないけど、交差点の植え込みに置いたっていえば、置き場所は簡単かつ正確に伝わるわ」

「だったら、ひと月前の変死体はどうして分かった。また監察医のジジィ絡みか」

「そうよ。國奥先生から、妙な死体が出たって聞いたの。この事件が起こるよりずっとずっと前にね。内溜にも『遊泳禁止』の表示が出てた。誰も泳いだりしなそうな釣り堀なのに、わざわざ書いてあるなんて変でしょ。それが頭の中で結びついたの」

勝俣は鼻で笑った。

「なるほど。説明になってねえことだけはよく分かったぜ。だがな、俺の疑問は他でもねえ。いいか？　お前が、水中遺棄担当だろうと睨んだ深沢という男がだ、金原殺害の三週間も前に死んでいるのに、実行犯もしくは運搬担当の奴はあそこに運んだと、それをなぜお前は疑問に思わないのかという一点だ」

太い人差し指で、玲子を指差す。

「死体というバトンを渡す相手、つまりは仲間がだ、三週間も前に死んでるんだぞ。なのに、なぜ運んだ奴はそのことを知らないんだ。深沢が死んだんだったら、別の奴に沈めさせたって、溜め池まで運んだ奴が自分で沈めたってよかったはずだ。だがホシはそれをしなかった。あくまでも死んだ深沢が沈めてくれることを期待した。そういうことなんだろ？　なぜだ。なぜお前はそのことを疑問に思わないんだ」

玲子は、正直、呆気にとられていた。

「……はぁ」

「はぁじゃねえよ。答えろよ」

「まあその、連絡不行き届き……とか？」

小首を傾げてみせる。

「とか、ってなんだよ。それでいいのかよ」

「うぅん……そういうこともあるかな、と」

「なんだそりゃ。お前、その疑問を潰さねえで、機動隊に出動要請したのか」

「ええ。そういうことに、なりますわね」

「なりますわねって……呆れたな。よくそれで平気だな。どういう頭してんだオメーは」

「それも、質問ですか」

勝俣は両手を広げ、お手上げのポーズをした。

確かに、玲子自身もそのことは疑問に思った。だが、本当に連絡不行き届きや、その手のことだと思ったのだ。理屈はない。深沢が遺棄しなかったことも含めて、犯人側の単なるミスにすぎないと思ったのだ。説明になっていないといわれればそうかもしれない。が、所詮は人間のやることだ。何から何までキッチリ説明可能なはずがない。犯人に「うっかり」があってもいいと思う。それまで責められては堪らない。

「姫川よ。お前のその発想は、危険だぜ」

勝俣がしかめっ面で振り返る。

「それは、誰にとっての危険でしょうか」

「お前自身にとってだ馬鹿野郎」

「仰る意味が分かりかねますが」

「だったらテメェで考えろボケ」

——どうして上司でもないあんたに、バカだのボケだのいわれなきゃなんないのよ。

「ええ、ゆっくり考えさせてもらいます。失礼します」

玲子は二人のデカ長を両手で押し退け、出口に向かった。

扉を開けると、菊田、大塚、湯田、井岡、石倉も心配そうな顔で立っていた。背後の勝俣が何かいった。

「おい、今でも怖いのか」

途中まで閉めたドアに、玲子はさらに蹴りを喰らわせた。

「暑い夏の夜は」

壁を揺さぶり、廊下に響き渡った轟音に、勝俣の言葉は掻き消された。だが今、彼は確かにいった。口の動きで分かった。暑い夏の夜、と。奴は確かに訊いた。今でも、暑い夏の夜は怖いのか、と。

——まさか、知ってるの？　あたしの、あの事件のことを……。

「主任、大丈夫ですか」

手を伸べてきた菊田にすがろうとして、だがその手が、ふいに遠退《とおの》いたように感じられた。

すぐに、視界には黒い靄《もや》が広がった。

2

八月十七日日曜日、午前十一時。玲子と井岡は、深沢康之が居住していた足立区江北《こうほく》の所轄、西新井署を訪ねた。

「ああ、はいはい。あの、脳味噌が溶けちゃった事件。ええ、驚きましたよ」

話をしてくれたのは地域課の、伊藤《いとう》という係長だ。

「ですが、あれに事件性はなかったと、記憶しておりますが……何か、あったですか」

彼の顔に、不安の色が浮かぶ。

監察医務院が感染症による病死と診断した変死体について、刑事部捜査一課が調べているとなれば、訝るのも無理はない。もし事件性があったとなれば、西新井署の捜査が不十分だったということになる。なんらかの処分もあり得る。だが、実際その心配はない。

「いいえ、深沢の死因に関しては疑う余地はありません。監察医の診断通り、ある種の病死と考えていいと思います。ですが最近になって、生前の深沢が、ある事件に関与していた疑いが出てきました。今日はそのことについて少し、お伺いしたいと思いまして」

「はぁ……」

伊藤はまだ不安そうだった。

「深沢の遺体が発見されたのは、江北のアパートでしたね」

「ええ、そうだったと思います」

「当然、現場検証は、なさっている」

「はい、それはもうキッチリ。ええ、したはずです」

「では、調書を拝見できますか」

「あ、はい、ただ今お持ちいたします。……おい、古田《ふるた》くん、古田くん」

古田と呼ばれた若い警官が、書棚からファイルを抜き出す。受け取った伊藤は深沢の自宅アパートの、実況検分調書のページを開いて見せた。

ぱっと目を通して、玲子が最初に持った疑問は間取りと同居人の記載についてだ。間取りは玄関から台所、六畳と四畳半のふた間と続く。木造アパートの二階で、風呂はなし。

「二人で、暮らしていたんですか」

同居人の欄に「由香里」とあるのだ。

「ええ。深沢には、三つ年下の妹がおります」

「それが、由香里《ゆかり》」

「ええ」

「つまり現在、妹はここに一人暮らし」

「いえ、そこはもう引き払ったはずです。妹は確か、深沢が死んだときは、入院していたはずです。どうも、精神的に不安定な娘らしくて」

「どこの病院だか、分かりますか」

「ええ。ちょっと待ってくださいよ」

伊藤は立ち上がり、手近な机の受話器を取った。

「ああ、伊藤だ。ちょうどよかった。あの君、ほら例の、深沢康之か。あの、脳味噌が溶けちゃったっていう……そうそう……あのほら、あれの妹の入院してたのは、どこの病院だったっけな。君、いっただろう……ああ、そうかそうか……ん、いや、本部の方が、何か深沢のことでな……いやいや、そういうんじゃないらしいが、まあそれはいいから……うん、中央医科大付属な……ああ、そうだったか。うん……いや、それは別に、かまわんだろう……分かった。……はい……はいはい、ありがとう」

中央医科大学付属病院か。

「中央医科大の、精神科ってことですか」

井岡がすぐにノートに控える。

「そう、だと思いますよ。ええ」

伊藤が向かいの席に戻る。

「今の方は」

「交番勤務の、トドロキという巡査長ですが、彼が由香里の入院先に出向いたんです。面会はできない状態だと、担当医に断られたそうですが」

「そうでしたか」

玲子は調書の続きを読んだ。

遺体の第一発見者は、アパート管理人と職場の同僚となっている。深沢はアパート近くの警備会社で働いていた。三日ほど体調を崩して休んでいたが、とうとう電話にも出なくなったので、同僚が心配して見にいったらしい。

「勤め先は、これですな」

井岡が警備会社の住所を指す。

「ちなみに、深沢は保護監察中だったということですが、何をしたんですか」

「ああ、それですね……」

伊藤は妙に納得した顔をした。

「これです。自宅に放火して、両親を焼いちまったんだそうです。焼き殺したんじゃないですよ。両親の遺体を、家ごと焼いちまったんです」

「両親を……」

玲子は再び、手元の調書に目を向けた。

深沢は十七歳のときに事件を起こしている。リビングで死んでいた両親にガソリンをかけ、そのまま自宅を全焼させている。自首したのは三日後。当時の供述書の写しにはこう記載されている。

《私が家に帰ったとき、両親はすでに死んでいました。薬のやりすぎで死んだのだと思いました。二人とも中毒で暴力もひどかったので、死んでせいせいする気持ちと、それでも親だから哀れに思う気持ちと半々でした。家に火をつけたのは、薬物中毒では死んでもまともに弔ってもらえないだろうから、自分が焼いてやろうという気持ちと、嫌なことがたくさんあったあの家を焼いて失くしてしまいたいという気持ちとの、両方でやりました。》

かなり、複雑な家庭環境だったようだ。

「ですが実のところ、両親の死因については薬物による中毒死ではないという見方があったようですな。かなり焼け焦げていたので特定はできなかったそうですが。結局、深沢は少年刑務所に三年、喰らってます。これだけ見ると理由が理由なだけに、ちと厳しすぎるようにも思いますが、それ以前に鑑別所も少年院も喰らってますから、そもそもワルだったってのが災いしたんでしょう。それで出てすぐ、約一年前にあのアパートに入居し、警備会社に就職したんですな。そこの社長というのが保護司を兼ねてましてね。社長の深沢に対する評価は、非常にいいんですよ。かなり真人間になって、頑張ってたようです。それが、ねえ？　どこの汚い水を飲んだんだか知らないけど、脳味噌がドロドロに溶けちゃったっていうんだから、怖い話ですよ」

玲子は、また調書の別の項に目を留めた。

「あの、この現金七十三万円、というのは」

アパートの部屋は、主に深沢の最近の行動を知るために調べられている。日記の類はなかったようだが、レシート、領収書、書籍、写真、使い捨てカメラなどが一時押収品目として記載されている。

その一つに、現金七十三万円の入った封筒というのがある。古紙幣で一万円札が七十三枚。封筒は金融機関のものではなく、少し使い古した茶封筒だ。何やら、犯罪の臭いがする。

伊藤も困った顔をしてみせた。

「……それはですね、結局、なんの金だか分かりませんでした。その社長は、この一年でそんなに貯められるほど給料はやってないっていうんですよ。だったら他に働けるかっていったら、そんな時間はない。じゃあ何か悪いことでもやって稼いだのかっていうと、そんな感じはなかったと仲間はいう。むしろ金は持っていないふうで、質素に生活していたらしいです」

玲子は眉間のしわを伸ばしながら考えた。

——死体遺棄を手伝った、報酬か。

しかし、それにしては額が大きい。殺しを請け負うなら少ないだろうが、死体を沈めるだけだったら高額だろう。しかも金原の遺体は水中に遺棄していない。それ以前に深沢自身は死んでいる。つまりこの七十三万は、昨日水中から出た死体に対しての報酬、ということになるか。それならやはり高額だし、何より金額が半端《はんぱ》だ。

——まさか、他にもまだ沈んでる？

ちなみに、昨日夕方までの捜索では、内溜から他の死体は揚がっていない。

「あの、どうか、なさいましたでしょうか」

伊藤は、深沢がどんな事件に関わっているのか知りたそうだった。その後も出された茶を飲む間、何度か探りを入れられたが、玲子はそのたび、適当にはぐらかした。

「お忙しいところ、ありがとうございました」

「あ、いえ……お役に、立ちましたかどうか」

伊藤はスッキリしないだろうが仕方ない。こっちはまだ公開捜査ではないし、事情を話さなければいけない理由もない。話して有益な情報でも得られるならそうするが、それはなさそうだった。

「では、失礼します」

「は、ご苦労さまでした。また何かあれば、いつでも……」

だがよほど知りたかったのだろう。伊藤はご丁寧にも、玄関まで送りについてきた。

西新井署を出ると、暑さは相変わらずだが天気は下りか、灰色の雲がどんよりと空を埋めていた。目の前の環状七号線は日曜のためかダンプやトレーラーが少なく、代わりに乗用車がスピードを上げて走っている。三時か四時になれば、加平《かへい》インターチェンジから吐き出される車がここらまで連なるのだろうが、今は、比較的空いていて走りやすそうだった。

その、空いた道路の広い感じが、ふいに実家のある、南浦和周辺の風景を思い出させた。

そして、過去。あの忌まわしき夏。黒く塗り潰された、十七歳の夏。

——今でも怖いのか、暑い夏の夜は……。

玲子は無意識に、思い切り息を吸い込んでいた。

胸が、張り詰めて硬くなる。

克服したはずの恐怖。

思い出すのは、あの大嫌いな日下の顔を見たときだけ。それももう慣れたはずなのに。動悸が痛い。こめかみの辺りがキリキリと音をたてる。息ができない。息が、息が――。

「主任、主任ッ」

我に返ると、正面から井岡が両肩をつかみ、何か叫びながら激しく揺さぶっていた。その声が、徐々に意味をなしてくる。

――主任……そう、あたしは、もう高校生じゃない。

玲子は頭の中で、足早に、あの事件以来の自分をなぞった。

――裁判、入試、入学、卒業、入庁、訓練、卒配、勤務、試験、勤務、試験、勤務、試験、そして、憧れの、捜査一課……。

意識に歴史性を持たせることで、蘇ろうとする恐怖を過去のものであることを自らに教え込む。もう終わったこと、キッチリ決着はつけたのだから、怯える必要はないのだといい聞かせる。

「……主任、大丈夫でっか」

いつのまにか、井岡は玲子が落としたバッグを拾ってくれていた。脇に腕を差し、支えてくれてもいる。あの頃、藁《わら》をもつかむ思いで習ったヨガの呼吸法を試みると、次第に息は楽になり、動悸は治まっていった。気がつくと西新井署、立番の私服警官も心配顔で覗きにきていた。

——そう、あたしには、あたしの後ろには、いつもこの強大な組織が、いてくれる。

「……ごめん、もう大丈夫」

玲子は立番にも、眩暈《めまい》がしただけだと詫びた。彼は井岡と目を合わせてから、一礼して署の入り口に戻っていった。

だが井岡は、ますます訝るような目で玲子を見た。

「主任。勝俣主任と、何かありましたんか。あれからずっと、顔色がすぐれまへんが」

確かに昨日、玲子は勝俣と話したあとに気を失った。菊田にしなだれかかり、気がつくと医務室のベッドの上だった。当然、捜査会議は欠席になっていた。玲子の代わりは菊田が務めたと聞いている。勝俣も、参加後初めての会議だったせいか大人しくしていたらしい。特に問題は起こらなかったとの報告を受けた。

だが、夕方には体調も戻って聞き込みに出ている。夜の会議には出席し、今日はこうやって予定通り仕事をこなしている。井岡に「あれからずっと」といわれるほど、弱った姿は見せていないつもりだった。

——ま、無理もないか。

井岡は決して勘の悪い男ではない。加えて玲子にいつ抱きつこうかと狙っているくらいだから、その動作観察にも余念がない。

——誤魔化せないってわけね、井岡くん。

しかし、だからといって過去について話すほどの間柄ではないし、また平気で喋れるほど玲子も強くはない。

「うん、心配しないで。大丈夫だから」

結局、そんなふうにしかいえなかった。今は、勝俣がなぜあんなことを職務中にいったのか、その方が気にかかる。

——あのオヤジ、あたしを、どうしようっていうの……。

「いこう……井岡くん」

玲子は、井岡から受け取ったバッグを肩にかけ直し、口を真一文字に結んで歩き始めた。

三正《さんしょう》警備社は二号警備、つまり工事現場周辺の交通整理や駐車場の警備をする会社だった。自社ビルだという三階建てのそれは、最上階が社長の自宅、二階が従業員用の寮になっているらしい。一階に事務所と駐車場。社長の岸川《きしかわ》には、その事務所で話を聞かせてもらった。

「深沢ですか……ええ。真面目で、いい男だったですよ」

岸川が面倒を見ているのは、大半が少年院や少年刑務所を経験した若者だそうだ。現在、寮に住んでいるのも全員がそうだという。

「根っからのワルでも、更生させる自信はあります。ですが、深沢はそういう類の男じゃなかった。そりゃ言葉遣いとか、礼儀とかは厳しく教えましたよ。しかし、人間の根っこの部分、それは、そんなに曲がってる方じゃなかった。口数は少なかったが、妹想いでね。私は好きでしたよ。深沢が」

岸川は頭をつるつるに剃り上げ、和服を着ていながら室内でもサングラスをかけるという、一種独特なファッションセンスの持ち主だった。たまに暴力団幹部にこういうのを見かけるが、一般企業では珍しいだろう。

「深沢さんが、ご自分でアパートを借りていたのはなぜでしょう。なぜ、寮に入らなかったのでしょうか」

岸川はしばし、固く唇を結んだ。

「……奴は、妹が退院してきたらいく所がないから、とね。それで自分でアパートを借りたんですよ。妹の入院費を払って家賃も払ってたら、どんなに食費を切り詰めても足が出たんじゃないかと思うんですが。まあ、朝と夜は寮の連中と一緒にやれって、半ば強制的にここで食わせてましたがね。それでも休日だってあるし、毎日現場に出れば、昼飯は自腹を切ることになる。下手したら毎日、昼は抜いてんじゃないかって、女房とは心配していたんですがね」

「しかし、深沢さんのアパートからは多額の現金が出た……そのことは、ご存じですよね」

「ええ。西新井署の人から聞いてます。ですが、それは深沢が、焼いちまったという実家から、持ち出した金じゃないですかね。ウチで働いて一年足らず。七十万、でしたか。貯めるのは絶対に不可能ですから」

つまり深沢は、妹の入院費と家賃を、死体処理の手伝いで賄《まかな》っていた、ということなのか。

「……たとえば、深沢さんが何かに関与して、その現金を得たというようなことは、考えられませんか」

岸川はサングラスの奥でゆっくりと目を閉じ、かぶりを振った。

「様子でいえば、なかったとしか申し上げられない。私だって一年足らずで、深沢の全てを知り得たとは到底《とうてい》思わない。思わないが、印象でいいのなら、ないと、私は思います。奴は……遊ぶ金欲しさで悪さをするような男じゃなかった。少刑以前に鑑別所に入ったのだって、ほとんどが他愛ないケンカが原因だったようだし。それだって親がちゃんと引き取って、面倒見ますからってひと言いってれば、処分されなかったレベルですよ」

ひと息つき、窓の方に顔を向ける。

「なぜあいつが、あんな死に方をしたのか、今も、まったく分かりません。……悲しいですよ。あの部屋にはね、結局、一度も妹は帰ってこなかったんですから。ベッドとか、年頃だから小さくても鏡台とかを買ってやりたいって、私に借金してね。月々、少しずつ返して。部屋もワンルームで風呂付きか、風呂はなくてもふた間か、ずいぶん迷ってました。でも年頃だから、自分とは別々にしてやりたいって……一度も、こなかったのにね……苦しい思いして家賃払って、私に、借金返して。そんな、男だったですよ」

岸川は、泣きはしなかった。声も始終落ち着いており、穏やかだった。ただ淡々と語る。それが却って、玲子の心には痛かった。

「そうですか。分かりました。では、深沢さんが亡くなっているのを発見したという同僚の方にも、お話を伺いたいのですが」

「ええ。トガシという者ですが、あいにく仕事に出てましてね。ですが、駐車場の警備ですから、そこにいってみてはいかがでしょう。どうせ、忙しくはないでしょうから」

岸川に教えられた富樫の仕事場は、荒川区にある私立医大の駐車場だった。玲子と井岡は岸川に礼を述べて三正警備社を辞し、タクシーに乗り込んだ。

その車中、井岡は玲子自身については何も訊かなかった。捜査についても場所が場所だけに話しづらい。ありがたいような、重苦しいような沈黙が続いた。

「……ワシは、主任のこと、自分の上司やと、思ってますから」

しばらくして、井岡はそんなことをいった。

玲子はチラリとその横顔を見ただけで、何も答えなかった。いや、答えられなかった。

――井岡くん、あなたはあたしのことを、どこまで分かってるの？

井岡は今、何を思って、そんなことをいったのだろう。

――まさか……ね。

警部補という肩書きこそが、今の玲子を支えている。井岡はそれをいつのまにか感じ取り、だから慰めるために、自分はあなたの部下だと思っている、などといったのか。いや、まさか。さすがに、それはないだろう。

――でも、もしそうなんだとしたら……井岡くん。怖い人ね、あなたは。

それでも、井岡の優しさは充分に感じられた。

やはり、この沈黙はありがたい。玲子は束の間、目を閉じることにした。


結局、岸川と富樫の言い分に食い違いはなかった。

富樫は岸川ほど快く話はしてくれず、最初は駐車場係員室の小窓越しに「帰ってくれ」といわれた。無理もない。こういった境遇の若者は警察関係者の職場への訪問を極端に嫌う。真面目にやろうとしているのならなおさらだ。だがしばらく穏やかに話しかけると、富樫も深沢について語り始めた。「本当にいい奴だった」と繰り返し、金の出所についても心当たりはないといった。

「そんなに持ってるんだったら、少しくらい回してもらえばよかった」

そんな冗談までいった。

「……もっとガキの頃とか、早くにあいつと出会ってたら、俺、今頃こんなふうになってなかったんじゃないかって、思うことがある。会ったことはないけど、あいつの、妹に対する気持ちとか……俺、自分が情けなくなってさ。それで、あいつのお陰で、ちっとはまともになれた部分、あるんだよ。これでも。だから、死んだあいつのこと、変なふうに弄くらないでくれよ。頼むよ……」

妹についての話も聞きたかったが、富樫はそれ以後黙り込み、ひと言も喋ってはくれなくなった。プレハブの小さな係員室を辞する際も、こちらには目も向けなかった。

見上げると、灰色の空はまだ充分に明るかったが、時計の針はもう六時を回っていた。

「……電車で、帰ろうか」

玲子は、井岡が頷くのを見てから歩き始めた。

3

八月十七日日曜日、午後二時。勝俣は中央医科大学付属病院に向かっていた。

午前中は深沢の過去について調べた。鑑別所や少年院にはどういった罪状で、何回送られ、どういった理由で少年刑務所に入ったのか。家裁はどういう判断をし、刑務所内での評価はどうだったのか。主に、霞が関にある家庭裁判所と地検での調べものだった。

こんなとき、勝俣は所轄の相方を電車の中で撒《ま》くことにしている。所轄署の周りを調べるだけなら道案内をさせてもいいが、管轄を離れたら足手まとい以外の何ものでもない。一人の方が断然動きやすいし、もし人手が必要なら同じように相方を撒いた自分の部下と合流する。

　はぐれたことは、自分から報告書には書かない。ただ相方に、しっかりしろよ、と耳打ちしてやる。すると、たいがいの相方は二日か三日は躍起になって追いかけてくるが、そこらの所轄の刑事が勝俣についてこられるはずもなく、四日目くらいからは黙っていても別行動をとるようになる。

　それでいいのだ。結局、殺人犯捜査の刑事は誰もが一匹狼だ。信頼できるはずの自分の部下でさえ、いつ手柄をかすめ取っていくか分からない。その点、公安は行動が班ごとで、人員も固定されていてやりやすかった。ただ、その一点についてのみだが。

　最近年のせいだろうか、今泉のように係長警部になってデスクに座るのも悪くないと思うようになった。だがそれこそ、この年で試験勉強をする気にはなれない。勉強するくらいなら警部補のまま、こうやって一人で現場に出る方がまだマシだと考え直す。結局、人は勉強しなくなった時点で成長が止まるのだ。勉強好きには敵《かな》わない。

　ふと「勉強」の二文字に、あの、姫川玲子の顔が重なって浮かんだ。

　――しっかし、あの小娘は……。

　勝俣は姫川玲子が嫌いだった。何が嫌いかというと、あの取り澄ました美人面が嫌いなのだ。

——あれは、絶対にテメェのことを美人だと思ってやがるツラだ。

黙っていても、喋っていても、怒っていても泣いていても、腹の底では「だってあたしは美人だもん」と思っているように、勝俣には見えてならない。それでつい、悪戯心であんなことをいってしまった。

——気絶するとは思わなかったが、ちっとはヘコんだろ。あのお調子モンも。

勝俣は、一課に配属される人間の経歴を、辞令を受けた時点で全て洗っている。いつ入庁し、どこに配属され、どんな事件の解決に貢献し、誰に引っ張られて一課の殺人犯捜査係に抜擢《ばってき》されたのか。姫川玲子も例外ではない。いや、むしろ興味深い女性警官だったので、入庁以前のことまで洗ったほどだ。

姫川の実家は埼玉県の南浦和。東京で四年制の女子大を卒業し、新卒採用で入庁している。警察学校卒業後の配属は品川署。最初こそ女性警官では定番の交通課だったが、まもなく刑事課に配転。その後、巡査部長への昇任試験を二回、警部補昇任試験は一回でパスしている。このとき姫川は二十七歳。一般には巡査部長になれるのが三十歳前後といわれているから、ノンキャリアとしては異例のスピード昇進といっていい。警部補になると同時に交通課の捜査係長を務め、その後に今泉が捜査一課に引っ張り、今に至っている。

だが、本当に面白いのは入庁以前だ。それも高校生の頃。姫川はある事件の被害者になっていた。その事件で埼玉県警本部の巡査刑事が殉職し、姫川は公判で証言台にも立っている。

十七歳から十八歳にかけての頃だ。生活面では不登校もあり、一時期は地元の精神科にも通っていた。かろうじて、高校は留年もせず卒業できたようだが。

――そのわりには、自信満々なんだよなぁ……分からねぇ。もっとイジケろって。

何より勝俣が気に食わないのは、あの態度だ。階級が同じなら年齢は関係なし。平気でタメ口を利き、それが許されるのが美人の特権だと勘違いしている。そもそも、ああいうのは美人とはいわない。背が高いわりに童顔だから、可愛いような気がするだけだ。いわば錯覚だ。あんなのにぽーっとなっている親衛隊も馬鹿ぞろいだ。特に菊田。あれが誰より駄目だ。完全に姫川にたらし込まれている。腑抜《ふぬ》けだ。完全なる抜け殻だ。

まだある。あの女には、捜査というものがまったく分かっていない。捜査とは、碁石を一つ置き、離れた所に一つ見つけたら、その間を一つ一つ、自分で置いて埋めていく作業だ。だがあの女がやることといったら、その間が一つも埋まっていないにも拘わらず、早々と先の石だけ取り上げるような真似ばかりだ。それで分かったような気になっている。挙げた挙げたとパンツを見せながら飛び跳ねている。あれはただの馬鹿女だ。それで機動隊まで動かす今泉も今泉だが、許可する橋爪はもっと馬鹿野郎だ。

――知ってんだぞ橋爪、テメェのカツラ。

ただし、手順は間違っていても結果を出しているところだけは侮《あなど》れない。今年はやや不調のようだが、昨年は通り魔殺人を三日で、強盗殺人を半日で解決している。それも物証や証言から犯人に至ったのではない。見た瞬間に犯人だと思った。殺《や》りそうな目をしていた。そんな、身も蓋もない理由で被疑者をマークし、逮捕まで漕ぎ着けている。

そういった意味では、今回も似たような展開になりつつあるといえる。水中遺棄をいい当てたこととといい、それを不審な死を遂げた深沢康之に結びつけたことといい。いわゆる刑事の勘とは一線を画す何かを、あの女は持っている。それは確かなのだ。

——まさか、実は霊能者だとかいうんじゃねえだろうな。

まあいい。自分が帳場に入ったからには好きにやらせてもらう。直属上司の五係長も、とんだボンクラだからちょうどいい。

——カツラにイマハル、それと馬鹿女か。どうしようもねえ帳場だな。

厄介なのは、捜査が長引いて十係の片割れ、日下班が割り込んできた場合だ。日下は侮れない。急性盲腸だったら、一週間もすれば現場復帰してくるだろう。

——どっちにせよ、俺が挙げればいいわけさ。

勝俣は中央医科大付属病院入り口の自動ドアを通った。

受付に座っていたのは、下手な化粧と似合わない茶髪がどうにも田舎臭い女だった。

「警視庁の者だ。ここで、手帳を見せた方がいいか」

間の抜けた表情で女が見上げる。

「は？」

「ここで警察手帳を見せた方がいいのかって訊いてんだこの田舎モンが」

「ど、どういうことでしょう」

分からないのなら、実際にやって見せるまでだ。

勝俣は胸から手帳を抜き、縦に開いて突き出した。

「警視庁捜査一課の勝俣だッ。精神神経科の尾室《おむろ》医師にお会いしたいッ」

入り口付近をうろうろしていた入院患者や、急患か、外来診察待ちの患者が一斉に振り返る。そうなって初めて、受付女は「ここで見せた方がいいか」と勝俣が訊いた意味を悟ったようだった。

「しょ、少々お待ちください」

受付を空にし、事務局か何かだろうか、奥の部屋に飛び込んでいく。ドアくらい閉めればいいものを、開け放したまま「警察がきた、どうしたらいいの、何があったの」と騒ぎ始める。

――オメェにゃなんもありゃしねえよ。

代わって上司かスーツ姿の男が現われ、勝俣をカウンターの端にいざなった。

――端だって真ん中だって一緒だ、この役立たず。

だが、一応はそれに従う。

「おい、尾室先生はどこにいる」

男は大衆浴場で自信のない股間を隠すような情けない姿勢で、何度も何度も頭を下げた。

こっちは生まれながらの負け犬体質か。

「申し訳ございません。尾室はただいま、医局で会議中でございまして……」

「いつ終わる」

「はい。あと一時間ほど、いえ三十分ほどの予定でございますが」

「どっちだ。ハッキリしろ」

「あ、は、いえ、あの……」

「もういい。待たせてもらう。医局はどこだ」

「は？」

「医局ってのがあるんだろ。そこで会議してるんだろ。その前で待たせてもらうよ」

「あ、はぁ。新館六階の、エレベーターを降りて右の方ですが」

「分かった」

勝俣が歩き出すと、男はまだ何かいいたげにしていたが、用はすんだので歩をゆるめることはしなかった。

案内図を見ながら複雑な造りの本館を通り抜け、やっと見つけた連絡通路から新館に入り、ようやくたどりついたと思ったら、今度はエレベーターが四階で止まったまま、なかなか下りてこない。

——馬鹿にしてんのか、この病院は。

苛々を奥歯で嚙み殺しながら待っていると、そのうち後ろに何人も溜まり始めた。中には車椅子の患者もいる。そうなると、さすがに先を譲らないわけにもいかない。不本意ながら勝俣は二番めに乗る破目になった。だがそれでも、扉近くのポジションは確保した。

見回すと、当たり前だがエレベーターの中は病人だらけだった。

——おいおい、変な菌とかうつすなよ。

勝俣は病院も嫌いだった。多少具合が悪くてもたいがいは気力で治す。四、五年前に肺炎になりかけて近所の町医者にかかったのが最後だが、あれだって、医者にかかったから余計に悪くなったのではないかと思っている。悪いのは自分ではない。病院、周りの環境、自分に病気をうつした奴だ。

——ああ、あれは女房にうつされたんだっけか。つまり、離婚するちょっと前か。そもそもあの女は……いや、やめよう。

膨れそうになった怒りを、勝俣は軽く頭を振って追い払った。

六階で降りたのは勝俣だけだった。

あの負け犬は「医局はエレベーターを降りて右」といったが、一応は自分で確かめるために案内図を見る。どうやら、新館六階全体が精神神経科病棟のようだった。精神神経科というのは、いわゆる精神科とは違うのだろうか。

もうずいぶん前になるが、ロボトミー手術を受けた患者が起こした事件の捜査で精神病院にいったことがあった。だが、あのときとはどうも勝手が違う。看護師に付き添われて歩いている患者も、さほど精神に異常をきたしているようには見えない。いや、外見的には普通に見える人間にまで精神科的治療が必要だということか。そんな現代社会自体が、そもそも病んでいるということなのか。

——ま、商売繁盛はけっこうなことだ。

勝俣は通りかかった看護師の肩を叩いた。

「おい、医局ってのはどこだ。尾室先生に話がある。あんた呼んできてくんないか」

手早く手帳を提示する。

「……申し訳ございません。ただいま会議中ですので」

あくまでも穏やかな口調で、その看護師は答えた。

——おいおい。俺の捜査より、会議が優先か?

「分かった。もういい」

勝俣はよく分からないが右の方に歩き始めた。長い通路があり、右手に二つのドアがあった。向かいには五つ並んでいる。男女のトイレ、給湯室、なんとかかんとか室、非常口扉。だが、どこにも「医局」という案内は出ていない。不親切極まりない。

——会議ってくらいだ。このデカそうな部屋に決まってる。

勝俣は右手奥のドアを開けた。実際、そこは会議室だったのだが、医者はおろか看護師も患者もいない、ただの空っぽの部屋だった。なぜここで会議をやらないのか。会議だったら会議室を使え。

——ここでやれよ紛《まぎ》らわしい。とことん馬鹿にしてるな、この病院は。

ドアを叩きつけ、一つ手前の部屋に戻る。会議をするならここが最後だ。ここでなかったら、また戻って看護師に訊かなければならない。だがそれでは要らぬ恥を掻くことになる。そうなったら、まずあの負け犬から血祭りにあげなければならない。

——面倒かけるなよ。

勝俣はドアノブを握り、押し開けた。

ここが医局なのだとしたら、それが実際に何を意味しているのかは知らないが、つまりはただの事務室だった。六つほど机が向き合っており、そこに白衣を着た男が三人、女が一人いる。一番年嵩《としかさ》に見える男がファイルを持って立っており、メガネを指で直して何かいおうとする。が、勝俣の方が早かった。

「尾室先生はいらっしゃるか」

途端、女の隣に座っていた三十過ぎの男に視線が集中する。つまり、彼が尾室医師というわけだ。いかにも大事に育てられたお坊ちゃまという感じだ。

「……私ですが」

分かりきったことを臆面もなく答えるところが、またそれらしい。

「警視庁捜査一課の勝俣だ。お話があるのだがよろしいか」

一応、挨拶だけは型通りにしてみせる。尾室は訝るように、立っていた男と目配せをした。

相手は渋い顔で首を傾げ、やがて頷いた。改めて言葉にするならば「警察がなんでしょう」「知らんよ」「どうすればいいでしょう」「分からんよ。君が呼ばれたんだから、君がいきたまえ」といったところか。

尾室は座ったまま向き直った。

「どういった、ご用件でしょうか」

どうやら、自分で心当たりを考えるつもりはないらしい。

「深沢由香里について、お話を伺いたい」

するとまた目配せ、渋い表情、乞うような目、かぶりを振る。精神神経科というのはテレパシーの研究機関か。もう、勝俣の我慢も限界だった。

「いいから時間を作ってくれ。日曜なら診察がないと思ってくりゃ、会議だと？　いいだろう。途中だというならここで待たせてもらう。さっさとすませるもよし、あとに回すもよし。とにかくこっちは早く話をしたいんだ」

すると尾室は、不似合いにも厳しい表情を浮かべてみせた。

「あなた、いきなり訪ねてきて何をいってるんですか。警察だからってそんな……」

「黙れ」

勝俣は開いていたドアを突き飛ばすように閉めた。

「あんたは約一ヶ月前に西新井署の者が由香里に面会したいと訪ねたときにそれはできないと断ってるな。警察ってのは用もないのに精神病患者の見舞いにくるほど暇じゃねえんだ。実際に足を運ばなきゃならない用があるからきてるんだ。会う必要があるから会いたいとわざわざ出向いてるんだ。会議だか懺悔《ざんげ》だか知らないが、なんでもいいからさっさとすませて捜査に協力しろ。キサマに善良な市民としての自覚が多少なりとも残っているのならなおさらだッ」

ここまでいうと、さすがにテレパシーを使う余裕もなくなるらしい。尾室はのろのろと席を立ち、上司であろう立っていた男に一礼をしてこちらにきた。

——駆け足をしろとはいわないが、くるんならさっさと頼むぜ。

勝俣は再びドアを開け、できる限り丁重に、尾室を廊下へといざなった。

尾室が用意した部屋は第三診察室。別にどうということのない部屋だった。窓の手前にパソコンを載せた机があり、右側を丸くカットしたカウンターが部屋を二つに分けている。奥に医師が座り、「どうしましたか」とやるのだろう。

「どういうご用件でしょうか」

案の定、尾室はその席に腰掛け、おそらくは患者に対するそれと大差ないであろう口調でいった。

「だから、深沢由香里について聞きたいと、さっきいっただろう」

どういうつもりだろう。尾室は、苛立ったように眉間にしわを寄せた。

「ですから、それは以前いらした刑事さんに、お断りしたように……」

「いいかよく聞けッ」

勝俣は机を叩いて遮った。

「最初にいっとくが、以前きたのは俺じゃない。同じ警察官といったって全国で二十六万人もいるんだ。一人に面会を断ったらその通達が全国に行き渡ると思ったら大間違いだ。舐めるな。それに前にきたのは刑事じゃない。ありゃただの地域課の巡査長だ。交番のオマワリだよ。つまり俺は断られていない。断るなら直接俺に断れ。ただし、この俺を納得させられるだけの理由を事前に考えてケツの穴引き締めてからにしろ」

尾室はしばし黙った。反論する気をなくしたか。だとしたら手間が省けていいのだが、実際はそうではないようだった。

「……しかしあなたは、一ヶ月前に私が断ったことをご存じだった。先ほどそう仰いましたよね。つまり、承知の上でいらしたわけだ」

——あ、この野郎。

勝俣はろくに反論できない根性なしも嫌いだが、堂々と反論する生意気な奴はもっと嫌いだ。

「おい、何度もいわせるなよ。俺が断られたわけじゃない。それに今回は殺人事件の捜査で足を運んでる。由香里の死んじまった兄ちゃんはな、ただ脳味噌が溶ける変人だったわけじゃないんだ。別の事件に関わってる可能性が出てきたんだよ。だからその妹の様子を知りたいといってるんだ。分かったか」

尾室は「やりきれない」とでもいいたげに溜め息をついた。だがそれでいい。人間は根負けして面倒になると、ペラペラとよく喋る生き物だ。しかし、

「……仕方ありませんね」

尾室はいいながら、挑戦的な目で勝俣を見据えた。

「同じ内容で恐縮ですが、そうまで仰るならご説明しましょう。ですがその前に、警察手帳の提示か、名刺を頂戴できますでしょうか。警視庁の勝俣だといわれましても、不勉強なもので心当たりがございません」

——あ、なんか、意地っ張りなお坊ちゃまだな。

勝俣は名刺を出し、カウンターにすべらせた。

「……警部補」

「分かったらとっとと答えろ。まずは深沢由香里の病名からだ」

「それは、申し上げられません」

固く口を結んだ尾室は、まるで叱られた小学生のようだった。

「守秘義務、とかいいたいわけか」

「ご存じなら話が早い」

「どう早い」

「私が話せない理由を、お分かりなのでしょう」

呆れた。そんなことで承知するのは刑事の真似事を頼まれた交番の巡査長か、キャリアのボンボンだけだ。ちょうどこの尾室みたいなのが国家公務員試験一種に合格して警察庁に採用されれば、背広組の工場見学気分で所轄研修にくる「バカ殿候補」ができ上がる。

――そういや、この帳場にもそんなのがいたな……。

第三方面本部長、北見克好《かつよし》警視長の長男、北見昇《のぼる》。だが血筋のわりに、目つきが鋭いという印象を勝俣は持った。既知の人物でいえば、公安時代に工作を仕掛けた某宗教団体の宣伝部長と雰囲気が似ているが、まさか、そっち系にかぶれた人間を警察庁が採用するとも思えない。いや、ここは一つ念を入れて、独自の調査をしておくべきか。

――ま、そんなこたぁ今、どうでもいいんだけどよ……。

勝俣は短く刈った頭を掻き、話を続けた。

「……尾室先生よ。その守秘義務ってのは人の命より重いのか？　いいか、よく聞けよ。人が、死んでる。それも二人、殺されてるんだ。心の病がナンボのモンか知らないが、死んじまった者には病気にかかる心もないんだ。奪われたんだよ、命そのものを。分かるよな？こっちは何も、由香里の病状を新聞で公表しようってんじゃない。まず話ができる状態かどうかを知りたい。その上で由香里と話をするか、あんたらのカルテを見せてもらって前後の状況を推測するか、それはそのあとの話だ。……で、どうなんだ。もういっそ病名はいいから、由香里が話せる状態か否《いな》か、それだけでも答えてもらえねえか」

これなら断る理由はあるまい、と本気で思ったが、

「……お答え、できません」

尾室は声を震わせながら勝俣を睨んだ。

——受付といい、建物といい……とことん馬鹿にした病院だな、ここは。

勝俣も負けじと睨み返した。

「なぜだ。なぜ、話をできるかどうかも答えられない」

「どう答えても、あなたは彼女に会いたがるでしょう」

「そんなこたぁねえよ。無理なら会ったってしょうがねえんだからよ」

尾室は目の周りを紅潮させ、涙すら滲ませた。その意味が、今一つ勝俣には理解できない。強引に解釈するなら、尾室が由香里に惚れているとか、そういうことになる。だが、もしそ

うなら面倒だ。ときとして恋する男は、親分に仁義を尽くすヤクザよりも頑《かたく》ななのだ。

「あんた、由香里に惚れてんの？」

「あ、あ、あなた、な……」

尾室は豆菓子の付録の鬼の面みたいに顔を真っ赤にし、カウンターに拳をついて立ち上がった。

「何を、バカなことをいってるんですかッ」

こういうのを世間では純情というのだろうか。

——俺にいわせりゃ、ただの皮かぶりだ。

「だったらあんた、なんでベソかいてんだ」

からかわれると悔しいのか、カウンターを殴りつける。

「ベソなんてかいてませんッ。私は、私はただ、医師として、あなたのような威圧的な態度をとる人間と、私の患者を接触させたくないだけです。あなたのような態度は、とても人を萎縮させる。あなたと会ったときはそうでなくとも、あとでその恐怖感を思い出したり、良かった状態が急激に悪化したりするんです。……こんなことだったら、あの等々力さんに会わせておけばよかった。あの人の方が、何十倍もデリカシーがあった」

——今度は人を「無神経」扱いか。甘い。甘すぎて前歯が痛くなるぜ。

勝俣は鼻で笑ってみせた。

「デリカシーとは恐れ入ったな。俺にいわせりゃ、そりゃあ捜査に対する責任感の違いってもんだ」

「患者に対する人権無視が、あなたの責任感の表われですか」

「無視しちゃいないだろ。無視する気なら、看護師に部屋番号を訊いて勝手に面会してるさ」

「……ば、馬鹿げてる。狂ってますよ、あなたは」

挙句に「狂人」呼ばわりか。重ね重ね失敬な男だ。

尾室の悲しげな顔は、勝俣にはまったく謎としかいいようがなかった。一人の患者に警察官を会わせることが、なぜそんなに嫌なのだろう。非常に理解に苦しむ。だがここで話を聞けないと、勝俣は、非常に困る——。

深沢康之は三年の実刑判決を受けている。少年刑務所を出てからの一年に関する捜査は、姫川班に持っていかれた。一番新しい情報の出る可能性が高い捜査範囲だが、そこはこっちが後発なのだから仕方ない。次にわりのいい刑務所内での交友関係については、勝俣が部下に当たらせている。自分で指示したのだから、これについても異論はない。あとは刑務所以前。ここまでくると今回の事件に直接関係があるのかどうか、正直いって疑問だが、勝俣はあえて自分からこれを当たると申し出た。

理由は単純、四年前の判決に疑問があるからだ。有体《ありてい》な放火と、死んだ両親に対する死体損壊ではないと睨んだ。いや、当時の捜査員とて疑いはしただろう。にも拘わらず立証できなかったから、殺人罪が適用されなかったと考えていい。

——誰だって、康之が両親を殺してから焼いたと、考えるわな。

康之が過去に殺人を犯しているとしたら、今回の事件に繋がってくる可能性もある。これ自体は、単なる印象だ。だが、そうは思っても直接「深沢康之は過去に殺しをやってます」とはいわない。そんなことをいうのは馬鹿な女主任だけで充分だ。まず状況から固め、情報を収集し、あり得る可能性を絞り込む。その上で証言を得る。それが捜査というものだ。そのために、康之の過去を知る重要な人物、妹である深沢由香里の証言が必要なのだ。

「……パニック障害、抑うつ症、リジン症に、自傷行為」

尾室が突如、漏らすようにいった。

「ハァ?」

訊き返したつもりだが、尾室は一向に説明しようとはしない。

——とことん嫌味な奴だなぁ。

それでも、まあ大体は分かる。パニック障害というのは、たぶんパニックになりやすいという意味だろう。抑うつ症というのは、つまり一般にいう「うつ病」のことだ。リジン症というのはよく分からないが、自傷行為というのは、リストカット症候群とか呼ばれている、アレだ。

──しっかしまた、ずいぶんといっぺんに並べたもんだな。

「……それが全部、由香里の症状だってのか」

「そうです。ですから重度の精神病患者と、理解していただきたい」

「話はできないのか」

「できないかといわれれば、できるときも、できないときもある、としかお答えできません。ですが、外部の人間との接触には、極めて慎重にならざるを得ない状況です。問題はそのとき話ができるか否かだけではないのです。先ほども申し上げた通り、その後に重大な障害をもたらす可能性が高いのです。そのことも、併せてご理解いただきたい」

「だったら由香里の入院歴を教えてくれ」

「ずっとですよ。調子がいいときは退院して、何回か児童養護施設に戻りましたが、ここのところはずっと入院したままです」

「確かめたい。カルテを見せてくれ」

「それはお断りします。捜査令状でもあれば別ですが、基本的にプライバシーの侵害になるようなことには応じかねます」

勝俣は思わず溜め息をついた。こんなふうに、自分こそ正義だと信じて疑わない人間が。いや、この尾たまにいるのだ。

室に関していえば、自分の管理下にある患者まで自分と同化させて保護しようとしている。

こっちは一々令状を取る暇がないからこうやって頼んでいるのに、それを微塵《みじん》も分かろうとしない。しかも医者は、端金《はしたがね》では態度を変えたりしない生き物ときている。百万以下を金とは思っていない。公安時代だったらいざ知らず、刑事部でそんな金の使い方はできない。

「……分かった」

勝俣はカウンターに両手をついて立ち上がった。

「今日のところは諦めて失礼する。次はちゃんと、あんたに納得してもらえるような令状を用意してからくるよ。だがそうなったら、深沢由香里については洗いざらいブチまけることになるが、ま、仕方ないな」

尾室が唇を嚙む。

「呆れた。今度は脅迫ですか」

「そうとってもらっても、かまわんぜ」

勝俣はドアに進み、開けてから今一度振り返った。

尾室は、カウンターに突っ伏して背中を震わせていた。

——泣いてんのか。気持ちワリィ奴だなぁ。

勝俣は寒気を肩で殺しながらドアを閉めた。

ちょうどそのとき、向かいの給湯室からさっきの看護師が出てきた。よく見ると化粧の上手《う》い《ま》、わりと小銭の好きそうな顔をしていた。

4

八月十八日月曜日、午前八時半。その日の捜査方針を確認する朝の捜査会議で、極めて重要な発表があった。

「ええ……昨日、水元公園内溜の水中から発見された遺体の身元が判明したので、報告する。マル害は氏名、滑川幸男《なめかわゆきお》、三十八歳。住所、東京都港区麻布台○の□の△。既婚、子供は娘が二人。大手広告代理店、白広堂《はっこうどう》社員。業界では名の通ったクリエイターだそうだ。滑川は一昨年、交通事故を起こしている。単独事故で本人の他に怪我人はなかったが、その際の調書押印の指紋と、今回の遺体のとが一致したことから、断定に至った。滑川には先月の十九日に捜索願が出されている」

すぐに、それぞれの担当も発表された。

「姫川、勝俣は勤め先、白広堂で敷鑑」

玲子は、息を呑んだ。

——どうしてあたしが、ガンテツと……。

チラリと井岡の向こうを見る。捜査員の補充に伴って増えた机、その左最前列に勝俣は座っている。表情を変えず、手元の資料を見ながらメモをとっている。隣にいるのは亀有署のベテラン巡査部長だ。つまり今日は、勝俣と相方のデカ長、玲子と井岡で行動することになるわけだ。

考えただけで、昨日の気分がぶり返しそうになった。だが、もう息を乱したりはしない。昨日は少し油断をしていただけだ。頭に残っていた勝俣の言葉が誘引剤となり、西新井署前の暑さと風景が、図らずも十七歳のあの日の、家を出たときのそれと重なっただけだ。

――今日は何をいわれても、気絶なんてするもんですか。

知らぬ間に険しい顔でもしていたのか。閉じていた目を開けると、井岡が心配そうに覗き込んでいた。すぐに愛想笑いを浮かべ、小さく頷く。

「ワシが、主任を、守りますわ」

玲子も笑みを返す。

「ありがとう。でも、もう大丈夫。……もう、負けたりしないから」

――そう。もう、あの頃のあたしじゃない。

玲子は会議終了を待たずに席を立った。

白広堂における敷鑑。業種の違いこそあれ、滑川幸男の会社での評判は金原のそれと酷似していた。

いや、タイプでいえば天才肌で、滑川幸男といえば社の内外を問わず一目置かれる存在だったようではある。参考までにどんな広告を作ったのか訊いてみると、玲子もよく知っている化粧品のコマーシャルからインスタントラーメンのパッケージ、最近では売れっ子アイドル歌手のビデオクリップなども手掛けたという。

プライベートでの異性関係も派手で、下は女子高生から上は五十を過ぎた女優までと幅広い。同じ部署の仲間がいうには、夫人は滑川の派手な女遊びを黙認していたらしい。度量の大きな女なのか、それとも嫉妬に疲れて擦り切れてしまったのか。どちらにせよ、玲子には理解できない精神構造の持ち主なのだろう。玲子は浮気など絶対に許せないし、許さない。まあ、それに関してはいずれ、自宅を当たっている菊田から報告があがってくるだろう。

だがそういった点を除くと、滑川と金原には実に多くの共通点が見られた。それはやはり、部下の証言から浮かんできた。

「滑川さん、一昨年にCM大賞取っちゃいましてね。本人はそれが目標とかじゃなかったのに、急になんか、先が見えなくなったとかいって、しぼんじゃったんですよ。去年一杯、そんな感じだったかな。ま、しぼんでも滑川幸男ですから、片手間にやったってそこらの制作の人間じゃ逆立ちしてもできないような仕事、バシバシやってましたけどね。でも、近くにいる俺なんかには分かりましたよ。何か、アイデアにキレがないなって。思い切りが悪くなったっていうか、守りに入ってたっていうか」

アーティスティックな仕事に携《たずさ》わる人間には、まあ、ありがちな悩みだ。

「でも、今年に入ってからですかね。いきなり調子が戻ったたっていうか、いや人が変わったっていうか、もう受賞前よりもカッ飛ばし始めましてね。スゲェ、やっぱ天才だわって、なんか嬉しくなっちゃいましたよ。ただ……ただね、ちょっと飛ばしすぎっていうか、ついていけなくなってた部分、あったんですよ。仕事だって、もっとよこせもっとよこせ、って感じで」

ついていけなくなった、というひと言に引っかかりは感じたが、あえて口をはさむことはしなかった。

「……俺、いったんです。こんなペースでやってたら、滑川さん、死んじゃいますよって。そしたら、なんていったと思います？　いつ死んでも後悔しないように、今やらないでどうする、って。逆に怒られちゃって……分かりますけどね、いってる意味は。でも死に急ぐのと、毎日を悔いなく生きるのとじゃ、話違うじゃないですか。滑川さんは、死に急いでるようにしか見えなかったですよ。少なくとも俺には。だから、死んだって聞いても、驚きませんでしたね。……で、滑川さん、どうして亡くなったんですか？　殺されたって、喧嘩かなんか、したんですか？　なんで一ヶ月も見つからなかったんです？」

怨恨についての具体的な話は聞けなかった。金原と比べたら仕事で恨まれるケースもありそうだが、それでも滑川とて一介の会社員。仕事上でのトラブルがあったとしても、あんな猟奇的な殺害方法には結びつかない。いや、普通は殺人事件に発展しない。今のところ、仕事上のトラブルは除外してもいいのではないかという印象を持った。

また金原と直接結びつくような接点も浮かばなかった。そもそも事務機器リース会社の営業マンと広告代理店の売れっ子クリエイターでは、接点の持ちようもない。少なくとも、通常業務の範疇では。ちなみに、白広堂本社にコピー機などをリースしている会社も、大倉商会ではなかった。

次に滑川のスケジュールを最も把握しているという、アシスタントの女性に話を聞いた。

「確かに、七月の十三日は、夜の予定をキャンセルしてますね。その前の月だと、六月八日ですか。……ああ、この日は休暇をとってます。で、その前の第二日曜っていうと、五月十一日か……あら、全然気づかなかった。この日も夜は空けてますね。ああ、全然気づきませんでした。滑川さん、毎月第二日曜に、何かやってたんですか？」

——それはこっちが訊きたいっつーの。

だが、これは極めて重要な証言だった。

さかのぼっていくと、滑川は昨年の十二月から毎月、第二日曜には仕事を入れないようにしていた。四月には入っていた予定をすっぽかしてもいる。そうまでしていきたい場所とはどこだったのか。あるいは、したかったこととは。むろん、会社側はそれを把握していない。何をしていたのかも分からない。しかし、空白の第二日曜の始まりと、滑川の頑張り、近しい部下がいうところの「復活」とは、微妙に時期が重なっている。

おそらく滑川は昨年十二月八日の日曜に、何かに出会った。それは毎月第二日曜に決まって、あるもの。会うべき人物か、自然発生的現象か、催されるイベントか、ある種の取り引きか、それとももっと別の何かか。

滑川は、一体何に刺激を受けたのか。

その何かに関わるようになり、滑川はバリバリと仕事を再開し、以前以上の活躍をするようになった。そして約半年後の七月十三日、突如行方が分からなくなった。捜索願が十九日と遅くなったのは、滑川が金原のような平日九時五時の勤め人ではなかったためだろう。

とにかく、第二日曜の何かが、彼らを仕事に駆り立てた。

この仮説を当てはめると、金原も、東都銀行へ積極的に出向くようになった春頃から、第二日曜の何かに関わり始めたものと考えられる。夫人が正確に記憶していなかったので定かではないが、春頃から月に一度、休日の夜に家を空けていた、との証言はある。何をしていたのだろう。金原と滑川は、毎月第二日曜に、何を？

そして彼らはそろって、第二日曜に殺された。

正確な意味合いにおいて、滑川が七月十三日に殺害されたかどうかは、まだ推測の域を出ていない。死亡推定日時は七月の中頃。あの遺体からそれ以上特定するのは無理だった。だが十三日の夜の予定をキャンセルし、その後行方不明になっているのだから、殺害方法の一致も鑑みて、十三日と考えていいだろう。

さらにこの仮説を推し進めると、八月に金原、七月に滑川、それ以前の六月にも誰か、五月にも誰か、ずっと犠牲者が出ていたとも考えられる。滑川が去年の十二月からずっと同じ「何か」に関わっていたのだとしたら、最悪の場合、犠牲者は九人にも上る。

——そしてまた、来月の第二日曜に、誰かが、殺される……。

一体、なんなのだろう。関わることによって仕事への意気があがる何か。その一方で、殺される可能性もある、何か。

——殺される、順番待ち？

玲子はふと思いついて、だがそのあまりの滑稽さに、心の内で笑って打ち消した。

勝俣とは白広堂本社内にそれぞれ部屋を借り、各々別々に社員への面接を行っていた。事前に滑川の上司から関係の深い社員をリストアップしてもらい、それを等分に割り当てたのだ。

玲子たちが午前中に面接をすませたのは、予定していた約半数だった。時計を見ると正午を十分過ぎている。

「あたしたちも、お昼にしよっか」

とはいったものの、玲子は大して腹が減ってはいなかった。むしろ気になるのは、別室で面接を行っている勝俣組の成果である。

今朝、亀有署からこの白広堂本社のある港区芝浦までの小一時間、電車に乗っていても道を歩いていても、勝俣は玲子に対して不必要なことはひと言も喋らなかった。ここに着いてからも、ふた手に分かれて面接しようという申し出とその割り振りだけで、無駄口は一切叩かなかった。

——どういう風の吹き回しかしら。あのストーカーオヤジが。

だが実際、それで玲子は救われていた。チクリと、冷たい針で傷口を突くような勝俣の言葉。あれを聞かずにすんだから、今日の午前中はいつも通り仕事ができたのだと思う。何をいわれても動揺するまいと心に決めてはいたが、実際に何をいわれるかは分からないのだから、不安がなかったといったら嘘になる。

「お昼て、勝俣主任も、誘わなアカンのでしょうな……」

井岡はゆるく溜め息をついた。

「別に、アカンこたぁないだろうけど、午前中の成果くらい交換しとかないとマズいでしょ。こっちがあげた情報と照合しないと、午後の効率も悪くなるし」

玲子はいいながら、自分で不安になった。果たしてあの勝俣が、自分で面接してあげた情報を正しくこちらによこすだろうか。いや、いくら勝俣でも、共同で分担して行った面接の内容まで出し渋りはしないだろう。今回は勝俣の成果と玲子のそれを照らし合わせて、初めて一つの結果になるのだ。勝俣とて、玲子の担当した面接の内容が気になっているはずだ。

「さ、いきましょう」

井岡を伴って会議室を出た。青い絨毯《じゅうたん》の敷かれた清潔な廊下を通り、クリエイティブ局の広いオフィスに入る。広告代理店の日常がいかなるものかは知らないが、今はまさに戦争といった感じで人が入り乱れ、正午を過ぎたというのに、まったくお昼休みという雰囲気ではなかった。肩丈のパーテーションで仕切られたデスクには、それぞれ大量の書類やパッケージ、模型やサンプルが置かれている。

そんな迷路のようなオフィスの奥に、ミーティングルームが三つある。腰上がガラス窓の間仕切りで、勝俣組はその一番左に陣取っていた。今、そこには黄色のブラインドが下りている。また右側の部屋も使用中なのか、同様に緑のブラインドで中が見えなくなっている。真ん中は上がっており、誰も居ない様子が見てとれる。下ろしたら、あそこは一体何色になるのだろう。

玲子は社員の邪魔をしないように、フロアの壁に沿って進んだ。左のミーティングルームのドアをノックしようとすると、

「あ……あの」

近くの女子社員に声をかけられた。

「はい、何か」

「あの、そこにいらしたお連れさまは、三十分ほど前に出ていかれましたが」

一瞬、玲子は彼女のいっている意味が分からなかった。

「お連れって、ここを借りていた、ウチの刑事ですか」

「ええ」

ドアを開け、井岡が「あ、ホンマや」と呟く。

「二人で?」

「はい。……あ、いえ、ウチの白鳥《しらとり》もご一緒しましたから、三人でしたが」

——白鳥……あ、しまったッ。

白鳥香澄《かすみ》。滑川が社内で最も親しくしていた女性。長年の恋人。

「でもあの、白鳥さんは、午後にならないとお戻りにならないのではなかったですか」

「それは、確実にお約束できるのが、午後という意味だったのではないでしょうか。十一時過ぎには戻りましたので、それで、その、お連れさまが……」

なんと、卑怯な真似を——。

白鳥香澄は、最初の割り振りでは玲子が担当する予定になっていた。午前の面接中にも彼女の名は幾度となく出ており、社内では公然の恋人関係だったと認識するに至った。いや、滑川に家庭がある以上、今は不倫関係というべきか。とにかく彼女は結婚前からの交際相手、滑川の公私を共に知るはずの重要人物なのだ。

——汚いわよ、ガンテツッ。

単に面接を横取りするだけならいざ知らず、勝手に社外に連れ出すとは何事か。おそらく今から勝俣の携帯に電話したところで出はしないだろうし、白鳥に連絡をとったところで勝俣が引き渡しはしないだろう。仮に渡したとしても、重要なことは他の刑事に話さないよういい含めているかも知れない。そう、奴ならそれくらいは平気でする。

――チクショウ、やられた。完全に油断してた……。

玲子は、今朝の勝俣が無駄口を利かなかった理由を、今ようやく理解した。

*

菊田は麻布台にある、滑川の自宅を訪れていた。

外塀と家屋の外壁が煉瓦で統一されているので、一見古い屋敷のようだが、よく見るとそれは本物ではなく、流行りの煉瓦調にデザインされたサイディングなのだと分かる。

門扉に設置されたカメラ付きインターホンで呼び出すと、

《はい、どちらさまでしょう》

上品な女の声が応えた。

「恐れ入ります。警視庁の者ですが」

《……お待ちください》

すぐにドアが開き、モスグリーンのワンピースを着た女が姿を現わした。歳の頃は玲子と変わらないか、少し下くらいだ。玄関からのアプローチを歩く仕草や、門扉の向こうで足をそろえた立ち姿に育ちの良さが窺える。お嬢様育ち。そんな言葉が似合う女だ。

開けられた門を入り、菊田はまず頭を下げた。

「……このたびは、お悔やみ申し上げます」

彼女は答えず、ただゆっくりとお辞儀を返した。玄関にいざなうのも、消え入りそうな声で「どうぞ」のひと言。亭主の死を知って落胆しているというよりは、元々あまりハキハキした感じではないのだろうと感じた。この女が玲子のようにキビキビと歩いたり、机を叩いて怒鳴ったりする姿は想像できない。

――俺はこういうのより、やっぱり……玲子の、方が……。

菊田は亀有署の若い巡査刑事と、夫人のあとに続いた。

玄関に入ると、高級そうな調度品が多く目についた。広告代理店の売れっ子クリエイターとは、こうも稼ぎがいいものなのか。それとも自分に家具を見る目がないので、高そうに見えているだけなのか。

「どうぞ……」

案内されたのは広いリビングだった。床も普通のフローリングではなく、高級そうな寄木調のデザインになっている。レースのかかった出窓にはいくつかのフォトフレーム。おそらく滑川と夫人、娘二人の写真なのだろうが、今はそれを見て何かいう雰囲気ではない。とりあえず勧められるまま、後ろに沈み込むほど柔らかなソファに腰掛ける。

夫人はすぐに冷たい紅茶を出し、向かいに座った。

「お力落としのところ、誠に恐縮ですが……」

そう切り出しても、夫人はただ静々と頷くばかりで、夫の死に取り乱す気配すらない。菊田は調子がつかめぬまま、家族構成から訊き始めた。

夫人は滑川知代《ともよ》、二十八歳。滑川とはちょうど十歳離れている勘定になる。知代は短大を卒業して商社に勤めていた頃、仕事で出入りしていた滑川と知り合い、六年前に結婚した。翌年には長女が生まれ、今は五歳と三歳、二女の母である。実家はかなりの資産家らしく、この家を建てる際もかなりの援助を受けたという。

——だろうな。こりゃ、四十前のサラリーマンが持つ家じゃないぜ。

菊田は先ほどの出窓に目をやった。

「大変、不躾《ぶしつけ》なことをお伺いしますが、お気を悪くなさらないで下さい」

「……はい。なんなりと」

知代はテーブルに目を落としたままだ。

「このところ、夫婦仲は、いかがでしたでしょうか」

微《かす》かに息を呑んだが、知代は決して調子は変えず、淋しげに微笑んだ。

「良くも、悪くも、ございません。初めに申し上げておきますが、私は、主人のことを、よくは存じません。このようなことをお話しするのは、家の恥を晒《さら》すことになるのですが……でも、会社の方をお調べになれば、いずれお分かりになるでしょうから、私からも、申し上げておきます。……主人には、会社に、結婚前から付き合っていた女性が、おります。シラトリ、カスミさんという方です」

知代のいっている意味と、彼女の落ち着いた態度に妙なズレを感じた。菊田はその怪訝を隠さずに訊いた。

「奥様は、それをご存じで、ご結婚されたのですか」

ゆっくりとかぶりを振る。

「いえ……結婚して、娘ができてから知りました。はっきりと本人の口から聞いたのは、次女を身籠っているときでした。ですが、以前から薄々は。……私のように勘の悪い者でも気づくほど、確かな印をつけて帰ってきて、平気な人でしたから」

ワイシャツにキスマークとか、香水とかいう意味だろうか。

「でも、きっと私にも原因があったのだと思います。私は誘われるままに滑川と結婚し、そのときは、ああ、結婚てこんなものなのかな、と思った程度でした。娘が生まれたときも、この家を建てたときもそうでした。ああ、こんなものなのかな……と。それは、誘われれば女ですから嬉しかったですし、仕事も人一倍できる人でしたから、周りの友人にすごいことなのだといわれれば、自慢にも思いました。……ですが、悦んではいたのですけれど、どこか、自分で自分に悦ぶよう、仕向けていたというか。自分でも、本当の自分の気持ちが分からないというか」

目を伏せつつ、小首を傾げる。

「……ですから、主人にもよくいわれました。お前はどう思っているんだ、と。ですが、そう訊かれると、分からなくなってしまうんです。自分が嬉しいのか、悲しいのか、楽しいのか、苦しいのか……。だから、だと思います。主人は、他に付き合っている女性がいることを、私に告げました。そのときも訊かれました。お前はどう思ってるのか、と。そのときも私は、ああ、こんなものなのかな、と思うだけでした。裏切られた怒りは、確かにありました。悲しみや、先のことを考えると、不安も……でも、それもやっぱり、こんなものなのかと、感じていただけだったのかもしれません。これって、なんなんでしょうね」

菊田は言葉に詰まった。正直に「さあ」と答えるわけにもいかない。とりあえず、この話題は流した方がいい。

「……そう、ですか……では、ご主人の、最近の行動については」

「ええ。ですから、そんな状態でしたので、よくは存じません。仕事が仕事ですので、週末に家にいることは少なかったですし。帰ってくれれば、子供たちには優しい、良い父親でした。私も、それだけでいいかなと、このところは思っておりました。お給料を家に入れないようなこともありませんでしたし。ですから夫婦仲も、良かったのかどうか……。世間様はこういうのを、悪いと仰るのかもしれませんが、特に私は、まあ、こんなものなのかな、と」

菊田は段々腹が立ってきた。有益な情報が引き出せないこと以上に、夫婦関係や人生に対する、この女の価値観に激しい苛立ちを覚えた。菊田にはまったく理解できない人種だし、どう育てたらこんな人間ができあがるのか見当もつかない。

——こりゃ、なに訊いても無駄だろうな。

そうは思いながらも一応、菊田は滑川の交友関係について、知代に尋ねてみた。

＊＊

勝俣は洒落たイタリアンレストランで、白鳥香澄と向かい合っていた。むろんこの店を選んだのは勝俣ではなく、香澄だ。勝俣が選んでいたら、今日は迷わずトンカツ屋だった。

——カツ俣だけに、って？　いわねぇぃわねぇ。

十一時過ぎ、勝俣はクリエイティブ局に入ってきたこの美人に目を留めた。そのとき面接していた滑川の部下に「あの美人は誰だ」と訊くと、彼はニヤリとしてみせた。

「あれが滑川さんの彼女ですよ。さっきお話しした、白鳥香澄です」

黒のノースリーブシャツに白のパンツ。冷房が利いた部屋で羽織るのだろう、カバンと一緒に白い上着を抱えている。一重瞼の涼しげな目許が勝俣好みだった。

——なんだよなんだよオイオイオイ、イイ女じゃねえかッ。

遺体と生前の写真でしか知らないが、精悍な風貌の滑川とはさぞ似合いのカップルだったことだろう。直感的に、彼女は滑川について多くを知っていると感じた。このまま午後になれば、香澄は玲子が面接することになる。だが、そんなことに拘《こだわ》る必要はない。

「……ああ。もういいよ、あんた」

勝俣は滑川の部下を退室させ、

「松岡さんよ、出かけるぜ」

相方の肩を叩いた。昨日の若い巡査ではなく、今日から組むことになった年配のデカ長だ。何やら思うところありそうではあったが、実際には何もいわずについてくる。実に扱いやすい男だった。

ミーティングルームを出る際に、勝俣は考えた。予定通りなら玲子が会議室から出てくるのは正午辺りだろうが、途中でトイレか何かで通りかかり、ここが空だと分かったら面倒だ。せめてあと十分、時間が稼げたら香澄を社外に連れ出せる。勝俣は照明を点けたままブラインドを下ろした。その黄色の、あまりの鮮やかさには、いささか驚かされたが。

「白鳥香澄さん、ですな」

声をかけると、椅子に座ったばかりの香澄は訝るような目で見上げた。だが警察手帳を見せるまでもなく、納得したように頷く。

「私の番、ですか」

ハスキーで色っぽい声だった。香澄は仕事もできると評判の、万人が認めるタイプの美人だ。姫川玲子のようなインチキ美人ではない。造形としての完成度が高い、本物の美形だ。しかも不倫とはいえ、トップクリエイターを恋人に持っていた。ある意味、女の完成形といっていい。

――充たされてる女ってのは、こうも光り輝くもんかねぇ。

勝俣は思う。惚れたからといって、安易に結婚などしてはいけないのだと。その女を大切に思うのなら、むしろこの香澄と滑川のように距離を保つ方がいい場合もある。女に仕事があるならなおさらだ。離れているからこそ、抱いたときの悦びがある。一緒に暮らさないから、見えない部分を見たいと欲する。色気、あるいはエロスとは、そういうものだ。順番に風呂に入り、着古したパジャマで一緒に布団に入ったら、見えない部分もエロスもあったものではない。男と女は、全てを見せ合ってしまったら終わりなのだ。

――ま、潔く離婚したこの俺様は、まだまだ現役バリバリの男子、ってわけさ。

勝俣は香澄を昼飯に誘い、相方の松岡には三万円握らせて消えてもらった。あの年代の巡査部長は小銭が大好きだ。小遣いをやって遊んでこいといっておけば、ヘイヘイと煙のように消えてくれる。特に松岡はそういう顔をしていた。あとで報告がどうこうとか面倒なこともいわないはずだ。

「で、あんたは滑川の失踪について、どう思ってたの」

勝俣は、名前もよく分からないスパゲティをすすりながら訊いた。せめて和風スパゲティでもあれば汁の少ないうどんだと思って食べられるのだが、メニューにないのだから仕方ない。

いま食べているのは、香澄に「一番さっぱりしたのを頼んでくれ」とオーダーさせたものだ。確か、ペロペロなんとかという名前だった。だがこれがさっぱりしすぎていて、油とニンニクと唐辛子の味しかしない。正直、何か入れ忘れているとしか思えない味だ。自分で味付けしようにも、醬油もソースもテーブルにないので困っている。

香澄はいったん、フォークを止めた。

「……初めは、わけ分かんなかったですよ。私の知る限り、仕事を丸一日放《ほ》ったらかす人じゃなかったですから。そりゃ、前の予定が押すことはありましたけど、それだって数時間後には自力でカバーする人でした。それが、何日経っても連絡してこない。一週間を過ぎた頃には、もうどこかで死んでるものと、覚悟しましたけど」

白く細い首。その喉元に、勝俣のと同じスパゲティが吸い込まれていく。真っ赤な唇が、油でてらてらと光っている。なんと淫猥な眺めだろう。やはり、女はこうでなくてはいけない。

「長年の恋人を亡くしたにしちゃ、さっぱりしてんだね」

このスパゲティくらい。

「いけません？　もしかして、私を疑ったりしてます？」

ここは無視して流す。

「悲しくは、ないのか」

「悲しいですよ。わんわん泣きたいくらい」

「でも、泣かない」

「ええ。まだ仕事中ですから」

「……なるほどな」

食べ終えると、何がありがたいのか、えらく小っちゃなカップでやたらと濃いコーヒーを飲まされた。だがそれも、香澄が飲むと洒落て見えるのだから恐れ入る。

——参ったねこりゃ。仕事を忘れちまいそうだ。

勝俣は気を取り直して質問を続けた。

「このところ、滑川さんに変わった様子はなかったかな」

「変わったって……たとえば？」

「なんでもいい。強いていうなら、第二日曜の予定とか」

ピクリと、香澄のよく整えた眉が跳ねる。

「……第二日曜が、どうか、しました？」

「だから、それを訊いている。このところ、滑川とは、第二日曜を一緒に過ごしたか」

しばし、小さなカップに目を落とす。

「もう少し、具体的にお願いします」

なんと冷静な女だろう。自分の置かれている状況をきちんと把握して、それから話す内容を決めようというのか。いいだろう。こっちも鯛を釣るなら、海老は惜しまない主義だ。

「滑川は毎月第二日曜に、仕事以外でどこかにいっていた。おそらく会社とは関係ない予定で、だ。それにあんたは関わっていたのか、という意味だ」

かなりサービスして聞かせてやると、香澄は、勝俣の思いもよらぬ表情を見せた。

急に、泣き顔になった。

「……私は、知りません。いえ、私もそれについては訊いたんですけど、教えてくれませんでした。彼は、奥さんや私以外の女性とも、しばしば関係を持ちましたけど、それを私に隠す人じゃありませんでした。でも、その第二日曜の予定に関しては、絶対に話してくれませんでした。かなり強烈に、その話題については拒否されました。もしかしたら、奥さんとも私とも別れて、他の女に、とも思いましたけど、結局、何も分からないまま……彼は……」

「女だと思うか」

香澄は小さくかぶりを振った。

「分かりません。しつこく訊くと、ひどく怒られましたから。……でもそのあとで、決まってすごくつらそうな、悲しそうな顔をするんです。その意味が、私には分からなくて。あんなに彼のことを分からないと思ったことはありませんでした。もう、十年も付き合ってきたのに。仕事でも家庭のことでも、なんでも話してくれたのに……」

「それは、具体的にはいつ頃から」

「去年の暮れ辺りからだったと思います。それと前後して、また仕事に打ち込み始めたので、覚えてます」

香澄はふいに息を呑んだ。

「あ……そういえば、しつこく訊いたら一度だけ、何か変なことをいったときがありました」

——そうそう、そうこなくっちゃな。鯛だよ、鯛。

勝俣は小躍りしたい気持ちを抑え、慎重に香澄の目を覗き込んだ。

「ほう。それは?」

「ええと……最初、私に、戦争にいった知り合いはいるか、って訊いたんです。戦争っていったって、祖父はまさに戦死しましたし、父は戦時中は小学生だったっていうし、他に親戚とかでも心当たりはなかったので、いないって答えたんです。そしたら、しばらく考え込んで……戦地から帰ってきた人間には、一種独特な強さがある。それが最近、実感できるようになったって、なんかそんな感じのことを、いいました。そのときの彼、ちょっと怖かったです。まるで、見知らぬ他人、って感じで」

勝俣も、しばらく考え込んでしまった。

――なんでいまさら、戦争なんだよ。これ、本当に鯛か？

腐った鯛と滑川の死体は、もしかしたらよく似ているかもしれない、と思った。

5

大塚は滑川の交友関係を当たっていた。

刑事の間で、捜査範囲の厳守は暗黙の了解だ。地取りならたとえ関連が出てきたとしても、自分の受け持った地区以外は捜査しない。どうしてもその必要がある場合は、その地区の受け持ちに断り、できれば立会いのもと聞き込みをするのが望ましい。

同様に滑川の交友関係を当たる際、白広堂関係者は姫川や勝俣が当たっているため、除外しなければならない。そこから派生した人脈は、石倉や勝俣の部下が当たっている。また家族経由の交友関係、たとえば夫人の友達や、子供ならＰＴＡ、近所付き合いは菊田の担当だ。サポートには湯田と別の勝俣の部下がついている。

では、大塚に残された捜査範囲とは。ずばり就職前、学生時代の友人だ。といっても、夫人から聞き出せる範囲であれば菊田や湯田の担当になってしまう。結局、大塚はゼロから調べるため、出身大学である長谷田《はせだ》大学に足を運んだ。滑川はここの社会科学部を十五年前に卒業している。だが、分かっているのはそれだけだった。

——大学か。なんか、別世界なんだよな……。

大塚は高卒で警視庁の採用試験を受け、入庁している。卒配は都下の小金井警察署。もちろん地域課の交番勤務だったが、刑事への憧れは人一倍強かった。実際に警察官になり、刑事ドラマみたいに拳銃を撃ちまくったり、口答えした容疑者を殴り倒したりはしないのだと分かっても、やはり一度はなってみたかった。いや、だからこそやってみたいと思ったのかもしれない。常に刑事課への配転を希望しながら、日頃は道案内と落とし物の処理、地道に巡回連絡カードを集めて過ごした。

チャンスは意外に早く訪れた。大塚の勤務する交番から数百メートルの場所で、強盗殺人事件が起こったのだ。署に捜査本部が設置され、刑事課だけでは手が足りず、地域課からも応援を出すことになった。その一人に、毎日地道に巡回していた大塚が取り立てられた。臨場した捜査一課は単に道案内が欲しかっただけなのだが、それでも大塚は奮起して捜査に臨んだ。

数日後、犯人は大塚の知らない所で逮捕された。足を棒にして励んだ地取りは、結果的にはまったくの無駄だった。だが相方の、一課のベテラン刑事だけは褒めてくれた。

「お前、粘っこいな」

　捜査本部解散の打ち上げで、彼はそういって肩を叩き、笑ってくれた。大塚は涙を隠すため、額が膝につくほど頭を下げてその両手を握った。

　まもなく、大塚は刑事課盗犯係に配転になった。あとから聞いたのだが、どうやらあのベテラン刑事が署の刑事課長に推薦してくれたらしい。大塚は彼に恥をかかせるようなことがあってはならないと、そこでも地道に頑張った。

　いつだってそうだった。大塚は目立った成果や、大きな事件の解決に直接貢献したことはなかった。大塚のしたことといえば、こいつはシロだと、容疑者リストから一人一人除外していく作業ばかりだった。だが、それをいつも誰かが見ていてくれた。地味な作業だったが、常にそれを誰かが評価してくれた。

　今ならその意味も分かる。組織捜査における自分の価値が認識できる。要は消去法なのだから、誰かが絞り込む作業をしなければならないのだ。この位置にいる限り犯人逮捕に直接貢献することはできないが、シロいものはシロいと、誰かが決めなければならない。誰かが外堀を埋める作業を受け持たなければならない。今は、それが自分なのだと思っている。

　そういった意味では姫川や菊田より、石倉の方が自分を評価してくれる。

「この班では、お前の粘りが、捜査の範囲をグッと縮めるんだ。責任は、重いぞ」

　それで、今回は大学を攻めにきたというわけだ。

だが、大学のキャンパスほど大塚に馴染みのない場所はない。一般企業であれば、警視庁と大して変わりがない。セクションがあって上司と部下がいて、それぞれの役割があって、日頃の行動も把握しやすい。また製造業などの工場、中小企業や商店は、地域課時代に接点があったから問題ない。学校とて、高校までならどこも規模の違いこそあれ、構造的には大差ない。困るのは大学だ。何度か捜査で足を踏み入れたことはあるが、まったく馴染みがなくて居心地が悪い。まるっきりの別世界にしか感じられない。

数時間いると分かるのだが、チャイムが鳴って授業が開始されたからといって、全員が教室に入るわけではない。まずそこが理解できない。建物と建物の間のような場所でキャッチボールをしている者もいれば、食堂で飲み食いしながら、談笑している者もいる。ここは、勉強をする場所ではないのか。大塚の目に大学は、都会にぽっかりできた別荘地のように映った。学生たちは、若くして人生の余暇を楽しんでいるようにしか見えなかった。

特に今は夏休みだから、一段とその傾向が強い。授業もないのに多くの学生たちがキャンパスをうろうろしている。グラウンドの端にレジャーシートを敷いて体を焼いている者。どこか建物の中でドラムを叩いている者。ドロドロのラガーマンは、なぜか空のリヤカーを引いている。そんな男に、妙に色っぽい女の子が手を振ったりする。

「ねえ、コモリくん、見なかった？」

「ああ、さっき部室にいったけど、資料なら俺が預かった」

「ロッカーに入ってる？」

「いや、ダバに入れた。分かる？」

「うん。勝手に持ってくよ」

「あ、俺の分もよろしくね」

——全然、分かんねーよ。ダバってなんだよ。俺の分をどうよろしくなんだよ。

そして女の子は、背中に羽でも生えたようにフワフワと、薄暗いビルに入っていった。廃墟にしか見えない、下手したら魔物の棲家のような建物だ。あんな綺麗な娘は、ああいう所には入らないものと思っていたが。

大塚が彼らの年の頃は、もう交番に勤務していた。夏も朝から晩まで立番か、白い自転車にまたがって巡回していた。夜は机に座って暗い通りを眺め、たまに酔っ払いに説教をしたりした。主に言葉を交わすのは一人暮らしの老人、主婦、商店主、アパート管理人、不動産業者、町工場の工員、百円拾った小学生。やはり、ここは別世界だった。

ふと隣の北見警部補を見ると、つまらなさそうに空を見上げながらタバコに火を点けるところだった。

——そうか。こいつはいい大学出の、お坊ちゃまだったな。

国家試験一種をパスして警察庁に採用されたくらいだから、然るべき最高学府を経ているのだろう。それも十中八九、東大法学部卒だ。そして警察大学校で三ヶ月の初任幹部課程教養を受け、目下現場にて実務実習中というわけだ。

――まあそれでも、謙虚な方なのかな。

警大を出た時点で警部補である彼は、初日になんと、巡査である大塚に頭を下げた。しかも、周りに多くの捜査員がいる状況でだ。

「私は警察官としてはド素人ですから、何卒、よろしくご指導下さい」

ピッチリと整えた黒髪、シャープなパーツのそろった顔、フレームのないメガネ、高そうなスーツとネクタイ。対する大塚は寝癖のついた髪、三年目のくたびれたスーツ、警視庁出入りの業者から買った安物のネクタイ、顔もどちらかというとパッとしない。この組み合わせでこっちが頭を下げられるのだから、無下にあしらうわけにもいかない。そもそも丁重にと、一課長や亀有署長にいわれている。多少の気は遣ってやらなければならない。

「大学は、事務とかも夏休みなんですかね」

結局、大塚は北見に対して敬語を使っている。自分はどう頑張っても定年までに警部にはなれそうにない。下手をしたら巡査長止まりだ。そんな大塚にとって、やはり北見は若くても天上人。謙《へりくだ》っておいて損はない。

北見はグラウンドの向こうの高いビルを眺めた。

「ああ……今は不景気だから、就職を斡旋する学生部とかは、やってるんじゃないっすか」

――なるほど、学生向けの職業安定所ってわけか。

もちろん今が不景気だということも、大学生が就職難に見舞われているということも承知はしている。だがそれが、学生部の夏季休暇返上につながるとは、大塚には思いつかない。大塚は、滑川の交友関係を割り出す手順は、この北見に任せてみようと考えた。二人きりになると、多少蓮っ葉な言葉遣いになるのが気にはなったが。

「まあ、在学中に所属したサークルの特定、ですかね……」

それが北見の意見だった。

学生部の隅に陣取り、用件を述べて職員に資料を提出してもらう。出されたのはサークルごとの決算書だった。

「これに、その年の名簿も添付されてますから」

職員は簡単にいったが、どうやらサークルというのは常に三百ほど学内に存在しているらしく、一年分の決算書でもバインダー数冊になった。それを四年分。これは大変な調べものだ。

ちなみに事が簡単にすめばと思い、菊田に連絡して夫人が学生時代のサークルについて何か知らないか訊いてもらったが、駄目だった。姫川にも同様に訊いてみたが、そもそもそういう質問をしていないから分からないと、けんもほろろに電話を切られた。何か嫌なことでもあったのか、やたらと機嫌が悪かった。

仕方なく、北見と二人で決算書をめくり始めた。

最初は広告代理店に就職したのだから、安直に「広告研究会」とかにいたのだろうと思ったが、そうではなかった。次に滑川の体格が比較的よかったのを鑑みて、ラグビー、アメフト、サッカーなどの体育会系を当たってみたが、それも違った。そうなるともう片っ端からめくっていくしかない。作業は長期戦になった。

ようやく大塚が所属部員名簿の中に滑川の名前を見つけたのは、学生もほとんどいなくなり、職員の迷惑そうな視線が背中に痛くなってきた、午後四時半頃だった。

「あったあった。北見さん、これですよ。アウトドアサークル、岳友会」

北見のような人間はこの手の単純作業が苦手なのか、ひどく疲れた表情をしていた。大塚が嬉々として呼びかけても、「はあ」と気のない返事しかよこさない。だが、これはまだほんの入り口にすぎない。いま自分たちは、面接する必要があるかもしれない人間たち、がかつて所属したグループ、を割り出しただけなのだ。まだ、捜査といえるようなことは何一つしていない。

結局、この日は滑川と同時期に在籍した部員の名簿を捜査本部に持ち帰っただけだった。

翌日、滑川と同学年で代表を務めたという竹内《たけうち》譲《ゆずる》に連絡をとった。彼は去年の十一月に開かれたOB・OG会で滑川に会ったという。だが、個人的な付き合いは卒業以来なく、むしろそれだったら田代《たしろ》の方が分かるだろうと、滑川と親しかった人物を教えてくれた。

田代智彦《ともひこ》。電器メーカーの営業をしている三十九歳。連絡をとると田代は快く、夕方なら時間が作れるといってくれた。

待ち合わせは田代の勤め先に近い、渋谷センター街の喫茶店だった。

「申し訳ございません。急にお呼び立ていたしまして」

大塚は北見と席を立ち、田代に頭を下げた。

「いえ、それはいいんですが……滑川が死んだって、本当ですか」

向かい合った彼は、いかにも真面目なサラリーマンといった感じだった。

「ええ……で、早速ですが、滑川さんとは個人的に親しくしていらっしゃったと、竹内さんに伺ったんですが」

「はい。卒業してからも、滑川とだけは三月《みつき》に一度、空いても半年に一度くらいは会って、この近所で飲んでました。ウチの会社自体は白広堂さんとはお付き合いがないんで、本当に個人的な付き合いでした。まあ奴は、お前んとこのCM、俺にやらせろよ、なんて、冗談交じりにいってましたが。……そうですか。滑川、死んだんですか……」

田代は、滑川がどうやって死んだのかを聞きたがったが、大塚は「刃物で刺されて」と簡単に答えて誤魔化した。それでなくとも、一ヶ月も釣り堀に沈んでいたとはいいづらい。

「一番最近、お会いになったのは」

「ええと、四月の末だったかな。確か、こっちはゴールデンウィークで休みに入るけど、奴は仕事が詰まってるとか、そんな話をした覚えがあります」

「そのとき、何か変わった様子はありませんでしたか」

「……変わった様子、ですか」

田代はしばし首を傾げた。

「いや、特になかったと思いますね。っていうか、なんていったらいいでしょう、変わってるから滑川らしい、というか。相変わらず女遊びは盛んなようだったし、仕事は死ぬほどやってるっていってました。ああ、確か去年辺りは、ちょっとスランプだなんていってましたが、そんなね、野球選手じゃないんだから、私なんかには、どうスランプだったのか分かりませんでしたけどね」

これに関しては、昨日の捜査会議で姫川が報告していた。

「奴は、ええと、もう一昨年になるのかな、CM大賞を受賞してるんですよね。奴の作ったCMが大賞になったのか、なんていうんですか、プロデューサーですか、そういう肩書きの個人として貰ったのかは忘れましたが、大変名誉なことだったらしいですよ。でも……その騒ぎが落ち着いたら、なんか気が抜けちまって、そのまんま、気が抜けっぱなしだって、いってました。でも四月に会ったときは元気だったから、ああ、持ち直したんだなぁ、なんて、思ってましたけど。……そうですか。奴、殺されたんですか……」

ここまでは、既出の情報とまったく矛盾しない。

「なぜ、滑川さんがそのスランプから立ち直ったか、心当たりはございませんか」

「うーん、なんかいってたかなぁ……。立ち直るきっかけ……いや、そもそもスランプだったかどうかも、私には分かりませんでしたからね。立ち直るきっかけっていっても、何かいってたかなぁ……いや、ちょっと思い出せないですねぇ」

ちなみにアリバイを訊いてみたが、今月の十日はともかく、滑川が殺されたと思われる七月の十三日前後は、大阪に出張にいっていたと田代はいった。念のために会社でそのことを確認させてもらったが、まず間違いないようだった。

そんな頃になって田代は訊いた。

「奴が殺されたのって、先月なんですか？」

「ええ、まあ……そうなんです」

大塚は曖昧《あいまい》に答え、そろそろといって田代の勤め先を辞した。


捜査会議を終え、亀有署を出たのが夜の十時半。今夜もまた夕飯代わり、姫川班の面々は金町駅前の居酒屋で一杯やろうとまとまった。ここ数日、姫川と菊田と井岡の関係が面白い。

——さて、今日は何が起こるやら。

井岡はあの通り、ふた言めには「玲子ちゃん主任、愛してますぅ」と押しの一手。強引にキスを迫ることもしばしば。それに対して姫川も迷惑そうな顔はするのだが、どうも本気で怒っているようでもない。「やーよ」と突き飛ばしたり、ときにはビンタを喰らわせたりもするのだが、顔はいつも笑っている。井岡の鼻の穴に割り箸を突き刺したときも笑っていた。ドバドバ鼻血が出てるのに。あれはちょっと怖かった。

それに刺激を受けているのが、菊田だ。つい昨日、いきなり井岡の胸座《むなぐら》をつかんでがなった。

「れ、玲子は……きさ、キサマには、渡さんッ」

明らかに酔いがいわせたひと言だったが、それにしてもあれは快挙だった。大塚や湯田と飲むと、「俺いえねぇよ、いえねぇよ」とベソベソ泣いてみせる菊田が、立ち上がって大声で、しかも「玲子」と呼び捨てにしたのだ。さすがの井岡もこれにはたいそうビビっていた。

しかし、それ以上に面白かったのが姫川だ。顔を真っ赤にしてうつむいて、両手でお絞りを握って固まってしまった。

「分かったかコノヤロウッ」

井岡を突き放した菊田が、ドスンと座って胡座《あぐら》を掻くと、なぜか隣の姫川がコクンと頷いた。お絞りを握ったまま、小さくだが何度も、コクン、コクンと頷く。それを知ってか知らずか、菊田は力強く、姫川の肩を抱き寄せた。姫川はされるがまま菊田にもたれかかり、なおもコクン、コクンと頷き続ける。菊田は片手に姫川、片手に中ジョッキ、延々と一人で生ビールを飲み続ける。その後ろで「しどいわ、しどいわ」と泣いていた井岡は、いつのまにかイビキを掻いて寝てしまった。

「俺たち、どうしたらいいんすかね」

湯田も苦笑いしていた。

「さてな。ま、この状況を明日、誰が覚えてるか……見物だよ」

それが、案の定だった。

今日という日は、昨日と何も変わりがない一日だった。捜査に決定的な進展はなく、ただ全員が割り当てられた聞き込みをこなし、成果なしの報告書を積み上げただけだった。また姫川と菊田が何かの一線を越えたふうはなく、井岡が姫川を諦めた気配もない。

――でも飲みにいけば、また昨日の続きが見られるかも。

大塚は密《ひそ》かに楽しみにしていた。しかし、金町行きのバスに乗ろうとしたとき、胸で携帯が震えた。取り出すと、表示は見覚えのない番号だった。

「……あ、先にいっててください」

どうせいつもの居酒屋だろうと思い、大塚は姫川と菊田にいった。今日は珍しく石倉も付き合うというので、井岡も入れて五人がバスに乗り込んだ。大塚はバス停を離れて電話に出た。

「はい、大塚です」

『ああ、夕方お会いした、田代です。夜分に申し訳ありません』

彼には自分の携帯番号を書いた名刺を渡してあった。何か思い出したりしたら、つまらないことでもいいから連絡をくれるようにと頼んでおいた。

「いえ、とんでもない。何か、思い出されましたか」

田代はしばし黙った。話すのをためらっているようだった。

「些細《ささい》なことでもけっこうです。教えてください」

『ええ……ちょっと、奴のことを考えてたら、つまらないことなんですが』

「そんなことはありませんよ。どんなことでもけっこうです。お聞かせください」

『はい……。あの、四月に、会ったときなんですが。奴ね、なんか、いま俺は、生きてるって実感してるんだ、すごく充実してるんだ、って、妙に繰り返していうんですよ。そのときは、またイイ女でも引っかけたか、仕事が上手くいってるんだろう、くらいにしか思わなかったんですが……』

「ですが、なんでしょう」

『ええ。あ、あの……刑事さんは、インターネットとか、おやりになりますか』

「ああ、ええ。そんなに頻繁にではないですが、パソコンも持ってますし、ときどきは……ええ。利用します」

『そうですか。じゃあ、ストロベリーナイトって、ご存じですか』

「は、なんですか？　ストロベリー、なんですって？」

『ストロベリー、ナイトです』

ふと署の玄関を見ると、相方の北見が署長と刑事課長と並んで出てくるところだった。大塚はとっさに、パトカーの陰に身を隠した。

特に理由はないが、今この電話を受けていることは、誰にも知られてはならない気がしたのだ。

6

「水元公園連続変死体遺棄事件」の捜査は足踏み状態に陥っていた。

玲子が金原太一の腹部の切創と、ネグレリアフォーレリで死亡した深沢康之とを結びつけ、水中に遺棄されたもう一人の被害者、滑川幸男の遺体を引き揚げたところまでは順調だった。だが殺された金原と滑川の周辺を捜査しても、二人を結ぶ具体的な接点は見当たらない。また水中に遺棄したと思われる深沢の周辺を当たっても、金原や滑川に繋がるものはなかった。

――おかしいなぁ。もっとすんなりいくと思ってたのに……。

現在分かっているのは、金原と滑川が毎月第二日曜の夜にどこかにいっていたこと。それと二人はこの数ヶ月、以前にも増してがむしゃらに仕事をこなしていたこと。その二点だった。だが、二人ががむしゃらにやりだした時期は微妙にずれている。金原がこの春頃から、滑川は今年の初め頃から。これは一体、何を意味するのか。

成果のない地取り。遺留品のルートをたどれないナシ割り。二人のマル害、もしくは死体遺棄犯との接点をつかめない敷鑑。捜査員たちの顔にも疲れが見え始め、初動捜査は暗礁に乗り上げようとしていた。

八月二十一日木曜日。金原の遺体発見からすでに十日。捜査本部は明日の二十二日を休暇とすると発表した。

「現状では、具体的な犯行動機、殺害方法、場所、その他多くが謎に包まれたままだ。しかし、具体的に絞り込むべき点が浮かんでいることもまた確かだ。二人の被害者に共通する無数の小さな切創、頸動脈を切断する切創、そして腹部の大きな切創。また二人の、第二日曜の行動。遺体と共にあったブルーシート、ビニールヒモの販売ルート。決して、ホシに繋がる手掛かりが少ないわけではない。これらを地道に手繰っていけば、必ずや事件解決の糸口となるはずである。……諸君は捜査本部設置以来、この十日間、身を粉にして捜査に尽力してきたことと思う。現段階が解決までの八分目なのか、いや、まさにあと一歩なのか、それは今、残念ながら我々には知りようもない。焦る気持ちもある。先が見えずに萎える気持ちもあるだろう。だがここは一つ、明日一日をゆっくりと休み、頭と体をリフレッシュしてほしい。そしてまた明後日より、新たな気持ちと、さらなる事件解決への意欲を持って、諸君にはこの捜査本部に戻ってきてもらいたい」

一課長が熱を込めれば込めるほど、お前らに休む資格はないといっているように、玲子には聞こえてくる。

――っつーか、帳場休みの挨拶って、いっつも同じなんですけど。

だが実際、玲子自身も精神的に限界にきていた。遅々として進まない捜査もさることながら、あの勝俣と本部の内外で顔を合わせなければならない状況に辟易《へきえき》していた。特に白鳥香澄の一件からこっち、彼との関係は悪化の一途をたどっている。ほんの少しでいい、勝俣とインターバルを置きたい。

――これだったら、あの実家で過ごすのも悪くないわ。

この日、玲子は珍しく飲みにはいかず、亀有署から直接帰路についた。


常磐線でいったん新松戸まで出ると、南浦和までは武蔵野線で一本。小一時間の道中だけでいえば、警視庁本部への通勤時間と大差はない。つまり南浦和と亀有署は、通おうと思えば毎日でも通える距離なのだった。

しかし帳場が立つと玲子は、その所轄までの距離に拘わらず、必ずホテル住まいを決め込む。それは利便性以前に、単に実家に帰りたくないというのが理由だった。詰まるところ帳場云々は、両親と自分自身に対する言い訳に過ぎない。

――特に、駅からの道が……ね。

家までは、大通りを通らずに住宅街を抜け、公園を突っ切るのが一番の近道だ。だが玲子は、もうずいぶんと長い間、そのコースでは帰っていない。遠回りは承知で大通りをいき、必ずレンタルビデオ店とコンビニエンスストアに寄ってから帰る。別に見たい映画があるわけでも、食べたい物や読みたい雑誌があるわけでもない。ただ、防犯カメラに自分の姿を映しておきたいのだ。それが何時何分、自分はここに生きていた、という証拠になる。もうそんな必要はないとは思いながらも、長年続けている習慣だった。

中学一年のときに引っ越してきた建売の一軒家、それが玲子の自宅だ。あの頃はまだ自分の部屋が持てたことを無邪気に悦んでいた。近くの公園に犬と散歩にいくのが夢だった。結局、犬なんて一度も飼いはしなかったけれど。

たっぷり二十分かかってたどりついた姫川の家は、ひっそりと静まり返っていた。時計はまだ十時二十二分。サラリーマンである父はまず帰っていない。そして宵っ張りの母が、父の帰りを待たずに寝ることはあり得ない。おかしい。玄関の明かりを消すのが早すぎる。一体、どうしたというのだろう。

――ま、いないんならそれに越したことないけど。

玲子はバッグから鍵を取り出し、塗装も剥げて色褪せた木製の玄関ドアを開けた。

家の中は、やはりいつもと様子が違っていた。廊下左手のリビングに明かりはなく、代わりに二階の、もとは妹が使っていた部屋に明かりが灯っていた。妹は一昨年嫁いだため、今は誰も使っていないはずだが。

玲子が鍵を閉めると、上から声がした。

「お、お姉ちゃんッ」

まさにその妹、珠希《たまき》だった。

「あらきてたの」

玲子は着替えで膨れたバッグを上がり框に置いた。

珠希が階段を下りてくる。胸に生まれたばかりの娘を抱いている。玲子にとっても初めての姪にあたる、春香《はるか》だ。寝ているのだろうか、春香はピクリとも動かない。

「……きてたの、じゃないわよ」

珠希の顔は、ほとんど般若《はんにゃ》だった。何か怒っているようだが、玲子にはさっぱり覚えがない。

「なに、怖い顔して」

玲子はリビングに入り、まずは照明のスイッチを入れた。エアコンのリモコンを探すが、見当たらない。妙に家の空気がこもっていて蒸し暑い。まるで長く留守をしていた、閉め切った家に帰ってきた感じだ。立ち止まるだけで汗が噴き出す。一刻も早く冷たい風に当たりたい。

「おーい、リモー、リモくんよー」

ソファのクッションを取り上げてみるが、ない。

「……なにしてたのよ」

珠希が春香を優しく揺さぶりながら近づいてくる。

「なにって、働いてたに決まってるでしょ」

なんと馬鹿なことを訊くのだろう。玲子はかまわずリモコンを探し続けた。

「どこで」

やけに偉そうな物言いに、玲子は少々腹が立った。

「別に、どこだっていいでしょ。答える義務なんてないわよ。疲れてるんだから絡まないで
……それより、お母さんどうしたの。いないの」

そう訊くと、珠希は目を見開き、今度ははっきりと怒りの色を浮かべた。

「じゃあやっぱり、留守電聞いて帰ってきてくれたんじゃないのね？」

「は？　なに留守電って」

本当に、リモコンが見当たらない。

「あたしが今日の昼間にかけたでしょ」

昼間？　ああ、確かに今日の昼間にも電話はあった。

「もしかして、こっから？」

「そうよ」

「ごめん。あたし仕事に出たら、こっからの電話出ないから」

するど珠希は、呆れたような馬鹿にしたような、落胆したような泣き出しそうな、ひどく複雑な表情をした。

「……ほんとなのね。お母さんのいった通りだわ」

「出ないわよ。ギャーギャーうるさいもん」

「じゃあ、そのギャーギャーうるさいお母さんが、今どこにいるかも知らないわけね」

「だからさっきから訊いてるでしょ。どっかいったの」

珠希は表情をなくし、春香を揺する手も止めた。

「お母さん、入院したのよ」

一瞬、玲子には意味が分からなかった。

「は？」

「入、院、したの」

「……お母さん、が？」

「そうよ。何度もいわせないで。お母さんが、入院、したの」

「いつ」

「今朝よ。お父さんを会社に出したあと、急に胸が苦しくなって、自分で救急車呼んで入院したのよ。……出ないって分かってる、お姉ちゃんに電話したあとにね」

——胸が苦しくなって、入院……。

いきなり、頭の天辺から氷水を浴びせられたようだった。すぐに内側からも、冷たいものが滲み出てくる。

「……で、どうなの……お母さん……」

声が震える。それを、どうしても自分で止められない。

「もうちょっと処置が遅かったら、心筋梗塞で死んでたかもしれないって。今は発作も治まって安静にしてれば命に別状はないみたいだけど、精密検査して、もし結果が悪かったらバイパス手術とかしなきゃいけなくなるかもって」

確かに母、瑞江《みずえ》の血縁者には心臓疾患が多い。遺伝的に冠動脈が細いことも分かっている。

「どうして電話に出なかったのよ」

珠希の目に険しさが増す。

「じ、事件が起こって……それどころじゃ、なくて……」

「それどころじゃない？」

珠希は声を荒らげた。抱かれていた春香がパチリと目を覚ます。だがそれにかまう素振りは見せない。

「それどころじゃないってそれどういう意味よ。そんなんですむんだったら、あたしだっていいたいこと山ほどあるわよ。今朝お父さんから連絡もらって、姑に事情話して亭主の面倒頭下げて頼み込んで、乳飲み子抱えて荷物抱えて千葉の果てから電車乗り継いで、やっとこたどりついてここで入院の支度しながらお姉ちゃんに何度も何度も電話入れて、病院いったらお父さんは廊下で拳握って震えてるし、お姉ちゃんに電話しようと思ったってお父さん分からないっていうし、昼はここの短縮でかけたから番号分からないし、そもそもあたしお姉ちゃんの新しい携帯の番号聞いてないしッ」

春香が激しく泣き始め、それでようやく珠希の言葉は途切れた。

「あーいあい、ごめんごめーん、のんのんのぉ……」

珠希が声色を変えても、そう簡単には泣き止まない。

「……ごめん。ごめん、なさい」

深く頭を下げると、また睨まれた。

「あたしに謝ってもらったって困るわよ」

「うん……でも、ごめんなさい」

玲子がこんなに一方的に責められ、謝ることは久しくなかった。それほどに言い訳できない状況だった。まさか、瑞江が入院するなどとは思いもよらなかった。

「電話に出なかったの、忙しかったからじゃないんでしょ」

何もかも知っているといいたげな口調だった。玲子が黙っていると、珠希は蔑《さげす》むように鼻息を吹いた。

「お見合い、三回すっぽかしたらしいじゃない」

「……三回じゃ、なくて……二回……」

「見合い相手の前で電話とって人殺し捕まえにいったんじゃ、すっぽかすよりひどいわよ」

これもまた、言い訳できない。

「……ごめんなさい」

「あのねえ、お母さんが倒れたの、誰のせいだと思ってるの？」

痛みを伴うほどの冷気が、後ろから首筋に貼りついた。

この調子でいけば、瑞江の入院の原因は自分にあることになりそうだが、玲子にはその心当たりがない。いや、ないわけではない。確かに、玲子が三回の見合いを潰したのは事実だ。だが、それで自分の母親が心臓発作を起こしたとは思いたくない。

「……横浜の叔母さん」

珠希の口から自分以外の名前が出たのにはホッとした。が、それは単なる早とちりだった。

「お母さんが叔母さんになんていわれたか知ってる？　お姉ちゃんが結婚できないのは、お母さんがあの日、家にいなかったからだっていわれたのよ。お姉ちゃんがあの事件に遭ったのは、お母さんが家にいなかったからだっていわれたのよ。それも一度や二度じゃないわ。お姉ちゃんがお見合いすっぽかすたびに、お母さん、何度も何度も、叔母さんにそう責められてきたんだよ。知らなかったでしょ。お母さん、あたしに何度電話してきて泣いたと思う？　お母さんね、ずっとずっと、お姉ちゃんのあの事件のこと、自分のせいだって思ってきたんだよ。ただでさえ心臓、丈夫じゃないのに、そんなこといわれ続けたら、パンクして当然よッ」

また、激しく春香が泣き始めた。だがもう、珠希はそれをあやそうとはしなかった。

「お姉ちゃんが大変な思いして立ち直ったのはあたしだって知ってる。お姉ちゃんは、ずっとずっと、あたしの憧れだった。背が高くて、みんなが美人だって褒めて、スポーツもできて、教科書読むだけで勉強もできて……あたしは背も高くないし、勉強だって顔だって目立たない。唯一目立ったのは、みんなの憧れの人が、あたしのお姉ちゃんだって分かったときだけ。話題になったときだけだった」

自然と、玲子の意識も、十代のあの頃に、戻っていく——。

「そりゃお姉ちゃんは、あたしにとっても身近な憧れだったけど、でも同時に……最も身近な、憎しみの対象でもあったのよ。いつだって比較されて、自分は駄目なんだって思って生きてきた。……正直にいうけど、あたし、お姉ちゃんが被害に遭ったとき、ちょっと、ザマアミロって思った。これで、ちょっとはあたしとの距離も縮むだろうって思った。……でも、さすがよね。さすがお姉ちゃんよね。ちゃんと立ち直ってみせたもんね。大学入るのにも浪人しなかったし、東京で警察官になって、三十前で警部補？　立派ね。さすがはお姉ちゃんよね」

　ぐっと奥歯を嚙み締め、あの記憶が蘇りそうになるのを堪える。

「あたしが春香を産んだとき、一番最初になに思ったか、分かる？　あたし、これでお姉ちゃんより偉くなれたって思ったんだよ。お姉ちゃんは当分結婚しそうにないし、お父さんとお母さんに孫を抱かせてやれるのは、このあたしだけなんだって、すっごい自慢に思ったんだ。でもね、それも二人が千葉まで、春香を見にきてくれたときまで……分かるんだよ、あの二人の顔見れば。結局ね、お父さんもお母さんも、お姉ちゃんの産んだ孫を抱きたいんだよ。あたしが産んだ孫じゃ満足できないんだよ。お姉ちゃんがお婿さん貰って、姫川の孫を産んでくれなきゃ、あの二人は心から悦べないの。ねえ、どうしてそんなことが分からないの？」

　春香の小さな手が、珠希の腕から、ぽろりとこぼれる。

「大体、お母さんの具合が悪かったの、どうして気づかなかったの？　今朝までは元気一杯だったなんてこと、絶対にないんだから。今までにだって兆候はあったはずなんだから。ねえ、どうして気づかなかったの？　お姉ちゃん、そんな人じゃなかったじゃない。家族の誰かの調子が悪いのとか、心配事抱えてるのとか、すぐに見抜くのがお姉ちゃんだったじゃない。ねえ、どうしちゃったの。お姉ちゃん、いつからそんな人になっちゃったの？　あたしが憧れて、憎んで、それでも大好きだったお姉ちゃんは、苦しんでるお母さん放ったらかして、かかってきた電話を切っちゃうような人じゃなかったでしょッ」

不思議と、泣いているのは珠希の方だった。玲子はただ立ちすくみ、泣き疲れたのだろう眠ってしまった春香の、ゆっくりと上下する丸い腹を見ていた。

珠希の頬を伝った涙が、顎から春香の口元に落ちた。ビクリとしたが、もう春香は、目を覚ましはしなかった。


玲子はシャワーを浴びてから、軽く食事を摂った。珠希が作ってくれた。重苦しいほどにゆっくりと野菜を刻みながら、珠希は「さっきはごめん、いいすぎた」と謝ったが、玲子には自分が謝られる立場なのかどうか、よく分からなかった。結局ほとんど喋らず、野菜炒めと温めたご飯を食べ、二人で二階に上がって別れた。

すぐベッドには入ったが、もとより眠れるとは思っていなかった。だが、他に何かする気にもなれない。実際に疲れてはいる。横になるだけでもと思い、電気を消して目を閉じた。

珠希にいわれてショックだったことは、数え上げればきりがない。

珠希が玲子に対して嫉妬心を抱いていることは、長い付き合いだから分かっていたし、あの事件直後の珠希が、それまでより活き活きとして見えたのは事実だった。口にする同情以外に思うところがあるのにも気づいていた。それを今日、あそこまではっきりいうとは思わなかったが、それをいわせるほどに自分がだらしなかったのだと、今は思う。一切の口答えは許されないのだと、自分自身にいい聞かせるしかない。

最もショックだったのは、母瑞江が、玲子の事件を自分のせいだと思い続け、それ故に早い結婚を迫り、またそれが上手くいかぬことで叔母に責められ、入院するにまで至ってしまったことだ。

あの事件で苦しんだのが自分だけだったとは思わない。だが、間違いなく一番苦しんだ玲子自身が、こうやって納得できる生き方を見つけたのだから、そこは認めて納得してほしかった。普通の女の幸せとは違うかもしれないが、玲子は警察官になり、刑事になり、警部補として捜査一課にいるからこそ、生きていると実感できるのだ。それを、分かってほしいと思うのはわがままなのだろうか。一から十まで説明しなければ、許されない生き方なのだろうか。

確かにあの日、瑞江は家にいなかった。高校の同窓会で新宿に出かけていたのだ。瑞江の帰りが遅くなることは分かっていたから、友達と東京に遊びに出た玲子も、いつも通りの時間に帰る必要はないと考えた。それが、全ての過ちのもとだった。悪いのは家にいなかった瑞江ではない。父も母も不在だから、少しくらい遅くなっても大丈夫だと軽く考えた、十七歳の玲子自身なのだ。

あの日、玲子は夜の八時半頃、南浦和の駅に着いた。咎める両親が不在だと分かっていても、家路を急ぐ気持ちはあった。そしてなんの疑いもなく、あの公園を横切った。

木の陰からだろうか、ふらりと人影が現われた。そのままだと行く手を塞がれるような気がしたので、玲子はなんの気なしに右に避けた。が、その動きよりも早く、影は玲子に体当たりするように抱きついてきた。

「動くな」

低く、絞り出すような男の声だった。

玲子はタンクを覆っているフェンスと植え込みの間、公衆便所裏手の真っ暗な場所に連れ込まれ、そのまま地面に押し倒された。

背中に感じる土の固さ、その湿った冷たさ。饐えた便所の臭い。荒い男の息。風のない、まとわりつくような蒸し暑さ。分厚い、夏の夜の闇。

男は圧倒的な腕力と体重とで玲子の自由を奪い、頰に刃物を当てて脅した。夏休み、友達と競うように穿いた短いスカートは、男の目的からすれば好都合この上ないものだったろう。

抵抗らしい抵抗もできないまま、玲子は下着を剝ぎ取られた。強引に足を広げられ、男を捻《ね》じ込まれた。口は塞がれていたので声は出なかったが、玲子は口の中で思いきり叫んでいた。足の間が裂けるような激しい痛み。男の暴力に対する恐怖。家はすぐ近くなのに、誰も助けにきてくれないという孤独。そして未来を失うという、絶望――。

挙句、男はなんの前触れもなく玲子の脇腹を刺した。刺しながら、さらに玲子を犯した。

玲子は失われそうになる意識の中で、早くこの悪夢が終わることだけを願った。

これ以上刺されたくない、汚されたくない、死にたくない。

そのとき、

「おいそこ、何をしてるッ」

パッと白い光がよぎり、男の顔が闇に浮かんだ。男は、笑っていた。だがすぐに顔を背《そむ》け、立ち上がり、光とは反対側の植え込みを飛び越えて姿を消した。

「君、君、大丈夫かッ」

すぐ近くに立ち止まった足音。一緒に揺れる金物の音。玲子の首を抱える逞しい腕。シャツに染みた汗の匂い。玲子は抱えきれないほどの安堵と困惑に押し潰され、そのまま気を失った。

意識を取り戻すと、玲子は当時、浦和周辺で起こっていた連続婦女暴行事件の被害者になっていた。しかも犯人の顔を見ている。病室を何人もの刑事が訪れ、事件について色々と訊いたが、玲子はひと言も彼らとは喋らなかった。いや、喋れなかった。刑事ばかりでなく、看護師とも、医師とも、家族とも喋れなかった。

事件の被害者であるという意識は、そのときはまだなかった。ただ自分がどうしようもなく汚れ、思い描いていた未来を失ってしまったという絶望だけが、玲子の心を占めていた。体の中に、あの便所裏の土が、一杯に詰まっている気がした。

浅い眠りから覚めると、一瞬あれは悪夢だったのではないかと思うが、左脇腹の傷と、病室の白い壁と、次々訪れる刑事たちが、あの事件は悪夢などではなく、現実に起こった紛れもない刑事事件なのだと突きつけた。泣き寝入りして傷が癒えるのを待ち、なかったことにしようなどという甘い考えは許されなかった。自分にも他人にも、あれは野良犬に襲われただけだなどという言い訳はできない状況だった。玲子はあの男に犯され、脇腹を刺された、れっきとした事件の被害者だった。玲子は、助けてくれた警官を憎むようにすらなった。あの人さえこなければ、怪我だけですませることもできたのに――。

だが数日すると、病室を訪れる刑事の数はぐっと減った。残ったのは、今までも顔だけは出していた、小柄でぽっちゃりとした、年下の玲子から見てもどこか可愛らしい感じの、女性刑事だった。

彼女の名は佐田《さた》倫子《みちこ》。埼玉県警刑事部捜査一課の巡査だった。

佐田は花を持ってきたり、女の子が好きそうなお菓子を買ってきたりしてくれた。他にもCD、ファッション雑誌、コミック、ポータブルゲーム、などなどなど。

不思議なことに、佐田は事件についてはひと言も触れなかった。話題はもっぱら、自分が最近やってしまった失敗、頭にきた上司の話、好きな俳優、映画、本、テレビ、などなど。まるで友達か親戚のお姉さんのように、玲子に話しかけた。

最初は玲子も戸惑った。返事もせず、ただぼんやりと窓の外を眺めているだけだった。だがあるとき、佐田の失敗談を聞いて笑ってしまった。捕まえた犯人にではなく、間違えて自分の手首に手錠をかけてしまった話を聞いたとき、思わず吹き出してしまった。それをきっかけに、言葉は少なかったが、佐田とは会話を交わすようになった。他には誰とも喋らなかったが、佐田とだけは、徐々にいろんな話ができるようになった。

しばらく経ったある日、佐田から「捜査に協力してほしい」といわれた。佐田が事件について触れたのはこのときが初めてだった。まず、今までの被害者と作った似顔絵やモンタージュが、玲子を襲った犯人と似ているかどうか、それだけでも確かめてほしいといった。

玲子は、拒否した。もしかしたら、あの顔をもう一度見ることになるのかもしれない。あの暗闇で笑いながら、自分の体を汚した男の顔を、見なければいけなくなるのかもしれない。そう思うだけで胸に蛆《うじ》が湧き、頭の中には蠅の大群が飛び交った。

「無理なら、いいんだ。玲子ちゃんには、とにかく、元気になってほしいから」

その日、佐田はそれだけで切り上げて帰った。

その後も時間こそバラバラだったが、佐田は必ず毎日、玲子の病室に顔を出した。二、三日、事件についてはいわなかったりするが、急に「まだ、嫌かなぁ」といったりする。

「まだ……できない。怖い」

「そう。じゃしょうがないね」

そして佐田は毎日、違う土産を持ってきた。ある日は自分で焼いたクッキー。またある日は面白かった文庫本。ときには通り道で買ってきたソフトクリームだったりもした。

依然、事件については触れない日が多かったが、逆に玲子の心の中では、毎日少しずつ、変化が起こっていた。事件に立ち向かってみよう、佐田に協力して、いや協力してもらって、この事件に向き合ってみようと思い始めていた。そしてようやく、モンタージュを見ようと決心した日、なぜか佐田は病室に顔を出さなかった。その次の日もこなかった。そして佐田がこなくなって三日目、なぜか最初に事情聴取にきた刑事が病室を訪れた。

その中年の、がっしりした体格の刑事は、彼より少し年上の女性を伴っていた。

「大分、顔色がよくなったね」

挨拶代わりにそういった彼の笑顔は、なぜか妙に引き攣って見えた。

玲子は答えず、ただ二人の顔を見比べ、目を逸らした。

「あのね……実は君に、報告したいことが、あるんだ。一つは、とても我々にとっては喜ばしいことだ。我々の捜査していた事件の犯人がね、三日前に、捕まったんだ」

我々の捜査していた事件。彼がそういうのは、玲子が事件について、まだ何も喋っていないからだ。玲子は被害に遭ったことすら認めていないのだから、正確な意味合いにおいて、玲子を襲った犯人を彼らが捕まえたとはいえないわけだ。だが、おそらく捕まえたのだろうと思う。あの、暗闇で笑った男を。

「だがね、とても残念な報告も……しなくちゃ、ならん」

彼は言葉を詰まらせた。込み上げるものを必死で抑えようとする彼とは対照的に、隣の女性が、何か抜け殻のようにぼんやりしているのが気になった。

「佐田くんが……殉職した」

彼がようやく絞り出した、殉職の一語。その意味は、もちろん知っていた。だが「佐田が殉職した」となると、途端にわけが分からなくなった。思考が停止した。

「佐田くんは、抵抗する犯人と揉み合って、刺されたんだ……。すぐ病院に運んだんだが、出血がひどく……助け、られなかった」

彼は初めて、隣の女性を示した。

「こちらは、佐田くんのお母さんだ。お母さんが、どうしても君に、見せたいものがあるって、持っていらしたんだ。……さあ、佐田さん」

佐田の母親と紹介された女性は、恭《うやうや》しく玲子に頭を下げ、くたびれた布地のハンドバッグから一冊の本を取り出した。濃い緑色、革のカバーのかかった、ベルト付きの本。

「読んでやってください。あの子が、死ぬ前日までつけていた、日記です……」

そういうと、彼女は堰を切ったように泣き崩れた。それを中年の刑事が抱き止め、なだめる。玲子は恐る恐る、佐田の日記を受け取り、表紙を開いた。

ページをめくり、自分が被害に遭った翌日の日付けを探し、読み始める。そこには、事件捜査の経緯と並行して、玲子のことが多く書かれていた。

《玲子ちゃんは、まだ全然表情を取り戻せないでいる。きっと笑ったら、とても可愛い顔をするのだろうけど、悲しい顔も、つらい顔も見せてくれない。あの子が、事件を自分の内側で処理しようと必死になっているのが分かる。それが、見ていてつらい。担当の先生の話では、内臓も少し傷ついているので、入院は二週間くらいということだった。》
《玲子ちゃんはゲームはやってみたらしい。ファッション雑誌は読んでない。マンガも読んでない。たぶん、お花は嫌いじゃないんだと思う。冒険してフリージアを持っていったら、ちょっと見てくれた。嬉しかった。まだ食べ物は、私の前では食べてくれない。無理はさせちゃいけないけど、でもキャンディーなら、どうだろう？》
《雨を眺める玲子ちゃんの横顔が、とても綺麗。この子をあんなひどい目に遭わせるなんて、絶対に許せない。私が捕まえてやる。絶対に、引きずり出してやる。》
　次は、玲子にも覚えのある日のことだった。
《笑った！　玲子ちゃんが、私の話で笑ってくれた！　とっておきのドジネタ、「自分逮捕」で笑ってくれた！　嬉しい！　可愛い！　玲子ちゃんの笑顔、すっごい可愛い！　少し返事もしてくれた！　やった！　やったよ玲子ちゃん！　今日は最高！》
　いつのまにか、玲子の頬は涙で濡れていた。事件後、放心するばかりで一度も涙なんて流したりしなかったのに、熱い雫が、次から次へと、両目から溢れ出てきた。
《事件について初めて、玲子ちゃんと話してみた。今日は、失敗だった。私の言い方も悪かったんだと思う。黙らせちゃった。悲しい顔させちゃった……ごめん。ごめんね、玲子ちゃん。私が焦っちゃ、絶対に駄目なのに。あの子をこれ以上、傷つけるようなことは、絶対にしちゃいけないのに。しばらくは、また様子を見よう。そうだ、クッキー好きかな？　今から焼いたら、寝る時間なくなっちゃうかな？》
《性犯罪に関する本も、ずいぶん溜まった。今日読み終わったので十三冊。でもどんなに勉強しても、私の結論は変わらない。やっぱり玲子ちゃんには、事件に正面から向き合ってもらいたい。自分の中に閉じ込めて、なかったことにしちゃおうなんて、駄目。決着をつけなきゃ、玲子ちゃんの負けになっちゃう。それは、絶対に駄目。玲子ちゃんの人生は長い。それを、一生をこの事件で台無しにしちゃいけない。勝たなきゃ。戦って勝たなきゃ。玲子ちゃん、私と一緒に戦おう。一緒に戦って。私の力になって、玲子ちゃん……》
《玲子ちゃんが、「もうちょっと考えさせて」って言ってくれた。これは大きな前進だ。あの子の心は動いている。少しずつだけど、確実に前に向き始めてる。主任は早く結果を出せと言うけれど、まだ駄目。今は邪魔されたくない。玲子ちゃんは、私に任せてほしい。これは刑事だからとか、事件だからとかじゃない。私は、玲子ちゃんの友達だから。同じ女だから。玲子ちゃんに立ち直ってほしい。前を向いて生きてほしい。そのために、事件と向き合ってほしい。戦って、人生を勝ち取ってほしい。取り戻してほしい。頑張ろう。玲子ちゃんも、私も頑張ろう。生きるために、一緒に戦おう。戦おう。戦おう。》

そして、最後の日。日付は四日前だ。

《今日は、事件については触れないと決めていた。でも分かる。玲子ちゃんは、もうすぐ私に「共闘宣言」をしてくれるはず。あの子の目に、強い光が宿り始めている。生命を、取り戻そうとしている。もう黙っていよう。あとは、玲子ちゃんの意思に任せよう。大切なのは、玲子ちゃんの気持ち。玲子ちゃんの人生。私は充分に、玲子ちゃんからパワーをもらった。強さを受け取った。ありがとう、玲子ちゃん。これで私も戦える。

明日は南公園での張り込み。今までのサイクルからして、もうそろそろ犯人は我慢ができなくなっているはず。来い！　私に向かって来い！　私は一人じゃない。玲子ちゃんがついてる。絶対に負けない。一瞬でも私の前に姿を見せたら、たとえ真っ暗闇だろうと捕まえてみせる。来い！　犯人よ、私に向かって来い！》

日記を閉じ、しばらくは黙っていた。喋れるくらいに息が整うまで、じっとしていた。二人も、黙って待ってくれていた。

セミが甲高く鳴き、窓の外に目をやると、白い陽射しが木の緑を黒々と照らしていた。風のない、静かな午後だった。

「……私、戦います」

高く澄んだ青い空。きっと見守ってくれているだろう佐田倫子に向かって、玲子は共闘を宣言した。

長い戦いが始まった。

事情聴取。供述。引き当たり捜査。そして、首実検。小さなガラス窓の向こうに五人の男がいる。その左から二番目の顔を見たとき、玲子は、背後から巨大なタランチュラにでも抱きすくめられるような錯覚に陥った。無数の不潔な毛虫が、下着の中にまで入り込んでくる幻覚。そのまま走りだし、全身を掻き毟《むし》り、コンクリートの壁に激突して気を失ってしまいたい衝動。だが、それをさせなかったのは、今も目を閉じれば思い出せる、佐田の優しい笑顔と、日記の言葉の数々だった。

――玲子ちゃん、私と一緒に戦おう。

玲子は深呼吸し、今一度ガラスを睨んだ。

「……あの、左から二番目の人を……笑わせて、ください」

「は?」

付き添いの刑事は怪訝な表情で訊き返した。

「あの人に、笑うようにいってください」

すると、二人いた刑事の一人が隣の部屋にいき、そこで向こうの刑事を外に連れ出した。やがて、左から二番目の男を残して、四人が退室した。そのまましばらく、刑事が男に話しかけていた。男は首を傾げたり、振ったりしていた。声は聞こえないが、刑事に何か答えた。

そのとき、かすかに笑みがこぼれた。

——あっ……。

あの顔だった。

玲子を組み伏せ、汚し、ナイフで刺した、その存在すら認め難い男の顔。警官の向けた懐中電灯の明かりに浮かんだ、魔物の笑み。

「この人です」

途端、よしッ、と刑事たちは意気込んだが、それが妙に、遠い世界の出来事に思えた。玲子はただ、心の中で佐田に話しかけていた。

——佐田さん、あたし、あたし、頑張った。あたし、逃げなかったよ……。

だがそれは、戦いの、まだほんの始まりにすぎなかった。

考えてみれば当然のことだが、捜査の段階で周りにいた警察官は、みな玲子の味方だった。だが裁判となるとそうはいかない。犯人の前に立ち、自分はこの男にレイプされたのだと、何十人もの前で告白しなければならない。

さらに被告側の弁護士は、少しでも被告人の罪を軽くする方向で事件を定義しようとする。玲子にも落ち度があったのではないか。不注意があったのではないか。診断書を読み上げ、必死で抵抗したにしては擦過傷が少ないが、実は合意の上の性交渉だったのではないか。そもそもあなたは本当に処女だったのか。矢継ぎ早の質問に玲子が萎縮すると、弁護士は得意げに続けた。

「……つまりあなたは、被告人にレイプされたのではなく、行為を迫られて、すぐに合意したのだと考えられる。被告人の持つ性癖の異常性は先にも述べた通り、抵抗する女性に無理矢理行為を強要する、そこに悦びを感じる部分にあります。これが精神医学における正常か異常かの診断は、本題から逸脱するので避けますが、あなたが抵抗しなかったからこそ、被告人はあなたの脇腹を刺したのだといえる。つまり実際に刺すことによって、あなたに抵抗してほしかったわけです。その証拠に、激しく抵抗した他の被害者は、刃物で刺されてはいません。よって本件は、傷害罪を免れるものではありませんが、少なくとも強姦罪は成立しないものと考えられます」

——うそ。あれが合意の上の行為だった？　あたしは見ず知らずのこの男に、真っ暗な公園の土の上で、甘んじて体を許したというの？　どうして？　どうしてそんなことがいえるの？

だが、激しく否定する一方で、玲子の中にある事実は急速に歪み始めていた。今ここにいる数十名の傍聴人の脳裏には、自分がこの男との行為を受け入れた、その淫らな姿が描かれている。玲子はその見えない圧力に圧倒された。押し潰されそうになった。

この女の子は汚れている。汚れている。汚れている——。

想念の大合唱、中傷の刃が、ザクザクと体の内側を削り取っていく。そして削られてできた空間に、この弁護士が語った通りの、この男との行為を受け入れた、薄汚い自分が形作られていく。すり替えられていく。

だがそのとき、

——違うでしょ……。

ふと聞こえたひと言。その声が誰のものなのか、一瞬、玲子には分からなかった。

——違うでしょ。負けちゃ駄目。自分で戦って、自分で勝ち取るの。

佐田だった。佐田が、どこからか、玲子を鼓舞していた。

——戦って、勝って。そして自分の人生を、取り戻すの。

玲子は心の中で、佐田の小さな手を握った。

——そう、そうよ。そんなはずない。あたしが、あんなことを受け入れるはずがない。

そう思い直したとき、もう玲子は弁護士を強く睨みつけていた。

「……擦過傷が少なかったら、どうして受け入れたことになるんですか。ナイフで脅されて、口を塞がれて、力で無理矢理押さえつけられて、それでどうして合意の上だなんていえるんですか。暴れたらまた刺されるんじゃないか、殺されるんじゃないか、そう思って抵抗を諦めると、どうして行為を受け入れたことになるんですか。つまりあなたの理屈でいえば、命を張ってその男を捕まえた佐田さんも、つまり殺される覚悟をしていたわけだから、だから殺してもよかったんだと、合意の上で殺されたんだと、そういうことですかッ」

裁判官に何か注意された気もしたが、玲子の耳にはまったく入ってこなかった。

「そんなことあるわけないじゃないッ。あなたに奥さんはいないの？　恋人とかお姉さんとか妹とかはいないの？　その人があたしと同じ目に遭っても、あなたは本気で、合意の上だったんだろうなんていえるの？　あなたは佐田さんに、覚悟があったんだから死んでも文句ないだろうなんて、面と向かっていえるの？　佐田さんの家族に、いえ警察の人全員に、死んでも文句ないだろうなんて、本気でいう覚悟があんたにあんのかって訊いてんのよッ」

玲子を取り押さえようと、左右から係員が飛び出してきた。が、なぜだか彼らは、途中で足を止めた。彼らは玲子ではなく、背後の傍聴席に目を向けて立ち止まっていた。

何事か。玲子は、ゆっくりと振り返った。

最前列中央には、玲子と佐田の両親、他の被害者やその家族が座っている。だがそれ以外。何十という傍聴席にいた人たちは立ち上がり、玲子に、敬礼をしていた。

玲子の病室を訪れた刑事もいる。玲子を助けてくれたあの制服警官もいる。他にも知った顔、知らない顔、スーツ姿、制服姿、男、女。彼らは全員、警察官だった。被害者家族以外の席は警察官でびっしりと埋まっており、今その全員が立ち上がり、玲子に、敬礼をしていた。ある者は歯を食い縛り、ある者は涙を堪え、またある者は怒りに肩を震わせ、だが全員が、玲子に敬礼しているのだ。

——これが、警察……。

鉛のように重い、だが温かい波動が玲子を包んだ。その波動は玲子を取り囲むと、分厚い壁となって立ち上がった。まるで、玲子を守ろうとするかのように。

——これが、警察！

警察官の警察官に対する身内意識は強い。普段はいがみ合っていても、成績争いに足を引っ張り合っていても、ひとたび身内が危険に晒されると、団結してその救出に向かう。それが警察官。それが警察界。玲子はこのとき、初めてそれを肌で感じた。

おそらく、彼らが敬礼したのは玲子本人ではなく、玲子の内に宿っていた佐田倫子の魂に向けてだったのだろう。玲子はその、警察界の結束に心打たれた。数十人の敬礼の重みに圧倒された。震えが止まらなかった。

——あたしも、あの中に……入りたい。

このとき、玲子は警察官になる決心をした。

警察官になり、刑事になり、佐田と同じ本部の捜査一課に入り、警部補になることを目標とした。佐田は巡査だったが、殉職したことによって二階級特進し、最終階級は警部補となっていた。だが、死んでしまっては意味がない。玲子は、生きて警部補になることを目指した。生きて捜査一課の主任警部補になることを目指したのだ。

そして玲子はその目的を達成し、いまなお、佐田倫子と共に戦っている。警部補になり、過去の呪縛から解き放たれ、ようやく生きているという実感を得られるようになってもまだ、戦いは続いている。自分の命は、常に佐田倫子の魂と共にある。

――やっぱりあたし、間違ってないよ、お母さん。

外が明るくなりかけた頃、ようやく、少し眠気が差してきた。

――明日、お母さんの、お見舞いにいかなきゃ……。

それはもう、今日のことだった。

7

午後二時になって、玲子は瑞江の入院している大学病院を訪れた。面会受付をすませ、階段で三階に上がる。三一二号の個室。引き戸を開けると、瑞江は目を閉じて点滴を受けていた。酸素マスクはない。

静かに入り、戸を閉める。ベッドの傍らに進み、だが音がしたらいけないので、椅子には座らずにいた。

「ごめんね、お母さん……」

すると、目を閉じたままの瑞江が、弱々しく微笑んだ。

「……何よ、玲子らしくない。倒れるなんてだらしないって、叱られるかと思ったわ」

薄《う》っすらと目を開ける。

「なんだ、起きてたの」

玲子は、足元にあった丸椅子を引いて腰掛けた。

「叱ったりしないわよ。あたしだって、びっくりしたんだから。心配だって、したのよ」

「それはどうも……お陰さまで、バイパスは免れそうだわ」

それから持ってきた花を活け、しばらくは詳しい容体や、検査の話を聞いた。大事には至らなかったが、まだまだ予断を許さない状況だという。

今日は、あまり突っ込んだ話はしないで帰ろう。玲子はそう思っていた。だが話題が途切れると、逆に瑞江の方から切り出してきた。

「……本当は、謝るのは、私の方なんだよね」

「何が」

分かっていて訊く自分を、少し嫌らしく思う。

「あんたに早く結婚させようなんて、躍起になったりしてさ。そりゃ、今だって結婚はしてほしいわよ。刑事なんて辞めて、平凡に暮らしてほしいって思ってるわよ。でも、あんたが刑事になったのだって、そもそもは……」

やはり、こうなってしまうのだ。

「なにいってるの。さっきあたしが謝ったのは、電話に出なかったことよ。昔のことなんて、なんにも関係ないじゃない」

「関係ないことないよ。だって母さんは……」

玲子は遮った。

「もうよそうよ。あたしが結婚しないのと、あの事件とは何も関係ないんだってば。結婚したい相手がいないから、結婚しないだけなんだって」

「だったら、お見合いはしたらよかったじゃないの」

「ああ、まあ……結婚したい気分でもないってのが、正直なところかな」

「ほらごらん」

瑞江は悲しげに目を伏せた。

――困ったな。

結局、話さずには帰れそうにない。玲子は溜め息を吐き、瑞江の手を握った。乾いた、痩せた手だった。

「……ねえ、お母さん。あたしね、今は刑事以外の生き方、ちょっと考えられないの。……んーん、刑事だからこそ、今のあたしは、生きていられるの。あの事件には、そりゃもちろん苦しんだ。けど、あたしはあれを、勝って乗り越えたと思ってる。証言台にも立って、決着はつけた。判決の内容には満足いかなかったけど、でも、勝ったのはこっちだって思ってる。あたしは自分の手で、ちゃんとやるべきことはやったから、だから、新しい人生を生きていいって、心から思えるの。……忘れられたかっていえば、忘れることは、一生できないと思う。思い出せば最低の気分になるし、今でも夢に見てうなされたりする。でも、だからって自分の存在まで否定したいとは思わない。そうは、思わなくなったの……あの頃みたいには。だって、あたしは刑事になったんだもの。警部補になって、部下だっているんだもの。ちゃんと、存在する価値のある人間だって、認められてるの。警察界では」

今泉や菊田、大塚たちの顔が思い浮かぶ。それとあとから、割り込むように井岡のにやけ顔も。

「いつかね、あたしの生き方……過去の事件も、警部補であることも、丸ごと受け入れてくれる人が現われたら、そのときはちゃんと、結婚を考える。あたしだって自分の幸せの形くらい考えるわよ。それが、今はちょっとお母さんの考えとは違うかもしれないけど、それは、大目に見てほしいの。……珠希にもいわれたわ。お姉ちゃん、変わっちゃったって。でも、それは本当だからしょうがない。あたしは変わったんだから。姫川家の長女としては至らないかもしれないけど、一人の人間、姫川玲子としては、そんなに駄目な方だとは思わないの。だから、もうちょっとあたしのことは、放っといてほしいの。無責任なようだけど、見守っていてほしいの」

瑞江は目を閉じたまま、小さく頷いた。

「それと、もうお母さんも、あの事件のことで自分に責任があったなんて思わないで。悪いのは、あたしでも、お母さんでもないの。悪いのは犯人、たった一人よ。その犯人は、今まさにその酬《むく》いを受けてるじゃない。それが全てなのよ。決着はついてる。それでいいってあたしがいってるんだから、当事者のあたしがいってるんだから、他人になんていわれても、気にしたりしないで。それだけ。……いおうかどうか迷ってたんだけど、いっちゃった……ごめん、疲れたでしょ」

玲子が手の甲をさすると、瑞江はきゅっと握り返してきた。そして穏やかに、口元をほころばせる。

話は重たい内容になってしまったが、「病は気から」という。この部分をはっきりさせておいた方が、瑞江の体調も良くなるのではないかと思う。それとも、それ自体が玲子の押しつけなのか。今は分からない。でも、瑞江の笑みに曇りはなかった。これでいいと思う。

——元気になったら、どうせまた見合いしろっていうんだろうし。

玲子は瑞江の手を布団の中にしまったが、瑞江が逆に握って放さなかった。玲子はしばらくその手を握ったまま窓の外、夏の高い青空を眺めた。いい天気だと、素直に思えた。

病院を出てすぐに携帯の電源を入れ、留守電のメッセージがないかを確かめた。一件入っていた。

《あ、大塚っす。お疲れさまです。お休みだったら無理にとはいえないんですけど、夕方、ちょっとお話できませんか。実は妙なネタ、仕入れちゃったもんで》

メッセージは午後二時五十分。今から十五分前だ。

玲子はすぐに折り返した。

「もしもし、あたしだけど」

『ああ、主任、よかった。忙しくなかったですか』

珍しく、大塚は慌てた様子だった。

「うん、大丈夫よ。どうした」

『ええ。ちょっと、お見せしたいものがあるんですが、どっかで会えませんか』

「いいわよ。どこ」

『主任はどこがいいっすか』

「池袋だったら、一時間半でいける」

『分かりました。じゃあ「伯爵夫人」って喫茶店、前にいきましたよね。あそこで』

「分かった。じゃあ四時半に」

——見せたいもの？　なんだろう。

玲子は最寄りの川角《かわかど》駅から東武越生《おごせ》線に乗った。坂戸駅で東上線に乗り換え、四時二十分頃には池袋駅に着いた。

北口を出てすぐの喫茶店『伯爵夫人』は、入り口に洋鎧の立つ、ちょっとレトロな喫茶店だ。見渡すと、大塚が奥の席で手を振っている。

「ごめん、お待たせ」

玲子が向かいに座ると、大塚は一瞬パチリと目をしばたたいた。

「主任の私服姿って、けっこう……可愛いっすね」

水色のサマーセーターに白のパンツ。普段なら急な臨場要請もあるので、休暇中でもある程度フォーマルな恰好をするのだが、帳場が立っていての休暇だと逆に招集される可能性はないに等しい。玲子は瑞江の見舞いにいったら買い物でもして帰るつもりだったから、ラフなままだった。見れば大塚はちゃんとスーツを着ている。

「なにいってんのよ……バカ」

それでも、大塚は胸元に目を留めている。

「大塚も、そういうスケべったらしい目で女を見るんだ」

「そりゃ男っすから……でも、主任には初めてかな」

「あ、ムカつく」

「へへ。でも、あんまいうと菊田さんにブン殴られちゃうな」

「何よそれ」

このところ、大塚はやけに玲子と菊田の関係を意識した発言をする。でも、今はそんな気分ではない。とりあえず本題に入る。

「で、見せたいものって何」

大塚は口を尖らせた。

「色気ないなぁ。少しは乗ってくださいよ」

「やーよ。あとで酒の肴にされるのはゴメンだわ」

「もうなってますって」

玲子が鼻で笑うと、大塚もそれ以上はいわなかった。

ウェイトレスがオーダーを取りにきた。玲子はアイスコーヒーを、大塚はホットをもう一杯頼んだ。

「……えっと、まず俺が、十九日に滑川の学生時代からの友人で、田代って男に会ったのは、会議でも報告しましたよね」

「うん。でも、成果なしっていってなかったっけ」

「ええ。十九日の会議の時点では、そうでした。でもその夜、会議が終わってから電話をもらったんですよ。そんときに、妙な話を聞きましてね」

玲子はわざと顔をしかめてみせた。

「ちょっと。だったら二十日でも二十一日でも、どうしていわなかったの」

「ああ、たまには、自分でネタを仕込んでみようかと思って」

大塚は照れたように頭を掻いた。

そう。刑事とは、自分で得た情報を何から何まで会議で報告してしまうようなお人好しに務まる仕事ではないのだ。むろん単独で動きすぎ、それが原因で失敗をすれば責任問題になる。犯人を取り逃がす事態にでもなったら警察全体に非難が及ぶ。だから頃合いを見計らい、仕込んだネタも自分の上司にだけは報告する。だが、それまでは誰にもいわない。自分と相方だけで温めておく。刑事とはそういうものなのだ。

ここで一番大切なのは、自分の仕込んだネタが、最終的に手柄となって自分の手に落ちてくるようにすることだ。手柄の所在が示せるまで温めて、上司に報告するのはそのあとでい い。逆にいえばそうでもしないと、自分で手柄を挙げることはできない、ということだ。

だが、玲子のように部下を持つようになるとその考えは逆転する。部下の行動は全て把握するに越したことはないし、黙ってネタを仕込まれたままでは捜査は一向に進展しない。それでは組織捜査の意味がない。結局は、部下とも腹の探り合い。刑事は誰もが一匹狼。

それでも、姫川班は隠し事が少ない方だと思っている。実際にこうやって休日に呼び出してでも報告してくれるのだから、目くじらを立てるほどのことではない。

「あっそ。じゃあ、聞かせて」

玲子が頷くと、大塚は椅子に置いていた大きめの茶封筒をテーブルに載せた。

「その、田代がですね、インターネットで『ストロベリーナイト』ってのを調べてみろっていうんです。滑川がその話を田代にしたらしいんですが、田代には興味がないんで、そのときは半分にしか聞いてなかったんだそうです。ちなみに主任は、ご存じですか」

「ん、なんだって?」

「ストロベリーナイト、ですよ」

「苺の騎士?」

大塚はズルッとコケてみせた。

「いや、『ナイト』は『夜』だと思いますけど」

今度はこっちが口を尖らせる番だ。

「知らないわよ。そんなの音だけで分かるわけないいじゃない。で、なんだってのよ、その苺の夜が」

大塚は真顔になった。

「はい。ですから俺も、ネットで調べてみたんです。そしたら、そういうホームページとかは、どうやっても見つからないんです。でもですね、なんていうんだろう、アングラ系っていうか、オカルト系っていうか、まあその、猟奇殺人とかを賛美したり、グロな写真を公開したりするホームページの掲示板でですね、話題になってたんですよ。その『ストロベリーナイト』が。それも一ヶ所じゃなくてですね、俺が見つけたのだけでも七ヶ所で、話題になってました」

「だから、その『ストロベリーナイト』自体はなんなの」

急かしても動じず、大塚はゆっくりと頷くだけだった。

「それがですね、どうやら、殺人ショーらしいんですよ」

「……殺人、ショー？」

言葉は単純だが、今一つ意味がつかめない。

「ええ。これが、その掲示板の一部をプリントアウトしたものなんですがね」

茶封筒から何枚かのコピー紙を抜き出す。

「ちょっと見てください」

渡されたコピー紙には、紙面を埋め尽くすほどズラズラと細かい文字が並んでいた。まずハンドルネームというのだろうか、行頭にペンネームがあり、書き込んだ日付、そのあとにメッセージが続いている。具体的に内容を読んでみる。

キリキリ　２０＊＊／０８／０８／１６：４５：２０
でもそんなページ、実際に誰か見たわけ？

生首灯籠　２０＊＊／０８／０８／２２：０１：０２
そこなんだよね。実際に見た人がいたら、ここに書いてくれたってよさそうなもんだけど、いないんだよ。みんな「俺の知り合いが」とか、そういう伝聞？　みたいな感じで、実態がつかめない。

「また、焼いちゃおうよ」

僕が喋ったら、奴はとてもびっくりした顔をした。僕は、彼となら喋れるのだ。

「いや、焼くのは駄目だ。上手くいかない」彼がいうと、

「ああ。焼いて処理するのは難しいな」奴が同調した。

「……なら、どうする」

「そうだな。どうするか」

何か、実際に殺した僕をのけ者にして、二人だけで死体の処理を考えているようだった。

でも、僕はそれでもいいと思った。僕は、死体はどうでもよかった。

また彼が提案した。

「バラバラにして捨てるか」

「いや、手間がかかりすぎる。できるだけ早く処理できる方法がいい」

「焼くのが駄目なら、どっかに沈めるか」

「沈めても、簡単に浮いてくる」

「重りをつければいいだろう」

「そんなに簡単じゃない。コンクリートにでも詰めりゃ別だが、今からコンクリートなんて買いにいったら絶対に足がつく。でも他の方法じゃ、腹にガスが溜まって風船みたいになって、絶対に浮いてくる」

奴は、ただ闇雲にケチをつけているのでもないようだった。

「腹に、ガス？」

「ああ、腐敗ガスだ。腸内のバクテリアが内臓を腐敗させるんだ。それが、体ごと浮き輪みたいにしちまう」

「だったら、腹に穴でも開けとけばいい」

「……え？」

「最初から膨らまないように、風船を破っちまえばいいだろ」

彼のアイデアに奴も納得し、どうやら、話はまとまったみたいだった。

思えばこれが、この奇妙な共犯関係の始まりだった。


奴は僕が最初に思ったより、もっともっと変わった性格だった。

「お前、凄いよ。……ああ、俺は感動したね。お前の殺しはアートだ。お前は天才的な殺しの芸術家だよ。俺はあれ以来、猛烈に感動し続けてるんだ」

いっている意味がさっぱり分からない。でも、悪い気はしなかった。実は僕も、そのことに気づいていたから。僕は、また人を殺したかったのかもしれない、と。

僕は両親を殺し、「エフ」という名を与えられ、暴力によって自分自身の存在を確認してきた。いや、命のやり取りといってもいい。生きるか死ぬか、殺すか殺されるか。そういう瞬間にしか、自分の「生」を感じられなかった。でも、周りにはいつも人がいて、殺す前に止められることがほとんどだった。誰も、本気で殺し合いがしたいなんて思っていなかった。ギャングを名乗った連中でさえ、殺し合いを望みはしなかった。

でも、奴は違った。

「俺が、お前に最高のステージを用意してやる。殺しの舞台だ。お前が、好きなだけ人を殺せるステージだ。分かるか？」

分かる。いい話だと思った。でも、本当にそんなことができるのか。そんなことをしたら普通はすぐに捕まってしまう。少なくとも、奴のいう「好きなだけ」は嘘だろうと思った。でも、どうも奴は本気みたいだった。

ある夜、奴が僕を迎えにきた。明日が初舞台だから、今日のうちに出てこいという。何かワクワクするような、馬鹿馬鹿しいような。でも、奴のいう通りにした。

合流した次の日の夕方、僕は潰れたストリップ小屋みたいなところに連れていかれた。入り組んだ廊下があって、楽屋があって、ステージがあって、客席がある。僕は楽屋で革のツナギに着替えさせられた。あのおっちゃんから貰ったのではなく、新品のやつだ。それから、覆面。黒いプロレスみたいな覆面。穴が開いてるのは目だけで、鼻と口はアミになってて、ちょっと息は苦しかったけど、でも鏡で見ると、いかにも人を殺しそうでいい感じだった。カッコよかった。

ずっと一人で楽屋で待ってると、少しずつ、客席に人の気配が増えていった。何か凄いことが始まる。そんな雰囲気だった。何が始まるのか。それは、奴のいうことが本当なら、僕がステージで人を殺す、殺人ショーだ。でも、僕は一体誰を殺すのだろう。何も聞かされていない。

「エフ、そろそろ出番だぜ」

呼びにきたのは、あの日一目散に逃げ出した、奴のもう一人の友達だった。つまり、あれも今日は仲間ってわけか。なんか、変な感じがした。

楽屋を出て、細い廊下を通って、ステージの袖にきた。何をしたらいいのか、どうしたらいいのか、そういう打ち合わせみたいなことは何もしていなかった。ただ、僕はお守りみたいに、ポケットに、あのピンクのカッターナイフを持っていた。これでしか人を殺したことがなかったから、殺すなら、やっぱりこれが必要になるだろうと思ったのだ。

「さあ、エフ。好きにやってこい」

奴の友達にいわれ、ステージに出た。

スポットライトか、カァッと白い光が当たって、眩しくて、でもステージ以外は真っ暗で。まるで、この世には僕とこのステージしかないって感じだった。白と黒がはっきりした世界だった。ステージの真ん中には、よく病院の廊下を走っているキャスター付きのベッドがあり、そこに目と口と手足を黒いガムテープで巻かれた女の人が寝かされていた。ちょうど

「A」みたいな形にバンザイしていて、上半身が裸で、当然おっぱいが見えていた。なんか、恥ずかしい感じがした。

ベッドのすぐ下にはノコギリ、包丁、カマ、釘のいっぱい刺さったバット、割れたビール瓶、ムチとかが、えらく綺麗に並べてあった。これらで、この女の人を殺せという意味なんだろうと思った。でも、なんの恨みもない、初めて見た人を殺すのは、なんか意味がない気がした。

よくその人を見てみる。肌が真っ白くて、スタイルがいい人だった。ツンと上を向いた乳首が、形のいい乳房と一緒に上下する。興奮しているのか、鼻息が荒い。口も目も見えないから、本当はどうだか分からないけれど、とても美人なんじゃないかと思った。髪も品のいい灰色で、お洒落な感じだった。

——普通に生きてたら、幸せだったろうに。

そう思ったら、殺してみてもいいかな、と思うようになった。

僕が釘バットを取り上げると、音がしたからだろう、その人はハッとこっちを向いた。気配から何かを知ろうとしている感じだ。口がモゴモゴしている。身をよじって体勢を変えようとする。でも、それは無理。けっこうガッチリ縛ってあるみたいだから。

僕は野球はほとんどやったことがなかったけど、見様見真似、おっぱいをボールだと思って、力一杯スイングしてみた。すると、ブリッというか、ゾリッというか、上手いことバットはおっぱいの上を叩いて、ごちっと顎で止まった。

「ンムゥウゥウーッ」

ガタガタガタガタッと、それこそベッドが倒れるんじゃないかってくらい、その人は暴れた。真っ暗な客席から初めて声が聞こえた。悲鳴みたいな声だった。

左のおっぱいは、ひと口齧ったトマトみたいに、上がごっそりなくなっていた。右のおっぱいは、ちょっと切傷ができただけ。バットを持ち上げると、乳首のついた皮がぶら下がっていた。たらたらと真っ赤な血が、まるで元の場所に戻りたがるみたいに、胸の傷口に垂れていた。見ると、血の赤が上半身に広がり始めていて、とても綺麗だった。髪は、灰色じゃなくて薄い茶色だった。

そうなって初めて、客席が凄く騒がしいことに気づいた。きっと、悦んでるんだと思った。奴みたいに、僕を褒めてくれてるんだと思った。この女の人をもっともっと傷つけて、惨たらしく殺しちゃってくれっていってるんだと思った。

歓声と、血の臭いと、この世で最も美しい赤。僕は、なんだか気持ちがよくなっていた。自分は生きてるんだって、実感していた。

今度は、顔で唯一すっきりと見えている鼻を狙ってスイングしてみた。

コクンって、なんか変な音がした。本当はゴルフみたいに、鼻だけをスポーンって飛ばすつもりだったのに、ちょっと女の人が顔を上げたからか、口に当たり、鼻を削ぎ、そのまま目の窪みに引っかかり、僕は手首が返って、恰好悪いスイングになってしまった。

　そんなだから、口のテープも目のテープも切れちゃって、上唇が剝がれて歯茎が見えちゃって、鼻は上手くごっそり取れたけど、瞼も剝がれて目玉が半分飛び出ちゃった。ほんの数秒、釘バットが通った所だけは、理科室にあった筋肉剝き出しの人体模型みたいだったけど、すぐにとわとわって血が溢れてきて、真っ赤になった。

「……綺麗じゃん」

　僕は覆面の中で笑った。客の声はどんどん遠くなって、僕は女の人を真っ赤にするのに夢中になった。そう、ちょうど熟れたイチゴみたいに。

　釘バットをカマに持ち替え、反対の目にグリグリしてみたり、耳を削いでみたり、口に銜《くわ》えさせて上向きに引っ張ってみたりした。それでも、女の人は真っ赤な胸を上下させて息をしていた。ほとんど原型を留《とど》めない、バラバラって感じなのに、しぶとく生きていた。この人が特別に丈夫なのか。それともやっぱり、人間というのは、あれをしてあげないと死なないものなのか。

　僕はようやく出番だと思い、ポケットからピンクのカッターナイフを取り出した。

1

八月二十三日土曜日。朝八時。

玲子は大塚と共に亀有署の一階、交通課のカウンター前に立っていた。なんとしても朝の会議前に、今泉係長と橋爪管理官を捕まえる必要がある。大塚が仕入れてきた情報を、具体的に捜査に組み込むためだ。金原と滑川は殺人ショー『ストロベリーナイト』に参加し、殺された。それはすでに、二人の間では確信に近いものになっている。

目の前を、所轄や本部の捜査員が次々と通り過ぎていく。その中に、朝刊を脇にはさんだ石倉の姿もあった。

「おはようございます、主任。どうか、されましたか」

「あ、ちょうどよかった。たもっつぁん悪いんだけど、小さめの会議室を一つ、確保しといてもらえるかな」

「はい、承知しました。……また何か、ぶち上げるんですな」

さすが、石倉は察しがいい。

「うん。大塚がね、ネタ仕込んだの」

すると石倉は、目を細めて大塚を見た。石倉が大塚に目をかけているのは玲子も知っている。二人は、実によく似たタイプの刑事なのだ。

「……やるじゃないか」

石倉が、ぽんと拳で大塚の胸を叩く。

「いやぁ、ほんの偶然なんすよ」

「うんうん。よしよし」

石倉は階段を上がらず、通路を警務の方に進んでいった。その後ろ姿が珍しく弾んで見えたのは、玲子の錯覚ではないと思う。


会議室に集まったのは玲子と今泉、大塚、菊田に石倉。今は湯田を玄関に待たせ、橋爪がきたらすぐここに連れてくるよういってある。

しばらくしてドアが開いたが、入ってきたのは湯田でも橋爪でもなかった。

「おいおい。朝っぱらから何をコソコソやらかそうってんだ」

「……ガンテツさん」

勝俣は、自分の部下をキッチリ四人そろえて乗り込んできた。だが、これくらいの事態は玲子も想定していた。そもそも、勝俣が玲子たちのいない本部会議室で、いつまでも大人しく待っているはずがないのだ。どうやってここを突き止めたのかは知らないが、勝俣ならトイレの掃除用具入れまで、亀有署のドアというドアの全てを開けてでも玲子たちを探し出すだろう。もとより、玲子に逃げ隠れするつもりはない。それをしたら、自分を勝俣と同じレベルに貶《おとし》めるだけだ。

「別に、コソコソなんてしやしません。ただ、会議より前に相談したいことがあるだけです。あくまでも、捜査をより円滑に進めるために」

「ほっほぉ。だったら俺たちが聞かせてもらっても、一向にかまわないな」

「どうぞ、ご自由に」

すると勝俣は、本当に遠慮なくこっちに進んできた。今泉の隣にどっかりと腰を下ろす。部下はその後ろに立ったままだ。

勝俣が今泉に肩を寄せる。

「……口の減らねえ九官鳥だなぁ、イマハル」

玲子には意味が分からない。

「お前の財布の中身は、大分減ったみたいだがな」

「ぬかせ」

「昨日お前、新宿に流したろ」

「……なんのことか、さっぱり分からんぜ」

玲子もさっぱり分からないが、この会話で優位に立っているのは今泉の方だと、なんとなく感じた。まあ、階級が一つ上なのだから当然といえば当然だが。

二、三分して、橋爪が湯田に連れられてきた。
「……分かった。分かったから押すな」

室内を見回し、顔ぶれを確かめる。立ち位置から、この会議を設けたのが玲子だと悟ったのだろう。

「またお前か。今度は自衛隊の派遣でも要請するつもりか」

橋爪は、もう一つ空いていた今泉の隣に腰を下ろした。

「手短に頼むぞ。会議まで時間が……」

いえ、と玲子は遮った。

「私たちが時間までに戻らなければ、会議を三十分遅らせるよう、デスクにはいってありますから」

何かいいたげではあったが、橋爪は顔を不快そうに歪《ゆが》めただけで黙った。

「あんたらも座ったら」

玲子が対岸を示すと、勝俣の部下たちも空いている席に座った。

「じゃ、大塚。始めて」

「はい」

大塚が、今泉と橋爪に資料を渡す。内容は、玲子が池袋で見たものの抜粋とまとめで、昨日、二人で一緒に作ったものだ。特に重要な部分はマーカーで示してある。

勝俣が今泉の資料を無遠慮に覗き込む。

大塚は始めた。

「これは、私が十九日に面接しました滑川の学生時代からの親友、田代智彦からの情報です。滑川は田代に、インターネットの『ストロベリーナイト』というサイトについて話したことがあったそうです。そのとき田代は半分にしか聞いていなかったらしいですが、滑川が殺害されたことを知ると、彼が口にした『殺人ショー』という言葉が気になり始めた。もしかしたら、それが滑川の死と何か関係しているかもしれないと思い始めた。それで、私に知らせてきたようです。

調べたところ、その資料のように、インターネット上の一部の掲示板ではかなり以前から話題になっています。それはある日の、実際のやり取りをプリントアウトしたものですが、多少分かりづらいので、その下のまとめてある部分をご覧ください。この話題になっている『ストロベリーナイト』には、今回の事件と実に多くの共通点があることがお分かりになるはずです。

まず『殺人ショー』が開催されるのが、毎月第二日曜であるという点です。これは掲示板それぞれに統一見解があるようで、ある掲示板では毎月十三日であるとか、また別の所では毎月十日であるとかいわれていますが、やや事情通らしき投稿者が、第二日曜であると断言しています。その投稿者は他にも興味深い指摘をしています。

次の『形式』ですが、どこかの舞台で人を殺す、それを観客が見る、そこまでは単純なんですが、興味深いのはその舞台で殺されているのが、その日集まった観客の中から選ばれた人間だ、という点です。つまり観客が、いつ生贄になるか分からない。金原も滑川もずっと観客だったのに、ある日突然、舞台で殺される側に回ってしまったと考えれば、継続的に第二日曜の行動が不明で、その第二日曜に殺された事実とも重なります。

三つめ。『ストロベリーナイト』のホームページは、普段は見ることができません。あるとき、インターネット上を検索すると見つかるページらしいです。それも限られた数時間しか見られない。その後は同じホームページアドレスを呼び出しても表示されず、また検索しても引っかからなくなる。ですから、見た者も非常に限られています。また見た者の話は、ほとんどが伝聞の形をとっているので信憑性は低いのですが、そのホームページで見られる映像というのが、人間の喉をカッターナイフで切り裂くシーンだ、という説が複数あります。それまで普通に動いていた人間の喉元にカッターナイフを当て、真横に切り裂く……。コンピュータ上の映像ですから、作り物ではない、とはいいきれないのですが、見た者の多くは非常にリアルだったと書き込んでいます。

これらの点を総合すると、金原も滑川も、この『ストロベリーナイト』のサイトを見て、殺人ショーを見にいくようになり、先月に滑川、今月に金原が生贄に選ばれ、殺害されたと、考えることができると思います。ちなみに過去の書き込みをたどっていくと、残っている最も古いページで、すでに『ストロベリーナイト』は話題にのぼっています。日付は昨年の十月です。少なくとも十ヶ月、十人の犠牲者が出ている勘定になります」

「ちょっと待て」

橋爪が手をかざす。

「内溜の捜索は五日間行われたが、滑川以外に遺体は揚がらなかったぞ」

するど、どういうつもりか勝俣が口をはさんだ。

「つまり、他の池にも漁ってみろ、ってこったろう」

橋爪はチロリと勝俣を睨んだが、すぐ大塚に目を戻した。

「……そもそも、キサマの報告は、らしいとかいわれているとか、それこそ伝聞の伝聞でまったく信憑性がないじゃないか。それじゃあ口裂け女と本質的にはなんら変わらん。都市伝説以上の情報とは、到底思えん」

――OK、それでこそ橋爪さん。

玲子は立ち上がった。ようやく出番が回ってきた。

「管理官。現時点では『ストロベリーナイト』が、マル害の死と謎の行動を結びつけ、なおかつ合理的に解釈できる唯一の仮説です。無数の切創は公開リンチ、いわばショーのつかみです。ステージ栄えする残酷な傷が、ショーの導入には必要不可欠なんです。次に頸部の切創。これがおそらくネット上の映像になったのでしょうが、ステージでとどめを刺します。

死んだか死なないか分からないような殺し方では意味がありません。はっきりと、誰にでも分かる派手な殺し方がいい。だから、最も派手に血の噴き出る頸動脈を切断するわけです。そして腹部の切創。この謎はすでに解けています。水中に遺棄することによって、死体は簡単に処理できます。『ストロベリーナイト』が実在するのなら、私は金原も滑川も、これに関わって死んだに違いない、と考えます。

ですが、管理官が仰るのはもっともです。大塚の報告はあまりにも信憑性が低すぎます。情報は全てインターネット経由の伝聞にすぎず、実際に別の掲示板には『ストロベリーナイト』を単なる都市伝説、と結論づける者もいます。

ですから管理官、私もこの『ストロベリーナイト』の線を、捜査の主軸にしたいとは考えておりません。あくまでも潰しておかなければならない仮説、と考えております。捜査本部全体で動く必要はありません。ウチの班だけで充分ですから、やらせてください」

勝俣が憎々しげに玲子を見る。そう。玲子は橋爪がこの都市伝説の捜査に乗らないことを見越して、事前会議にかけたのだ。こうしておけば、『ストロベリーナイト』ネタを堂々と独占できる。表向きは勝俣も手出しができなくなる。

——ネタの一人占めってのはね、こうやってやるのよ、ガンテツさん。

勝俣が奥歯を嚙んで眉間にしわを寄せる。実に愉快な眺めだった。

「しかし、姫川班全員というのは、やりすぎだろう。なあ、今泉」

今泉は「そうですな」と頷いた。

「姫川、二人は敷鑑に残せ」

玲子は石倉と湯田を見た。二人も察し、小さく頷く。

「では、こっちの線は私と大塚、それと菊田でやらせてもらいます」

橋爪がこっちを指差す。

「で、具体的には何をどうするつもりなんだ」

「はい。これらの情報から考えて、殺人ショーが行われるとすれば、まずある程度の繁華街であることが予想されます。そうでない場所に何十人も集まれば、逆に近所に怪しまれます。まず新宿、渋谷、池袋などを当たります。具体的には、観客席と舞台がある場所。それも普段は営業していない場所。潰れたストリップ小屋とか小劇場、ライブハウスであるとか。タウン誌や風俗誌、不動産業者を虱潰しに当たり、条件に合った空き物件をピックアップしたいと思います」

捜査で一歩踏み出したとき、玲子は全身に痺れにも似た快感を覚える。

――戦おう、玲子。

その内なる声は、自分自身を鼓舞するものなのか、それとも佐田の魂の呼びかけなのか。もう、自分でもよく分からなくなっている。

「……危険だな」

そう、勝俣は呟いた。

だが、このとき玲子は、それを勝俣の単なる負け惜しみとしか思わなかった。

2

大塚は北見と共に、池袋の繁華街担当をいい渡された。

豊島区池袋。新宿、渋谷に次ぐ、東京都有数の繁華街。東武デパート、西武デパート、三越、パルコに丸井、サンシャイン60。十軒近くある家電量販店。大型書店。ありとあらゆる飲食店。映画館、カラオケ、ゲームセンター、パチンコ、風俗、ホテル。ここにないものを考える方が難しいと思うほど、物と情報と金が唸り、人が溢れる街だ。

大塚はまず、北口を出て最初に見えたファッションヘルスを目指した。古びた雑居ビルの地下。階段の淀んだ空気にはカビの臭いが混じり、一段下りるごとに粘度の高い汗が湧く。だが下りきり、安っぽいペンキ塗りのドアを開けると、ほぼ冷凍庫に近い冷気が流れ出てきた。

「……いらっしゃいませぇ」

やる気のない声で迎えたのは、五十を過ぎているであろう厚化粧の女だ。幅のせまいカウンターに座る彼女の背後には、若い女の子の顔写真が十数枚貼られている。一枚一枚をよく見れば大して美人ではないのだが、この女と比べたらどの娘も実に可愛く見える。子供に捕まって箱に入れられたガマガエル。女は、そんなものを連想させる面構えをしていた。

「今ならすぐできるわよ」

女は振り返って写真を示そうとしたが、

「いや、そうじゃないんです。……警視庁です」

大塚がチラリと手帳を見せると、女は生唾を飲んで硬直した。何か警察に知られてはならない、裏の部分があるのだろうことは察したが、残念ながら今日はそういう目的できているのではない。むしろこっちがご教授願う立場なのだから、あまり脅かしてはいけない。

「いや、生活安全じゃないんです。ちょっと事件の捜査をしてまして、教えていただきたいことがあるんです」

女は怪訝な顔をしたが、とりあえずこっちに体を向け直した。

「……はぁ」

「あの、この界隈にストリップであるとか、そういう類の舞台を売りにする店で、最近潰れたところはありませんか。心当たりないですか」

「は？　潰れた、ストリップ？」

「はい。ショーパブとか、なんでもいいんですけど」

「はぁ……潰れた店を、知りたいの？」

「ええ」

「……変な刑事さんだねぇ」

女は脂肪に埋まった首を捻《ひね》って一所懸命考えてくれたが、あいにく心当たりはなさそうだった。それならそれでかまわない。元々、有力な情報を期待して入ったのではない。

「そうですか。では、ちょっとお願いがあるんですが」

「はぁ、なんでしょ」

「古い風俗関連の雑誌がありましたら、頂戴できませんか」

「古いの？　新しいのじゃなくて？」

「ええ。ここ一年くらいのを、できるだけたくさん」

「……ますます、変わった刑事さんだねぇ」

だが、これは当たりだった。女は十数冊、コンビニでもよく見かける有名な風俗雑誌のバックナンバーを持ってきてくれた。一番古いのは去年の暮れの号だから、まずまずの収穫といっていいだろう。

「汚くて悪いけど、全部持ってってていいよ。こっちは捨てる手間が省けて助かるわ」

大塚は礼をいい、北見と古雑誌を抱えて店を辞した。

——こりゃ、どっかで調べるにしても、このままはマズいな。

今度は、丈夫な袋を探さなければいけなくなった。

大塚は北見と西口に回り、冷房の利いたファーストフード店の二階に陣取って雑誌を開いた。池袋の風俗店案内のページを、前後の号と照らし合わせながら読み進む。なくなった店はないか、場所は同じなのに名前が変わった店はないか。特にショーパブ、ストリップ劇場を中心に調べる。

しばらくして大塚は、二月号にはあった『さくらハウス』というストリップ劇場が、三月号では広告も案内もなくなっていることに気づいた。その住所が別の店名で出ていないか調べたが、ない。さらに四月号にも五月号にもない。場所は北口のホテル街辺り。なんとなく覚えがある。確かに、あの辺にはストリップ劇場があった。大塚は調べにいく候補として、さくらハウスの住所を控えた。

北見は北見で最近の号を調べていた。滑川の件で単純な調べものには慣れたか、手際も集中力も申し分ない。しばらくすると報告を受けた。不景気のせいか閉店はけっこうあるが、そのほとんどがファッションヘルスである。そして同じ場所に同じサービスの店が、別の名前でオープンするケースが非常に多い。そんな内容だった。

——ヘルスは、関係ない……かな。

昼からは実際に現地にいってみた。まず、さくらハウスだった建物は空家になっていた。連絡先として看板に書かれていた不動産屋に出向くと、雑誌で調べた通り、一月一杯で廃業していることが確認できた。その後はずっと空家で、建物の構造が特殊なため次の借り手がつかない状態である、とのことだった。

「もう、大家も別の業種向けに改築しようかっていってるんですがね。でも、周りがラブホテルばっかりでしょ。そこにまたホテルっていったって難しいし、だからって堅い仕事には向かないし。正直、困ってるんですよ」

中を見せてほしいというと、不動産屋は簡単に承知してくれた。

今度は三人で連れ立ち、汗を拭き拭き、さくらハウス跡地に戻る。表は自動ドアで電源を入れないと入れないからと、不動産屋は裏口の戸を開けた。

当然のことながら、中は真っ暗だった。湿っぽく淀んだ空気は蒸し暑さを助長し、まるでお湯のような熱気が顔に貼りついた。外の明かりで事務所らしき部屋が見え、そこから右に左に通路が延びているのが分かる。不動産屋はブレーカーを上げ、一つ一つ照明のスイッチを点けながら進んでいった。

「ここが、ステージですな」

やけに奥行きのない舞台だが、実際に踊り子は客席に向かって張り出した場所で踊るのだから、せまくても問題はないのだろう。

「廃業後、ここを誰かに貸したことはありませんか」

「いえ、ないですよ」

「ひと晩とか、そういうこともありませんか」

「ええ、ありませんね。だってほら、ご覧の通り、幕だってなんだって全部はずしちゃってますでしょう。舞台照明だってね、ほら、球を抜いてある。客席ったって椅子もないし。ひと晩だけ借りたって、こんなとこじゃ、何もできゃしないですよ」

——いや、殺人ショーなら、これで充分なはずだ。

むしろ大塚は、こんな殺風景な店の方が『ストロベリーナイト』には向いている気がした。中途半端に暗いこの張り出しに、自由を奪われた金原を連れ出し、ガラス板を乗せ、鈍器で殴りつける。バットか何かを押しつけたかもしれない。血だらけの金原は手足の自由を奪われてもなお、芋虫のように這って逃げ惑っただろう。その金原を背後から捕らえ、犯人は喉元を切り裂いた——。

その一部始終を、観客たちはどんな思いで見ていたのだろう。いい気味だと思ったのか。だとしたら、もはや人間失格だ。さっさと次の生贄にでもなればいい。それとも可哀想だと思ったか。だったらなぜ助けようとは考えない。金原も滑川も、実際に目の前で殺されたというのに。そう、誰も助けようとは考えないのだ。そんな気持ちがある人間なら、そもそも殺人ショーなど見にこない。

「もう、よろしいですか」

大塚ははっと我に返った。

そうだった。彼が貸していないというのだから、つまり実際には、ここは使われていないのだった。だが逆に、無断で入り込んで使ったとは考えられないだろうか。鍵さえなんとか上手く開けてしまえば、あとは閉ざされているのだから、却って準備などはしやすくなる可能性もある。観客も、目立たないよう正面ではない場所から入れた方が好都合だったはず——。

そう考えると、インターネットの書き込みを読んだだけで、「現場は繁華街の潰れたストリップ小屋、小劇場、ライブハウス」といいきった姫川の感覚は、改めて並ではないと実感させられる。確かにこういう場所を見れば、殺人ショーに持ってこいだと感じる。さらに彼女はこのネタを独占するために、幹部の前で芝居まで打ってみせた。上司である橋爪管理官を手玉に取り、あの勝俣の動きを封じ込めることに成功した。あの手の芸当は、決して経験や努力で身につくものではない。センス、才能。そういうものが、自分とは根本的に違うのだと思う。

——ま、俺は俺で、地道にやってけばいいさ……。

大塚は今一度、ホール内を見回した。

——ここも一応、鑑識に見てもらった方がいいのかな。

とりあえず夜の会議で報告するネタができて、大塚はほっと胸を撫で下ろした。

経営者が代わり、別の店として営業をしているショーパブとオカマバーも調べた。

ショーパブの方はほとんどすぐに次の借り手がついたため、空いていたのは三月半ばから四月初めまでのわずか二週間だったという。しかも、その二週間に第二日曜は含まれていない。前後の事情を鑑みて、『ストロベリーナイト』に利用されたとは考えづらい物件だった。

オカマバーの話はショーパブの件で訪ねた別の不動産屋から聞いた。以前の経営者が夜逃げをし、三月から五月まで空いていた。今の経営者はまったくの別人だが、なぜかまたオカマバーをやっているらしい。その空いていた約三ヶ月の間、誰かに貸さなかったかと訊いたが、それはさくらハウス同様、ないということだった。

参考までに現在の店内を見せてもらったが、大規模な改装工事をしたため、すでに以前の面影はないという。ホールの床、壁、天井は全て新しくなっている。仮にここが『ストロベリーナイト』に利用されたのだとしても、もう捜査のしようもないわけだ。鑑識が入ったところで、血痕一つ見つけることはできないだろう。そんな内装材は、とうの昔に廃材として処理されている。そもそも、営業している店を見込みで捜査することはできない。

午後四時五十一分。大塚は池袋駅まで戻り、地下に下りる階段の前で北見に向き直った。

「あの、申し訳ないんですが……」

北見はわずかに眉をひそめた。

「はい、なんですか」

大塚は思いきって切り出した。

「ええ、あの……大変、申し上げにくいんですが、小一時間、別行動にして、もらえませんか」

「今から、ですか」

「ええ。本当に申し訳ないんですが」

さらに深く、北見の眉間にしわが寄る。

大塚は、これからある人物と会う約束をしている。だがそれは、北見のようなキャリアには知られたくない、あるいは関わらせたくない人物なのだ。それでもあえて、「別行動をしたい」と正直に告げた気持ちだけは分かってほしい。大塚は、北見が嫌いではないのだ。

「北見さん。あなたがもし普通の所轄の刑事だったら、私はわざとはぐれて単独行動をとるでしょう。一課の……いや、これは本部の刑事なら誰もが、一度や二度はやることだと思います。ですが、私はあなたに対して、それはしたくない。あなたがキャリアだから、将来どこかで、また別の形でお会いするかもしれない、そのときのことを考えて……というのも、なくはないです。ですがそれよりも、あなたは私が巡査であるにも拘わらず、礼を尽くして行動を共にしてくれた。そのことに対して、私は無礼で返すことはしたくないんです。ですから、正直に申し上げます。一時間でけっこうです。私に、時間をください……」

頭を下げると、北見は直立したまま、しばらく黙っていた。どんな顔をしているのかは分からないが、やけに長い沈黙だった。

「……顔を、上げてください。大塚さん」

その声は思ったより、大塚の耳に冷たく響いた。やはり、怒ったのだろうか。相方なのに、一人厄介払いされることを不快に思ったのだろうか。それとも本部の刑事なら誰でもやること、といったのが気に入らなかったか。だがどちらにせよ、怒って当然だ。こんなことは誰だって不愉快に決まっている。

——でも北見さん、あなたに本当のことはいえないんです。

有体にいえば、大塚はこれから違法捜査をする。単純にそれを、キャリアである北見には知られたくない。また変に義理立てされて、付き合うといい出されても困る。のちにこれが発覚すれば、確実に大きな問題になる。始まったばかりの北見の経歴に傷はつけられない。知らなかった、自分に責任はない、そういうスタンスでいてほしい。

大塚は顔を上げた。

「お気を悪く、されたのなら……」

「いえ。分かりました」

北見の浮かべる、引き攣った笑みが妙に痛々しかった。

「私は、自分の分は分かっているつもりです。今回は署長に無理をいって、捜査本部に参加させてもらいました。それが許されたとき、私は、邪魔にだけはなるまいと、心に決めました。今が、そのときなのだと思います」

「……北見さん」

彼は、いかにも高級そうな腕時計を見た。

「だったら、六時まで、私はどこかで時間を潰しています。六時になったら、どうしたらいいですか」

大塚は今一度頭を下げた。

「申し訳ないです。その時間になったら、こちらから連絡します。そしたら、一緒に帰りましょう。それでいいですか」

北見は静かに頷いた。


これから会う男、辰巳圭一《たつみけいいち》が指定したのは小さなスナックだった。

うなぎの寝床のように長細い店内には、六人座れば一杯のカウンターがあるだけだ。週末といえどもこの時間から客がくるのは珍しいのだろう。大塚がドアを開けたとき、ママであろう女は怪訝な顔をしてみせた。

「……いらっしゃい、ませ」

「待ち合わせなんですが」

それでピンときたのか、ママは笑みを浮かべた。

「ああ、圭ちゃんのお客さんか」

すぐにカウンターに座るよう、しなやかな手付きでいざなう。

大塚は、辰巳とこの女がどういう関係かは知らない。辰巳圭一はまだ二十代半ばで、この女は明らかに四十近い。一般的な男女のそれとしては不釣り合いかもしれないが、あの辰巳だったら、それもありだろうと思う。根拠はないが、そう思うのだ。

辰巳は、大塚とは住む世界が違う、簡単にいえば裏社会の人間だ。尾行、張込み、盗聴、盗撮、ハッキング。探偵崩れといってもまだ聞こえがいい。要は金のためなら、どんな手を使ってでもネタを仕入れる情報屋だ。得意客は日本最大の暴力団、大和会《やまとかい》。

まだ所轄署の刑事だった頃、大塚は辰巳を逮捕し、住居侵入で送検したことがある。今までで唯一、大塚自身が挙げたホシというのが、辰巳圭一なのだ。裁判での判決は懲役二年、執行猶予三年だった。辰巳は大塚を恨んでいる。それを承知で連絡をとった。皮肉なことに、大塚はこの手の仕事をやる人間を、辰巳以外に知らない。

午後五時五分。ドアのカウベルが鳴り、派手なアロハシャツの男が店に入ってきた。辰巳だった。

「あ、圭ちゃん、こちら……」

辰巳はママには目もくれず、大塚の隣に座った。

「あんたが俺を呼び出すってのは、どういう風の吹き回しよ」

そう吐き捨て、辰巳は真っ黒いサングラスを外した。金髪にベッタリと塗りつけた整髪料の匂いがキツい。何か機械でもいじっていたのか、カウンターに置いた右手の指先は黒く汚れていた。

「ああ。わざわざ、すまなかったな」

大塚はすぐには用件をいわなかった。いや、いえなかった。

黙っていると、ママが大塚に何を飲むか訊いた。酒以外のものを、と頼むと、グラスに注いだウーロン茶が出てきた。辰巳には瓶のままのビール。辰巳はつまらなさそうに口をつけ、だが美味そうに喉を鳴らして飲んだ。それを横目で見ながら、大塚は切り出した。

「……実は君に、仕事を、頼みたい」

するとは辰巳はビールを吹き出し、喉を詰まらせ、激しくむせ返った。咳き込み、胸を拳で叩く。辰巳が吹き出した泡を、カウンターの向こうからママが拭く。

「な……あ、あんた、なにいってんだ」

「ああ。驚くだろうが、本気なんだ」

「あんた、自分が何いってっか分かってんの」

「ああ。分かってる」

辰巳は瓶を置いた。奥歯を強く噛み、ウィスキーのボトルが並ぶ正面の棚を睨む。ママは見比べるようにこちらの様子を窺っていたが、口ははさまなかった。カラオケ用に防音をしてあるのだろう、逆に外の音はまったく聞こえない。時間が早いせいかＢＧＭもない。耐え難い重さの沈黙がせまい店内に垂れ込める。次に喋るべきは自分か。そう迷っていると、辰巳が口を開いた。

「……あんたさぁ、俺をパクッといて、仕事を頼みたいってのはどういうことよ。刑事であるあんたが俺にやらせるからにゃ、それなりの汚れ仕事なんだろうが。あんた、前科モンにヤマ踏ませんの？　デカがそんなことしていいわけ？　ねえ、そういうのってアリなの？」

大塚は、すぐには返事ができなかった。辰巳のいう通りだからだ。だが、そうと分かっていても、辰巳に頼むより他に方法がない。

「……分かってる。ムシのいい話だってことは、百も承知してる。でも君しか、心当たりがないんだ。俺には、君しか思いつかなかったんだ」

「分かんねーよ。全然分かんねーよ」

大塚は頭を下げた。

「ああ。だから、聞くだけは聞いてくれ。……実は今、殺人事件を捜査している。俺は今までずっとサポートっていうか、そういうポジションで、長いことやってきた。君を逮捕したようなのは、本当はすごく珍しいことで、俺は正直いって、犯人を逮捕したこととか、実は、ほとんどないんだ。けど、今の事件で、俺はたまたま、大きなネタを拾っちまったんだ。それが、ちょっと曲者《くせもの》でね。現段階で把握している状況では、極めて悪質で、異常な犯罪なんだ。そして複雑なんだ。全容は、もしかしたらまだ見えていないのかもしれない。だから、俺がつかんだネタで捜査を進めたいんだが、これが、現行の警察では扱いづらいものなんだ。有力なネタなんだが、警察では使えないんだ」

「なにいってんだあんた。全然分かんねえって」

辰巳は鼻で笑った。当然だろう。事件の内容は話さず、とりあえず説得しようというのだから。だが受けてくれなかった場合を考えると、事件について詳しくは喋れない。ましてや大塚や姫川の置かれている状況を説明しても始まらない。

――結局俺には、こんな方法しか、ないんだ。

大塚は高いスツールから下り、カウンターと壁との隙間にはさまって土下座をした。

「頼む、辰巳。黙って俺の仕事を受けてくれ」

脳裏には姫川の顔があった。

勝俣に呼び出されたあと、菊田の腕に崩れ落ちた弱々しい姫川。あんな姿は今まで見たことがなかった。勝俣との間に何かあったのだろう。このところ、やけに疲れた顔をしている。昨日、この池袋に呼び出したときもそうだった。休日の姫川は刑事であるときのそれとは違い、何か可愛らしい感じに見えたが、それよりも、目の下の隈が気になった。何かが姫川を弱らせている。瘴気のように見えない何かが、姫川にとり憑いて力を奪っているように感じるのだ。

——今、俺がやらなくてどうする。

大塚は姫川に認められたい、ずっとそう思ってきた。石倉はああいう性格だから、優しい先生ができの悪い生徒を可愛がるように、よくやったなと自分を褒めてくれる。だが本音でいえば、姫川のようにまったく違うタイプの刑事に、存在を認められたい。姫川に「あたしにはできないわ」と、自分の働きを認めてもらいたい。彼女が弱っている今こそ、まさにそのチャンスなのだ。

——諦めないぞ、辰巳。俺はお前に、この仕事を受けさせてみせる。

大塚は土下座し続けた。「そんなことしたって無駄だぜ」と辰巳がいっても、「よしてください」とママがカウンターから出てきても、大塚は頭を上げなかった。「頼む、仕事を受けてくれ」と、すれて毛足の短くなった臙脂《えんじ》のカーペットに額をこすりつけた。それしか、大塚にできることはなかった。馬鹿馬鹿しいと思う気持ちはなかった。これを続けていれば、必ず先は拓けると信じていた。単純作業だが、一所懸命頭を下げれば、辰巳は折れてくれると確信していた。

しばらくして、辰巳は大きく、溜め息をついた。

「……俺に、どうしろってのよ」

「えっ」

大塚は初めて顔を上げた。

「俺に、何をしろってのさ」

「や、やって、くれるのか」

「内容を聞かなきゃ、なんともいえねぇけど」

「つまり、内容次第では、やってくれるのか」

「……ああ。負けたよ、あんたのしつこいのには」

——やった。

思わず、笑みが漏れた。それを見た辰巳も、フッと笑った。

「……あんときもそうだった。俺はじっとしてればパクられずにすんだのに、あんたは俺が動くまで、三時間もあの場所を離れなかった。あのとき俺は、ビルの壁から落ちたんじゃない。諦めて、根負けして、あんたの前に下りたんだよ」

大塚は立ち上がり、辰巳の両手を握った。

「ありがとう、ありがとう」

だが、辰巳はすぐに大塚の手を振り払った。

「ちょっと待てよ。タダじゃねえぞ」

「分かってるさ。それ、ちなみに一日、いくらくらい？」

「だからそれは、内容を聞かなきゃなんともいえねえよ」

大塚は頷き、カバンから封筒を出した。中身を抜いて渡す。辰巳はペラペラと二、三枚めくって眺めた。

「……BBSじゃねぇか」

つまり、インターネットの掲示板のことだ。

「ああ。実はこういうところに書き込んでいる人物を、個人として特定してほしいんだ。たとえばこの『ダンベルディ』という人物の本名と、できれば住所が知りたい。そういうことは、できるだろうか」

辰巳は、ああと漏らした。

「その個人が、毎回同じハンドルネームで書き込んでいれば、いずれはできるよ」

「ちなみに、普通だったら、プロキシサーバっていうのか、そこまでしか特定できないと聞いたことがあるが、君なら、個人まで特定できるんだな?」

辰巳は自信ありげに頷いた。

「クシがどうこうは素人の話さ。こっちはプロだからな、キッチリ個人まで特定してみせるさ。……ただ、一つ問題はある。俺が調べるには、一度はその相手と同時にアクセスする必要がある。つまり、そいつがネットにアクセスしている間しか、俺には調査時間がないってことだ。逆にいえば、そいつがアクセスしてこないと、俺の調査はいつまで経ってもできないことになる。かなり、時間と根気の要る作業だが」

「いや、それなら大丈夫だ。俺の調べてもらいたいのはそれぞれの掲示板の常連ばかりだから、毎晩必ずアクセスし……」

　辰巳は掌で遮った。

「ちょっと待て。常連ばかりって、調べたいのは、一人じゃないのか」

「ああ。八人ほど、頼みたいと思っていたんだが」

「さっきもいったはずだぜ。俺はタダ働きはしない」

　そうだった。引き受けてもらうのはいいが、今度はその報酬が、大塚の払える額であるのかどうかが問題なのだった。

「ちなみに、どれくらいになる?」

「そういう内容だったら、一人当たり五万は貰うが」

「五万……八人で、四十万……か」

　無理だ。それは絶対に無理だ。そもそも違法捜査なのだから帳場から予算など出るはずもない。よって全て個人で賄うつもりだったが、いくらなんでも四十万は無理だ。月給でさえ三十万に満たない。四十万は高すぎる。

「すまないが、もう少し……負けてもらえないか」

　残りの三十分を、大塚は値段交渉に費やした。

3

八月二十四日日曜日。玲子は渋谷で空き物件の捜査に当たっていた。

昨日一日の収穫はなく、また今日の午前中に当たったライブハウスもはずれだった。

「主任……そろそろ、ちょっと違った角度で、アミ張ってみまへんか」

そんな井岡の提案で、玲子たちはインターネットカフェに入った。

「署からやと、サーバを調べられたときに、警察やてバレるかもしれへんやないですか。でもこういうとっからなら、ワシらが刑事かて関係あらへんし、フリーメール使えば、あとは署からでも連絡待ちできますやんか」

つまり井岡は、大塚がピックアップした掲示板に自ら書き込みし、事情通らしき常連に接触を図ろうというのだ。

「いいアイデアだけど、そんなのに引っかかるかしら」

「それは、やってみな分からへんでしょ」

早速アクセスし、掲示板の話の流れを読む。今はあまり話題になっていないのか、『ストロベリーナイト』についての意見交換はページの下の方にもぐってしまっていた。

「ああ、ハンドルネーム考えなきゃ」

「そうですなぁ……ちなみに、キャラ的には男でっか」

「どっちがいいと思う？」

「ま、ここは男が多そうやから、女の方がエエんとちゃいますか」

「そうなの？　でもそんなの、名前だけじゃ分かんないじゃない」

「それとなく、女やと、匂わすんですわ……」

井岡が玲子の肩に顔を寄せる。

「あたしの匂い嗅いでどーすんの」

「ああ、エエ匂いやわぁ」

「変態」

「んもっ、もっと……」

とりあえず張り手を一発。静かな店内にいい音が響き渡り、多くの視線を集めてしまったが、そんなことを気にしていては、井岡とコンビなど組んではいられない。

——ほんと、懲りないよね。大したもんだわ。

玲子はセクハラには比較的厳しく対処する方で、これまでに電車の中で、痴漢の指を十七本、腕を二本折ってきた。職場では指六本、さすがに腕はないが、金的の膝蹴りで三人、足払いでの脳震盪《のうしんとう》で二人を戦闘不能に追い込んでいる。だがこの井岡は、毎日ちょっかいを出しているわりに、今のところは骨折も失神もない。

玲子は一瞬、実は自分は、心のどこかで井岡に好意を抱き始めており、それで無意識のうちに手加減してしまっているのかも、と考えた。

——いやぁ、それだけは絶対にないでしょう。

たぶん、井岡は並外れて丈夫なのだと、独りごちてすませる。

「ももちゃん、いうのは、どうですか」

井岡が人差し指をピンと立てる。

「なにそれ」

「ワシの実家の、ハムスターの名前」

「似合わないなぁ」

「いや、主任のハンドルネームですがな」

もう一発殴ってやろうか。

「なんであたしがあんたんちのハムスターの名前を名乗らなきゃならないのよ」

「そやったら、カスミちゃん、とかは」

白鳥香澄、か。

「嫌よ。あんな尻軽女」

「ですから、それで主任が、思いっきり淫乱女を演じたら、よろしいんですわ」

「む。それ、ちょっと面白いかも」

そのとき、玲子の携帯がテーブルの端で震えた。見ると番号は捜査本部からだった。

「はい、姫川」

『今泉だ。今から急いで戸田公園にいってくれ』

「は？　戸田公園って、埼玉県戸田市の、あの戸田公園ですか」

『そうだ。戸田漕艇場で死体が見つかった。青いビニールシートに包まれてる。かなり腐敗が進んでいるようだが、こっちのヤマとよく似ている』

「……分かりました」

もぞりと、玲子の背筋で何かがうねった。


埼京線を戸田公園駅で降り、戸田漕艇場に向かう。今泉の説明だと、遺体発見現場は東京と埼玉を隔てる荒川を渡ってすぐの、戸田公園事務所付近だという。地図を見ると、駅からはかなり東京寄りに戻る感じだ。

左手に高い荒川土手を見ながらいくと、戸田公園という信号があった。付近には鑑識のものであろうワンボックスや、機捜の覆面パトカー、県警の白黒パトカーが停まっている。野次馬も二十人前後いる。

見張りの制服警官に手帳を提示すると、

「……ご苦労さま、です」

毎度のことながら怪訝な顔をされたが、それでも黄色いテープは上げてもらえた。

通路を進むと、平屋の倉庫が見えてくる。東大を初めとする、都内有名大学の艇庫のようだ。そこを過ぎると、長い河川状のボート練習場に出る。これが戸田漕艇場だ。

公園敷地内は立ち入り禁止にしているため、漕艇場のこっち岸に野次馬は一人もいない。だが、対岸の道路は黒山の人だかりだった。無理もない。ここに並んでいるのが全部死体だとなったら、誰だって興味を持つ。怖いもの見たさ。焼けつくような陽射しもなんのその。対岸は押し合い圧《へ》し合いの大騒ぎだ。

確かに、それは異様な眺めだった。コンクリートの岸に並べられた青いビニールシート。九つの、人長の包み。玲子は難しい顔で死体の列を睨む男たちに近づき、捜一の腕章を着けた中年刑事に会釈した。

「警視庁捜査一課の、姫川です」

「ああ、ご苦労さまです。県警捜査一課のアズマです」

意外なほど人のよさそうな笑みで名刺を差し出す。埼玉県警刑事部、捜査第一課、警部補、吾妻文彦《ふみひこ》。背恰好は、ちょうど石倉と同じくらいか。

「ちょうどよかった。私がそちらに連絡を入れるように指示したのですが、どうでしょう。似てますでしょうか」

大阪府警と神奈川県警には、警視庁に対して並々ならぬライバル意識を燃やす者が多いが、埼玉県警はそうでもないのだろうか。玲子は少々肩透かしを喰った気分だった。吾妻だけでなく周囲の刑事たちの視線も、さほど厳しくはない。

――ちょうど、佐田さんと同じ部署ってわけだ。

玲子は今回の事件に、何か因縁めいたものを感じずにはいられなかった。

「シートは、同じだと思います。ちょっと、中を見せていただいてもよろしいですか」

「はい、どうぞ」

吾妻は包みの列の、一番奥にいざなった。

「こっちから、新しい順に並べてあります。大体ですがね」

「はぁ」

なるほど。この九つの死体は、傷み具合がそれぞれ違うわけか。ひと月に一体ずつ沈めていったら、確かにそういうことになるだろう。

「これが、一番新しいと思われます」

吾妻がシートを剝ぐ。玲子は鼻息を止めて遺体を見た。

顔はすでにぐちゃぐちゃだが、体型からすると間違いなくそれは女性だった。両方の乳房がバッテンに切開されている。どうやらこの女性のときは「×」がテーマだったようで、上半身にはX型の傷が二十ヶ所ほど確認できる。どれも白くふやけて口を開いているため、体中に花が咲いたように見える。むろんそれとは別に頸動脈、腹部の切創も確認できる。これが滑川の直前の犠牲者だとしたら、二ヶ月半前ということになるだろうか。納得できる腐敗具合ではある。

　玲子は吾妻に頷いてみせた。

「間違いないと思います。ちなみに、遺体はどうやって発見されたのですか」

　一緒に屈んでいた吾妻が体を起こす。

「ええ。この遺体のシートだけは、よほどギッチリ結んであったんでしょうな。頭の辺にガスが溜まったまま抜けなかった。そうこうするうちに足のヒモが切れ、シートを風船にして上手いこと浮かんできた……と。ま、そういうことでしょう」

　ふいに背後、艇庫の方を親指で示す。

「第一発見者は、午前中に練習していた東大の学生たちです。なんでも、漕いでいたボートの横に、ボワンッとこれが浮かんできたとか。ビックリしたでしょうな。でもまた、すぐに沈んでしまった。それだけだったら放っとかれたのかもしれんですが、部員の一人が、ちゃんとニュースを見てたんですな。東京の釣り堀で、ブルーシートに包まれた死体が発見されたことを知ってまして。それで通報を受け、所轄が臨場し、本部のダイバーを呼んで捜索したところ、九つも沈んでた、と……ま、そういうことです。ダイバーはボンベの空気がなくなったので、今日のところは引き揚げました。明日また、捜索を続行します。……しかし、東京で発見されて、まもなくこっちでも浮かんで……何か、怨念めいたものというか、浮かび上がった仏さんの、無念を感じますな」

吾妻はひと息ついてから、次のシートをめくった。

二体目はもはや性別すら不明だった。順番が正しければこれは三ヶ月半前ということになるか。白骨化が著しく、頭頂部から側頭部に残った短い髪の感じから、男性ではないかと推測できる程度だった。当然、頸部にも腹部にも切創は確認できない。もし金原の遺体が上手く沈められており、こっちが先に発見されたとなったら、捜査は今よりさらに難航したことだろう。そう考えると、『ストロベリーナイト』に行き着いた現状は、決して悪いものではないともいえる。

三体め、四体め。ここまでくると、ほとんど完全に白骨化しており、どれが先でどれがあとだか、もう玲子には判別ができなくなった。

これ以上は見ても無駄か。そう思ったとき、

「おーやおやおや。お暑いのにご苦労さまですな、姫川主任」

今、一番聞きたくない声が背後に響いた。

振り返ると、赤黒い顔にたらたらと汗を滴《したた》らせた勝俣がすぐそこまできていた。本部がここにくるよう指示したのか。それとも勝俣が自力で情報を仕入れて勝手にきたのか。どちらにせよ、やりにくくなるのは間違いなさそうだった。

「どうもどうも。警視庁捜査一課の、勝俣と申します。いやいや、暑いですなぁ」

「恐れ入ります。県警捜査一課の、吾妻です」

玲子にしたのと同じように、吾妻が勝俣に名刺を差し出す。今はそれが、無性に腹立たしい。

玲子はわざと咳払いをし、注意を引いた。

「勝俣主任、どうしてここへ」

「なんだ。これはあたしだけが知ってるのよ、とか思って浮かれてたのか。お前が知ってることくらい、この俺が知らないわけがないだろう。自惚《うぬぼ》れるのもいい加減にしろよ、田舎モン」

勝俣の隣で、吾妻が怪訝な顔をする。

「別に、自惚れてなんて……」

「自惚れてんだろうがよ。ま、よかったじゃねえか。これでお前んとこの金魚があげた『殺人ショー』ネタが、信憑性を帯びてき……」

「ちょッ」

だが玲子が遮ると同時に、

「なんです？　その、殺人ショーというのは」

吾妻が割って入った。勝俣が、妙に嬉しそうに向き直る。

「いえね、ちょいと奇妙な情報がありましてね。実は……」

「ちょっと勝俣主任ッ」

玲子が肩をつかんで制止すると、勝俣は小さな黒目を思いきり端に寄せて睨んできた。だが、玲子はかまわず勝俣をどけた。

「吾妻主任。この件につきましては、正式に合同で捜査すると決定し次第、こちらから報告書を提出させていただきます。失礼……ちょっと勝俣さん」

そのまま勝俣を、後ろの応援ベンチの方に引っ張っていく。相方の中年刑事もついてこようとしたが、玲子はそれを目で制した。

「……なんだよなんだよ、乱暴だなぁ」

勝俣が喋るたび、気温が一度ずつ上がっていくように感じる。

「勝俣さん」

玲子は彼の正面に回って睨みつけた。

「まだ合同でやるとも決まってないのに、どうして余計なことをペラペラ喋るんですか」

勝俣が片眉を吊り上げる。

「馬鹿かキサマ。これだけ状況がそろってりゃ、合同でやるに決まってんだろ。こんなときだけ四角いことといって出し惜しみするな。ケチくせぇ」

いい終わると同時に、玲子の足元に唾を吐く。

――ケチくせぇ？　それだけはあんたにいわれたくないわよ。

だが思っただけで、玲子はその言葉を呑み込んだ。しかし、それではどうにも腹の虫が治まらない。このまま顔を合わせるたびに嫌味をいわれ、嫌がらせをされるのでは堪らない。玲子は腹を決めた。この際だ、いってしまおう——。

「……勝俣主任。いい機会なのでお伺いしますが、どうしていつも私の邪魔ばかりなさるのでしょうか。何か私に落ち度でもありましたでしょうか」

勝俣は鼻で笑った。

「邪魔とはまた人聞きが悪い。テメェが俺を邪魔だと思うのは、そりゃテメェがのろまだからだろう。勝手に後塵を拝して、邪魔者扱いもないもんだ」

「ここには私の方が先にきています」

「そりゃまたどういう自慢だ。キサマはイマハルにいわれたからきただけだろうが」

「だったら勝俣主任はどうしてここにいらしたんですか」

「そんなことをキサマに報告する義務はない」

「なら白鳥香澄の件はどうなんですか。彼女は私が面接するはずでしたが」

「お前がモタモタしてっからこっちがやっただけだ。俺はそれをまさに『のろま』といってるんだよ、田舎モン」

「大体なんなんですか、その『田舎モン』って」

「埼玉の浦和が田舎でなかったらどこが田舎なんだ。生粋《きっすい》の東京人である俺様にいわせりゃ、テメェは田舎モンで世間知らずの芋ねーちゃんだ。そんな芋ねーちゃんはな、田舎の公園の便所裏で青姦してんのがお似あ……」

「なッ」

言葉より先。思わず玲子は、右手を振り上げていた。殴ろう、勝俣を殴ってしまおう、本気でそう思った。が、その手を、ふわりと何かがからめ取った。

「……主任、やめときましょう」

井岡が、いつのまにか後ろに立っていた。

「そないなことしたら、ホンマに捜査でけへんようされてまいまっせ」

——井岡くん……。

確かに。彼のいう通りだった。

ここで玲子がビンタでもすれば、勝俣は恥も外聞もなく、暴行を受けたと騒ぎ立てるだろう。たとえそれが罪にならないと分かっていても、勝俣は派手に騒ぐだろう。玲子を、ほんの一時でも前線から排除するために。

——どうして？　どうしてこの人は、こんなにあたしを……。

玲子は込み上げる怒りを奥歯で噛み殺し、勝俣に背を向けて歩き始めた。

「……危険なんだぞォ、お前の、その発想はァ」

勝俣が背後で何かいっていたが、玲子は無視して歩き続けた。

4

八月二十四日日曜日、午後七時半。

大塚は夜の捜査会議に出席していた。

「本日午前十一時、埼玉県戸田市の戸田漕艇場内に遺棄されていた、変死体の司法解剖所見、及び鑑識結果が届いたので、報告する。全部で九つの遺体は、いずれも本件に使われていたのと同じ、ミノワ資材製のビニールシートを用いて遺棄されており、また最も新しいと思われる遺体には、頸動脈を切断する切創と、腹部を大きく縦に裂く切創が確認された。加えてこの九体は、それぞれの腐敗程度にほぼ一ヶ月のずれがあることも指摘されている。これは本件の滑川、金原殺害の時期的ずれと一致する。よって以上のことから、『戸田漕艇場変死体遺棄事件』を本件と同一の犯人によるものと考え、協力して捜査を行うことになった。

現段階では正式な合同捜査ではなく、『戸田事件』本部とはあくまでも相互協力して捜査を行うという取り決めだが、諸君には実質、二つで一つの捜査本部と考えて行動してもらいたい。当然、現段階でこちらがあげている情報については全て県警側に報告し、また県警側も新たに得た情報はこちらに開示することになっている。

どちらの帳場が挙げるとか、そういった了見のせまいセクショナリズムは、この際さておいてもらいたい。最も優先されるべきは、この卑劣かつ凶悪な、猟奇殺人犯の逮捕である。すでに犠牲者も十一名を数え、マスメディアの注目度も高まっている。捜査が長引けば警察の威信に関わる。諸君にはより一層の努力と献身を求めると共に、柔軟な発想と不屈の精神を持って、明日からの捜査に当たってもらいたい」

報告か、あるいは演説か。和田一課長の長いマイクアピールを聞きながら、大塚は捜査本部を見回した。

勝俣は最前列で腕を組み、目を閉じて一課長の話を聞いている。注視すると、その頬は微妙に引き攣って見えた。もしかすると、笑っているのかもしれない。何かいいことでもあったのだろうか。だがどんな類であろうと、笑みは、埼玉県警への協力を渋る今のこの帳場の空気には馴染まない。はっきりいって不気味だ。何か、悪いことでも企んでいるのでなければいいが。

その点、姫川の態度は分かりやすい。下唇を嚙み、鼻で何度も溜め息をついている。当然だろう。立ち上げから現在までこの帳場を引っ張ってきたのは他でもない、彼女自身なのだ。遺体腹部の切創の謎を解き、水中遺棄犯は深沢康之であろうと当たりをつけ、滑川の遺体を見つけ出したのは、彼女なのだ。『ストロベリーナイト』の情報を仕入れたのは自分だが、それを捜査に組み込もうと動いたのは姫川だ。現在、空き物件捜査における芳《かんば》しい結果はまだ出ていないが、いずれは実を結ぶだろうと大塚は思っている。いや、信じている。特に今回は自分が振り出したネタだ。なんとかこの線で解決まで持っていきたい。

だが今、その全てがタダで他所に流れていこうとしている。もちろん埼玉にホシを奪われると決まったわけではないが、現状では姫川班の手にある『ストロベリーナイト』ネタが、独占ではなくなる可能性が高い。特に今回発見された遺体は滑川以前の犠牲者ばかり。遺体の傷みがひどく、検死結果からも情報不足は明らかだ。犯行から時間が経っているため、地取りの成果もないに等しいだろう。鑑識も特にめぼしいモノをあげられずにいるようだ。マル害の身元が割れない以上、敷鑑もできない。つまり、埼玉県警側にはほとんど、捜査するネタというモノがない。

そうなると、県警が比較的ネタの出そろっている『ストロベリーナイト』をやりたがる可能性は高い。要は『殺人ショー』の存在をどれだけ真剣に受け止めるか、だ。ただでさえ合計十一人という犠牲者数は、単純な殺人事件の範囲を逸脱している。何かこの異常事態を分かりやすく括るものが必要とされている。そこで『殺人ショー』というキーワードが、俄然説得力を持ち始める。

——だから、か……。

大塚は、勝俣の不気味な笑みの意味を解した。

もしかしたら勝俣は、『ストロベリーナイト』ネタを自分でやりたかったのかもしれない。

あの事前会議ではそれを良いとも悪いともいわなかったが、心中では「これだ」と思っていたのかもしれない。しかし昨今、衝突の激しい姫川班のあげたネタだ。やりたくても、やりたいとはいえなかったはずだ。口惜しい気持ちだけが、腹に溜まっていたと察することはできる。

そこに、まったくの別件で埼玉県警が九つの遺体を揚げた。図らずも、捜査協力で全ての情報を開示しなければならなくなった。勝俣は自ら手を下さずして、姫川班からネタを取り上げることができた。彼はそれを悦んでいるのではないか。いや、もしかしたらそれ以上に何か考えているのかもしれない。勝俣の考えることは、大塚には到底読みきれない。

——やっぱり、俺はあれを受け取りにいくべきなのか……。

大塚は今になって、辰巳に依頼した調査の結果を受け取るのが怖くなっていた。それは単純に、あの調査依頼が違法捜査だからだ。

今まで大塚は、バレて困るような捜査は一切してこなかった。だが今回、あえてその一線を越えた。それは『ストロベリーナイト』が、捜査一課にきてから初めて自分でつかんだ大きなネタだったからに他ならない。加えて勝俣班の参入で、何やら姫川班が劣勢に立たされるような展開になってきた。焦りがあった。だから自分のつかんだこのネタで、なんとか捜査を前に進めたいと思った。その思いは、埼玉県警と捜査協力という事態で、さらに強まったといっていい。

それでも辰巳に会うのは、正直いって怖い。次に会うのは明日の夕方五時。報酬を渡し、情報を受け取ってしまったら、その時点で違法捜査は成立する。単純に怖い。だが、いかないわけにはいかないだろう。

犯行はいつ、どこで、誰が、なぜ、どうやって行ったのか。

現状で分かっているのは、いつ＝毎月第二日曜、どうやって＝リンチの末、頸動脈を切り裂いて、という部分のみだ。だが辰巳の調査が上手くいけば、大塚の読み通り、あの八人の中に一人でも『ストロベリーナイト』に参加した者がいるならば、どこで、誰が、の部分が分かるはずである。それで捜査は一気に前進する。

大塚は前回、一人につき五万という報酬を値切った。最終的に辰巳は、一人につき三万というところまで負けてくれた。八人分で二十四万。それでも大塚にとっては大きな出費だが、なんとか工面できる額にはなった。

その代わり、辰巳は条件を付けた。調査期間は二日、その間に八人全員の情報がそろわなくても、報酬は全額支払うこと。大塚はその条件を吞んだ。下手をしたら大塚は、一人分の情報に二十四万支払う破目になるかもしれない。辰巳がどれだけの良心を持ってあの依頼を受けたのかは分からない。今は辰巳が、一つでも多くの情報をつかんでくれるよう祈るのみだ。

捜査報告は、すでに大塚のすぐ前、菊田まできていた。

今日の大塚組の捜査に、特に報告できる成果はなかった。どんな空き物件をピックアップし、当たった結果はどうだったのか。当たった結果、『殺人ショー』に使われた形跡はありませんでした。そういう報告が一番つらい。一番つらいが、一番多い。今日も地取り、敷鑑、空き物件捜査、そのどれもが「成果なし」を連発している。挙句に県警との捜査協力だ。

——やっぱり、俺はあれを受け取りにいくべきなんだ。

大塚は一人、小さく頷いた。


八月二十五日月曜日。大塚は一昨日と同様、北見に単独行動をしたいと申し出た。大塚が「これが最後ですから」と頭を下げると、

「そんな、私に気を遣っていただかなくてもいいんですよ。私は刑事としては素人です。大塚さんがそうするべきだと思われるのでしたら、是非そうなさってください」

北見は意外にも、屈託のない笑みを浮かべた。思ったより、物分かりのいい人なのかもしれない。一時間後に次の物件、元ライブハウス『ロックマン』の前で待ち合わせようと決め、大塚は単独、例のスナックに向かった。

店のドアを開けたのは、夕方五時五分前だった。

「あら、大塚さん」

ママ、野々村江里子《ののむらえりこ》は、大塚を見て親しげに微笑んだ。

「圭ちゃん、まだなんですけど、座ってお待ちになってください」

「はい、すみません」

大塚は促されるまま、前回と同じ席に座った。今日も仕事中かと訊かれ、そうだと答えると、江里子は黙ってグラスにウーロン茶を注いだ。

「私と圭ちゃん、どういう関係なんだろうって、思ったでしょう……」

グラスを置いた手を引っ込めながら、江里子は上目遣いで大塚を見た。確かに前回、大塚はそのことを疑問に思った。が、捜査とはなんの関係もないことだから、あえて訊きはしなかった。もしかしたら知らぬ間に、訝る気持ちが顔に出ていたのだろうか。だとしたら、自分は刑事失格だ。

「いえ、別に……」

大塚は曖昧に答えてウーロン茶をひと口含んだ。

しばらくして、

「圭ちゃんね……私を、助けてくれたことがあるんですよ」

訊きもしないのに、江里子は勝手に話し始めた。

結局この女は、辰巳圭一について喋りたかったのか。大塚の心中を見透かしたのではなく、大塚が知らないであろう辰巳の「優しい一面」について話したかっただけなのか。ツッパっていても、違法行為を働く裏情報屋でも、本当は優しくていい人なのよ、と。

残念ながらその話は、ドアのカウベルが鳴ったために聞けなくなった。

「ああ、圭ちゃん。大塚さん、お待ちかねよ」

「別に、俺は遅れてねえよ」

辰巳は今日も、色こそ違うがまた派手なアロハシャツにジーパンという恰好、ふて腐れた態度で隣に並んだ。

「すまんな……」

情報を金で買う以上は対等なビジネス。別に大塚が詫びる必要もないのだろうが、なんとなく、そんな言葉が口から出た。

「ああ……けっこう、シンドかったぜ」

辰巳は、苦しそうに溜め息をついた。

「連中がアクセスする大体の時間の見当をつけてよ、前後に一時間ずつ余裕を見て、三台のパソコンをフル稼働させてよ……通算で何万回リロードしたか分かんねえぜ」

「……ああ」

「二日連続でやる仕事じゃねえな」

「お疲れさま。恩に着るよ」

——それで、どうだったんだ。

一秒でも早く結果を聞きたい。だが、なかなかそれをいい出せなかった。辰巳は江里子から瓶ビールをもらい、またつまらなさそうに傾け、でも美味そうに喉を鳴らして飲んだ。それを見るともなしに見ていたが、このままでは埒が明かない。大塚は汗ばんだスーツの内ポケットから都市銀行の封筒を出した。

「約束の額だ。確かめてくれ」

辰巳は黙ってそれを受け取り、札を抜き出して数えた。二十四枚、確かにあるのを認めて封筒に戻す。そのままカウンターの端に置く。

「大塚さんよ……調査結果を渡す前に、訊きたいことがある」

辰巳は目つきを険しくした。

——なんだ、ちくしょう。

まさか、一人も分からなかったのではないだろうか。だからもったいぶってなかなか出さないのではないだろうか。胸に、不安の波紋が広がっていく。

「なんだよ」

辰巳は奥歯を強く嚙み、口を尖らせた。

「……あんた、この『ストロベリーナイト』って殺人ショーについて、マジで調べてんのか」

掲示板の内容を読み、リストアップした常連の顔ぶれと照らせば、大塚が何を知りたがっているのかくらい、辰巳なら分かって当然だ。とぼけても仕方ない。だが、質問の意図が分からない。まったくの素人であろう江里子の手前、迂闊《うかつ》な答えもできない。

「ま、そんなところかな」

これが精一杯だ。

辰巳は顎を引き、声を低くした。

「大塚さん。この件には、あんま深入りしない方がいいと思うぜ」

ますます、辰巳の意図するところが分からない。

「深入りって……別に、好きで深入りするわけじゃないさ。捜査上、どうしても必要なことだから調べてもらったんだ」

「どっちにせよ、あんまほじくらない方が身のためだと思うがね。鬼は、あんたらのすぐ後ろまできてるぜ」

——鬼？　すぐ、後ろ？

「おい、お前、何か知ってるのか」

大塚は辰巳の肩をつかもうとした。辰巳は、それを激しく手で払った。だが、それくらいで諦める大塚ではない。

「おい、何を知ってるんだ。いえよ。大事なことなんだ。お前、何を知ってるんだ」

すると、

「フザケんなッ」

逆ギレか、辰巳はビール瓶を同じ手で払って立ち上がった。

瓶は鈍い音を立てて床に落ちただけで、割れはしなかった。

ビールの白い泡が、小さな丸い口からぼこぼこと吐き出される。

「だからサツは嫌だってんだ。いいか、現代社会における情報ってのはな、れっきとした商品なんだよ。金をもらって売り、金で買い取るものなんだ。あんたらなぁ、警察手帳を突き出せば誰でも彼でもホイホイ喋ると思ったら大間違いだぜ。知りたけりゃ、俺の口を割らせたきゃな、キッチリ百万持ってこいってんだよ。できるか？　あんたにできるか？　できないだろ。あんたにはできないんだろうが。四十万ぽっち払えねえあんたにゃ、これがせいぜいなんだよッ」

辰巳は、尻のポケットから取り出した小さな封筒をカウンターに叩きつけ、逆に大塚が渡した封筒を鷲摑みにして出口に向かった。

「辰巳ッ」

呼びはしたが、意思に反して体は動かなかった。

ここに、依頼した調査の結果はある。すでに取り引きは成立している。鬼とはどういう意味だ。お前は何を知っている。それをタダで問いただすことはできない。大塚の甲斐性ではこれがせいぜいだと、今いわれたばかりではないか。

「……大塚さんよ」

辰巳はドアの前で振り返った。

「これは俺の良心と、最大の譲歩の表われだ。悪いことはいわねえ。この一件からは手を引いた方がいいぜ。俺にいえるのは、それだけだ……」

カウベルを鳴らし、辰巳は熱気の立ち込める池袋の街に消えていった。

江里子はスツールの下にしゃがみ、悲しげな顔でこぼれたビールを拭いている。よく見ると瓶が当たったのか、近くの壁には小さな凹みができている。

大塚は再びカウンターの椅子に腰掛け、辰巳が置いていった調査結果の封筒を手に取った。長細い、どこにでもあるような茶封筒だ。中には、B5判のコピー紙が二枚入っているだけだった。辰巳に払った二十四万は、一体何人分の情報になったのだろうか。

ざっと数えると、ハンドルネームは全部で八つあった。つまり、辰巳は約束の二日間で、キッチリ八人分の仕事をしてくれたのか。

——なんだ、やってくれてるじゃないか……。

大塚は小躍りしたい気持ちを抑え、ゆっくりと紙面に目を通した。

一人に対しての情報は氏名や住所だけでなく、ある者は勤め先や銀行口座、またある者はインターネットのドメイン名やパスワードまで記載してあった。実に、盛り沢山のオマケ付きだった。

——辰巳のやろう……。

彼が怒鳴って出ていったのは、単なる照れだったのか。真意がどこにあるのかは分からないが、わざわざ「深入りするな」と忠告までしていった。江里子の話を聞くまでもない。辰巳は、根はいい奴なのだろうと思う。いや、別に今までも悪い人間だとは思っていなかった。確かに犯罪を犯し、逮捕はしたが、悪人だとは思わなかった。だからこそ自分は、この仕事を頼んでみようと思ったのかもしれない。

さらに読み進む。二人、三人、四人。だが六人目のハンドルネーム、その本名を見たとき、大塚は思わず声を漏らした。

「……こいつ……」

それはあまりにも意外で、だが目にしてしまえば当たり前のような名前だった。大塚は、自分のした捜査の落ち度を、自身で知る結果となった。

「このやろう……」

江里子が向ける怪訝な目に、取り繕ってみせる余裕もなかった。

——あの男、フザケやがって。

大塚は挨拶もそこそこ、殴るようにドアを開けて店を出た。

大塚は迷った。すぐにでも姫川に知らせたかったが、しかしこれを、どう報告したらいいのだろう。姫川にはこの違法捜査について、一切相談していない。何よりまだ捜査会議には時間がある。北見とも待ち合わせをしてしまっている。大塚はとりあえず、二年前に潰れたライブハウス「ロックマン」の跡地に向かった。

一度池袋駅の地下に入り、東口から出る。線路沿いを北池袋方面に少しいくと、風俗街のはずれにその物件はあった。白い外壁はヒビ割れ、煤と水垢に汚れていた。営業していた当時は派手な電飾を施してあったのだろうが、今はその配線だけが取り残され、ただ茶黒く錆びて「ROCKMAN」の文字を亡霊のように浮かび上がらせている。それを夢破れた者たちの無念、といったら、感傷がすぎるだろうか。

待ち合わせまではまだ十分あった。大塚はとりあえず元「ロックマン」の建物がどんなものか見てみようと、右回りに歩き始めた。

隣のビルとの間には隙間があり、十分に人が通れる路地になっている。十数メートルいくと裏手に出た。背中合わせになっているのは居酒屋の厨房か、焼き物の匂いが煙と共に漂ってくる。

奥にドアを見つけた。

それは建物の端にあり、さらに回り込むと地下に下りる階段があった。が、柵で仕切ってある上に施錠されているので下りることはできなかった。勝手に入るとしたら、やはりこの裏口ドアということになるだろうか。

——鍵くらい、かかってるよな。

大塚は開かないものと思いながらノブを捻った。が、それは意外にも簡単に回った。中の軸自体が壊れていたような、何か空転するような感じだった。手前に引くと、耳障りな金属音を響かせながら扉が開く。

――無用心だな、まったく……。

中は真っ暗だった。路地の向こうにはわずかに夕陽が差しているが、向きが悪くてここにはほとんど光が届いてこない。

一応「ごめんください」と声をかけ、大塚は踏み入った。

淀んだカビっぽい空気はあの、元ストリップ劇場「さくらハウス」のそれとよく似ていた。もう長く使われていない、置き去りにされた何者かの気配、その饐えた臭い。この東京には、一体どれくらいこういう場所があるのだろう。

長引く不況のお陰か、ここ数年、都心でも空き物件が実に多く見られるようになった。どの繁華街でも、中心を少しはずれるとテナント募集の貼り紙をあちこちに見かけるようになる。ここが『ストロベリーナイト』に利用可能か否かは別として、こういう場所を見ていると、何かこの東京を舞台裏から眺めているような気分になる。表からは見えないものが、裏からは丸見えになる。派手に飾られた都会の裏側は、実は安っぽいハリボテなのだ。

そんな都会の舞台裏で、密かに殺人ショーは行われていた。ある意味、都会の実情ともいえるリアルな場所で、非現実とも思える殺人ショーは開催されていた。

――まさに、実在した「都市伝説」ってわけだ。

そんなことを思ったとき、突如耳をつんざくような金属音が起こり、背後でドアが閉まった。振り返ったときには、もう何も見えなくなっていた。わずかに回り込んでいた明かりまでも失い、大塚はまさに、真っ暗闇に置き去りにされてしまった。

ふと、人の気配を感じた。

——誰だ。

だが問うまもなく、硬いもので頭部を殴られた。ぐにゃりと意識が歪み、暗闇に、見たこともない色のものが浮かんだ。

——し、しまった……。

堪らず膝をつくと、すぐさま上から、何かの明かりで照らされた。

痛みを堪えながら片目を開ける。ぼやけた視界に、かろうじて二人分の足と分かるものが映った。一方はジーンズ、もう一方はたぶん、黒いレザーパンツか何かを穿いている。

「……持ってろ」

若い男の声。おそらくジーンズの方がいい、懐中電灯が手渡されたようだった。間髪を入れずその足が、

「ンぶッ」

大塚の腹を、胸を、肩を、腕を蹴った。頭に落ちてきたのは膝だった。そのまま体重をかけられ、あちこちのポケットを探られた。情けないことに、まったく抵抗できなかった。

――なんなんだ、こいつら……。

警察手帳などの所持品が、無造作に投げ捨てられていく。埃の溜まったコンクリートの床に、財布や携帯電話、メモ帳やハンカチが散らばる。

やがて男は、辰巳から受け取った封筒を内ポケットから抜き出した。頭上で紙のこすれる音がする。

「……こんなことまで、調べやがったのか」

鈍い音をたて、首筋に蹴りが入った。意識が遠退く。両腕を後ろに捻《ひね》られる。腰の辺りで金属音が鳴った。どうやら相手は、刑事である自分に、手錠をかけようとしているようだった。

5

八月二十五日月曜日。玲子は夜の会議終了後、たった一人で戻ってきた北見警部補を呼び止め、会議室上座で問い詰めた。

「どういうことなの。説明してちょうだい」

北見は、先生に叱られた子供のようにうつむいた。

きりりと整った顔、オールバックに整えた癖のない黒髪。線が細いわりに厚みのある上半身。玲子の抱くキャリアのイメージには反するスポーツマンタイプ。玲子は彼の首筋を見て、贅肉のない筋肉質な体を想像した。男の裸は、首で大体分かるものなのだ。

だがその、ある意味美しい北見が、今はしょんぼりと視線を床に這わせている。

「答えなさい。北見警部補」

玲子が声を荒らげると、視界の端にいる亀有署長や刑事課長が顔を引き攣らせるのが分かった。だが玲子は、北見が方面本部長の息子だろうが東大出のキャリアだろうが、そんなことにはかまわない。今は自分と同じ警部補、警察官としては同列。それが全てだ。

「大塚は今どこにいるの」

北見は黙っていた。何かに耐えるように口を固く結び、眉間にしわを寄せる。玲子には彼が黙っている理由も、大塚が戻らない理由も、まったく想像できなかった。後ろで菊田が大塚の携帯を鳴らしてはいるが、どうやら圏外で繋がらないようだった。一体、このコンビはどうなってしまったのか。

「いつから、別々に行動してるの」

玲子は声のトーンを落とした。北見は依然、沈黙したままだ。

「どうして一人で戻ってきたの。大塚が先に戻ってるとでも思った」

かすかに、表情が歪む。

「黙ってたら分からないでしょ。子供じゃないんだから、理由があるならそれをはっきりいってちょうだい。大塚とはどこで別れたの」

奥歯を硬く嚙む。

「北見警部補、聞いてるの？」

すると北見は一度視線を上げ、またうつむいて口を開いた。

「……大塚巡査は……単独、捜査を」

思わず、溜め息が漏れた。単独捜査。胸が腐るようなひと言だ。

「大塚が、単独で、何を捜査していたっていうの」

「それは……私には、分かりません。何も、聞かせてもらえませんでした」

「いつから」

「……一昨日に、一度。それと、今日の、二回……だけです」

「一日中？」

「いえ、夕方の五時に別れて、六時には待ち合わせをしていました。ですから別行動は、一時間の予定でした。……一昨日も、今日も。私は六時まで、パルコの喫茶店で時間を潰して、それから待ち合わせ場所にいったのですが、いらっしゃらないので、電話をかけて、でも通じなくて……七時まで待って、それで仕方なく、戻ってまいりました……申し訳ありません」

たった一時間の単独行動で、一体何ができるというのだ。

「あくまでも別行動は、大塚が、あなたに申し入れたものなのね？」

また黙り込む。

「北見警部補ッ」

「……は、はい。その、通りです……」

「どうしてそんなことを許可したの。こういった形式の捜査での二人ひと組は鉄則でしょう。それをいくら大塚があなたより先輩の刑事だからって、警部補であるあなたが許可してしまったら組織捜査は成り立たないでしょう。違う？」

「……はい」

「いまだに帰ってこない大塚は論外だけど、あなただってタダじゃすまないわよ。これは重大な職務違反よ」

「……はい」

静まり返る会議室。残っているのは橋爪管理官、今泉係長、亀有署長、副署長、刑事課長、菊田、石倉、湯田、それと、なぜか井岡。他の亀有署の刑事や勝俣班の連中はすでに退室している。

「あたしはここで、もうしばらく大塚を待ちます。君が少しでも責任を感じるんであれば、付き合いなさい」

「……はい」

北見は深々と玲子に頭を下げた。

結局、姫川班の四人と井岡、それと北見が会議室に残った。大塚の携帯は鳴らし続けていたが、十一時を回っても一向に繋がらない。そんなとき、今泉が会議室に戻ってきた。

「姫川」

「はい」

立ち上がると、今泉はゆっくりと進んできた。やがて六人が輪になっている場所に至り、厳しい目で各々を見回した。

最後に、玲子に視線を据える。

「いいか姫川。落ち着いて聞け」

ひと呼吸おき、唾を飲む。

硬そうな喉仏が、小さく上下する。

「大塚の……遺体が、発見された」

そのとき自分は、どんな顔をしたのだろう。玲子自身には、よく分からない。ただ、今泉が今まで見せたことのない表情で玲子を見ているのを、妙な気分で眺めていた。泣きそうな、だが怒っているような、殺意でも抱いているような、そんな、今泉の表情を。

「遺体、って……」

漏らしたのは石倉だったか。それすらも、玲子には判然としない。

「たった今、池袋署から連絡が入った。池袋の空家になってるライブハウス、詳しくは分からんが、おそらく北見警部補のいっていた待ち合わせの場所だろう。そこで、撃たれたらし……」

玲子は最後まで聞かずに走り出した。それを、今泉が真正面から体当たりして抱き止める。

「よせ、姫川」

「いかせて、いかせてください」

「お前は駄目だ。今あっちには日下を確認にやっている。これは警官の殉職だが、あっちにしてみれば立派な殺人事件だ。今お前がいったところで何もすることはない」

玲子は今泉の腕を振りほどいた。

「そんな、大塚は私の部下です。どうして日下なんかに」

それからは、ほとんど取っ組み合いの喧嘩だった。あるいは家出しようとする娘と、力ずくで押さえ込もうとする父親の図だったかもしれない。やがて菊田や井岡までもが今泉に加勢し、最終的には玲子が取り押さえられて場は収まった。

「主任、分かりますが、落ち着いてください」

「そうでっせ。ここは一つ、ここは一つ……」

羽交い締めにされた玲子には、もう呻くことしかできなかった。

——大塚……どうして、大塚が……。

なぜ彼が殺されなければならないのか、まるで見当がつかない。しかも撃たれたなんて。信じられるわけがない。

今朝、大塚とは山手線の電車の中で別れた。北見とラッシュアワーのホームに降り、振り向きもせず人波に消えた後ろ姿。あれが、玲子の見た最後の大塚になってしまうのか。

——大塚……あたしの、初めての、部下……。

大塚は玲子よりあとに一課に配属されてきた。いわば純粋に、百パーセント自分の部下といえる、初めての刑事だった。

弟のように思っていた。姉妹は珠希だけ、大学は女子大。所轄の交通課でも部下のほとんどが女性だった玲子に、男の年下の部下はとても新鮮な存在だった。姫川班が家族なら、石倉は父親、菊田は兄貴、大塚と湯田は弟。大塚はすぐ下で年の近い、このところは慣れてきたのか生意気なこともいうようになってきた、でも真面目で、信頼のおける弟分だった。働きは地味だったけれど、それが生馬の目を抜く捜査一課では逆に個性になっていた。

——大塚……どうして……。

涙は、流さない。

それが今の玲子にたった一つ張れる、刑事としての意地だった。

6

八月二十六日火曜日、午前十一時半。勝俣はサウナで一人、汗をかきながら考えていた。

昨夜のうちに姫川班の大塚が殉職したことについては報告を受けていた。今朝の会議において金原・滑川事件とは別件という見解が示されたが、勝俣はそうは思わなかった。大塚は金原・滑川事件に絡んで、何か触れてはならない部分に触れたからこそ殺された。そう思っている。それと、警信から引き出した二十四万円が密接に関わっていることは明らかだ。

——何を小細工してやがったんだ、あの小僧は。

大塚が誰かに恐喝されていたのではないかという意見もあったが、それはチャンチャラ可《お》笑《か》しいといわざるを得ない。勝俣の知る限り、大塚は誰かに恐喝されるような器の男ではなかった。これは決して褒め言葉ではなく、恐喝されるほどの働きをしたことがない、という意味だ。

刑事という商売は人に恨まれてナンボのものだ。単純に、取り調べをしただけで嫌われる。逮捕したらしたで、懲役刑ですんでしまえばたとえ人殺しであろうといずれは野に放たれる。つまり、働けば働くだけ自分を恨む危険人物が社会に増えていく。刑事とは、そんな理不尽な職業なのだ。

だが、大塚が殺人犯に自分でワッパをかけた記録はない。むろん、恨まれたり恐喝されたりするネタが逮捕したホシ絡みと断定できるものではないが、素行面でもほとんど問題のなかった大塚が、脅されて仕事中に銀行から金を下ろし、支払いにいったとは考えづらい。しかも二十四万円。なんと半端な額だろう。

——しかし実際に、殺られちまったわけだしなぁ……。

単純に、この事件の捜査に絡んで殺された印象は強い。だが勝俣は、同じ刑事だからといって殉職を悲しむだとか、悔しく思う気持ちはとうの昔に捨て去っている。今は、同じ危険が自分の身に降りかからないよう、細心の注意を払うのみである。

——だからまぁ、ひと休みってわけさ。

ベンチから壁、天井に至るまで檜材で仕上げられたサウナルーム。平日の午前中だからだろう、今は勝俣一人の貸し切り状態である。

受け持っていた被害者、滑川幸男の敷鑑は手詰まりになっていた。

最近の会議で報告があったが、金原太一は毎月十万円、個人の口座から引き出していたことが分かった。それも、第二日曜の直前の金曜日に。これ即ち、殺人ショーの入場料が十万円という意味だと思われる。『ストロベリーナイト』実在の信憑性はますます高まった。

だがその一方で、滑川に同様の出費は確認できなかった。普段から金遣いの荒い男だったから、十万程度の支出を特定するのは困難なのだ。今回、自分の担当は貧乏クジか。

――ま、種は撒いたからな。別段俺が、あくせくする必要もねえんだ。「果報は寝て待て」という言葉がある。勝俣は、ゆっくり寝転んで汗をかこうと決め込んだ。片足をベンチに上げると、ドアの小窓を誰かが覗くのが見えた。だが気にはしなかった。一人くらい増えたところで、自分が横になるのに支障はないはずだ。熱く乾いたベンチに背中をつけると同時、今度はドアが開いた。スーッと涼しい風が入り込み、次いで人の気配がした。

――あ、そうだ。これがもし大塚殺しのホシだったら、ヤバいな。

そう思って起き上がった瞬間、

「……しゅにぃん。勝俣主任ってば、こないなトコにいらしたんですかぁ」

生理的嫌悪感を喚起する声が降ってきた。見ると、股間をタオルで隠しもしない、

「お、お前……」

「はいぃ」

全裸の井岡が立っていた。

勝俣の相方はほとんど毎日入れ替わっている。今日からは、この井岡になっていた。なぜ昨日まであの姫川玲子と組んでいた井岡が自分と組むことになったのかは分からない。ただ今泉が、有無をいわさぬ口調で「今日からは井岡巡査長と、よろしく頼む」と差し出してきた。別に誰と組まされようとかまわない。だが、撒いた相手に追いつかれるのは我慢ならな

い。

「……テメェ、どうして俺がここにいると分かった」

勝俣は睨んだが、井岡はかまわず向かいのベンチに腰を下ろした。隠しもしないそれは、意外にも立派なお宝だった。

「さあ、なんでですかなぁ。なんとなく、勝俣主任はお風呂に入りたいんちゃうかなぁ、と思いまして。ソープも覗いてみよかと思たんですが、でも、まずはサウナやろなと。そんな感じですわ」

そんなはずはない。捜査本部は亀有だ。特に地域を限定して捜査しているわけでもない勝俣が、遠く離れた新大久保のサウナにいると突き止めるのは不可能なはずだ。

――この野郎、油断ならねぇな。

それに、探しにきただけなら何も服を脱ぐ必要はない。そこをわざわざ全裸になってきたのだから、ここに勝俣がいることは承知の上だったと解釈すべきだろう。

思えば、今までの亀有署の相方は骨のない奴ばかりだった。タイミングをずらして電車を降りるだけで撒けたし、ほんの小銭程度で手なずけることもできた。

――ちったぁ、できるってわけかよ、おい。

久々に、勝俣の内に闘志が湧いた。

いったんは山手線に乗り、代々木で降りていくつかのビルをすり抜けた。大通りから素早くタクシーに乗り込み、新宿に向かって駅のちょっと手前の信号待ちで降りた。人込みを縫うように歩き、駅の構内から百貨店に入った。エスカレーターを上り、下り、レストランの厨房に押し入り、裏口から出て――。

勝俣は、公安時代に自分がやられて嫌だったことを全てやった。人通りのない一本道を振り返り、何度もついてきていないか確かめた。誰も、勝俣を追ってきてはいなかった。

――ここまでやって駄目なら、さすがの俺様も降参だがな。

念のため知り合いの店に入り、三十分ほど時間を潰した。

「……勝俣さん。何をそんなに気にしてるんです」

骨董屋の店主が、湯飲みに茶を注ぎ足しながら外を見やる。

「追われてるんだよ。珍しくこの俺がな」

店主は含みのある笑みを見せた。

「ははぁ。さては、右翼との癒着がバレましたな」

勝俣はその、綿ゴミのような白髪頭を鷲摑みにした。

「爺さんよ、『壁に耳あり』って言葉を知らねぇわけじゃねぇだろう。長生きしたかったらペラペラ余計なこと喋るんじゃねぇの」

だが店主は勝俣の脅しに屈するどころか、むしろ嬉しそうにニンマリと笑った。慣れっこなのだ。もはやこんなやり取りは、じゃれ合いにすぎなくなっている。

「……余計なこととは、大和会とか宗教団体とか、仲の良いお友達の話ですか」

「爺さん。あんたはそこにある、値札にゼロを二つも余計にくっつけた皿でも回してろ」

「ああ、お給料以外に稼いだお金の、使い道のことですか」

「あーあーはいはい。そのことでごぜぇますよ」

そのとき、ポケットの携帯電話がやかましく鳴った。番号を見ると亀有の帳場からだった。

「アーッ、もしもォーし」

『勝俣主任、私です。デスクの、須山《すやま》です』

須山。捜査本部に参加してすぐ、十万円渡して手なずけたデスク担当の巡査部長だ。妙にひそめた声が期待感を煽る。

「おう、なんだ。何か出たか」

『ええ。あの、先ほど姫川主任にですね、タツミという男から、電話が入りました』

「タツミ？　どこのタツミだ」

『あ、それはちょっと、分かりません』

「なんだよ役に立たねぇなぁ。金返せテメェ」

『いや、ですがですね、もちろん姫川主任は外に出てますんで、伝えることがあるなら聞くと、とりあえず訊いたんですよ。最初は、姫川主任以外とは喋らないといっていたんですが、まあ、ちょっと粘ったらですね、伝言を頼むと、そのタツミはいいまして』

「ほぉ、やるじゃねぇか。もちろんそれを、まだ姫川にゃ伝えてねえな?」

『ええ、それはもう、まだです。はい』

「よし、でかした。で、なんていった。そのタツミは」

『はい。折り返し電話がほしいというんで、携帯の番号を聞いておきました。……お控え、いただけますか』

「おう、いってみな」

勝俣は、須山のいう番号を掌に書き取った。

「よし分かった。ご苦労だったな。お前、もうちょいと弾んでやるよ」

『はっ、ありがとうございます。……で、このことは、姫川主任には……?』

「絶対に伝えるな。知らん顔してろ」

『大丈夫でしょうか』

「大丈夫だよ。俺に任せとけ」

それで電話は切った。

——タツミ、タツミ、タツミ……。

最近、どこかで聞いた名前だ。いや、それとも書面で見たのか。だとしたら、タツミは「巽」「辰美」「辰巳」……。

――ん、辰巳、圭一？

タツミが「辰巳」なら最近も最近、今朝方取り寄せた、死んだ大塚の経歴に載っていた名前だ。唯一、奴が自分で逮捕した男。池袋界隈では名の知れた探偵崩れ。裏情報屋の、辰巳圭一。

――そんな奴が、なぜ姫川に連絡してきた？

繋がりのある大塚になら分かるが、その大塚はすでに死亡している。その大塚を飛び越えて、姫川か？　いや、そうじゃない。大塚が死んだから、辰巳は姫川に接触してきたのか。大塚の殉職は今朝の、どこの朝刊にも載っている。辰巳はそれを目にして、姫川に接触しようとしたのか。

――しかし、裏情報屋が、姫川になんの用だ。

勝俣はぬるくなった緑茶を飲み干した。

昔の仲間にざっと調べさせた限り、辰巳圭一は決して危険な人物ではないということだった。そうだとすると大塚が逮捕したのは若気の至り、勝俣にいわせれば勇み足ということになる。あの手の輩は見て見ぬ振り、泳がせておくのが一番なのだ。いざというとき、ブン殴って脅して使うのが正しい。

――ああ、それか。

大塚は、辰巳に何か調査を依頼したのかもしれない。二度にわたる単独行動は、辰巳と会うためだったのか。そんなことは勤務が終わってからにすればいいものを、わざわざ勤務中にやるからおかしなことになる。まったく、馬鹿といおうかなんといおうか。

——それにしても、殺すってのは、穏やかじゃねえ……。

勝俣は骨董屋の放蕩娘を代役に立て、辰巳に連絡をとった。現役劇団員だけあって、この娘の芝居はなかなか堂に入っている。二十九歳、主任警部補、長身、ルックスに自信あり、辰巳とはおそらく面識がない。そんな程度のデータで見事、姫川玲子を演じきった。ちなみにギャラは一万五千円だ。

「分かったわ。じゃあ三時に」

電話を切った娘がメモを差し出す。そこには「サンシャイン60地下一かい　ふんすいひろば前　ごご三時」と、汚い字で書かれていた。

「よし、でかした」

勝俣は交換に一万円札を二枚手渡した。娘はそれを「毎度どうも」とポケットに入れた。

「……おい。釣りよこせよ。五千円」

勝俣が手を出すと、どういうわけか娘は、自分の手を重ねてきた。

「ケチいうなって。小遣いにもらっとくよ。なんだったら、ひと晩付き合ってやってもいいし」

寒気がし、思わずその手を振り払った。

「自惚れんな。テメェの体はいいとこ千五百円だこのブス。いいから五千円返せ」

それでもグダグダいうので、最終的には頭をひっぱたいた。釣りは、座敷で笑い転げていた店主がよこした。最低の親子だと思った。


サンシャイン60の前でタクシーを降りた。時計は二時五十三分。勝俣は早足で地下に下り、噴水広場に向かった。

広い地下通路の左右には、若者向けの洋服を所せましと並べた店が軒を連ねている。夏休み中のためか、平日の昼間だというのにそこそこ賑わっているのが腹立たしい。極彩色の視界には眩暈すら覚える。

しばらくいくと、右手に噴水広場が見えてきた。特にイベントの予定などはないのだろう。噴水前のステージには、クレープやハンバーガーを頬張るカップル、少女グループがなん組もたむろしている。

その手前。ステージに上がるステップの端に、派手なアロハシャツを着た男が座っている。勝俣が携帯で入手した画像の辰巳は黒髪。アロハシャツの男は金髪だが、顔立ちはよく似ていた。間違いない。あれが辰巳圭一だ。

勝俣は真正面から近づいていった。怪訝に思ったか、男もこっちに目を向けた。

「辰巳だな」

「……誰だ、あんた」

「捜査一課の勝俣だ」

辰巳は眉間にしわを寄せ、不快感をあらわにした。

「俺が会いたいのは捜査一課の、姫川って女主任だ。姫川がこないんだったら、俺は帰るぜ」

腰を浮かせようとするが、勝俣はその肩に手を置いて制した。

「まあ待てよ。姫川には、ちょいと抜けられない用ができてな。お前だって知ってるだろ。大塚って、以前お前をパクったデカが殺されたんだ。今はそっちにかかりっきりになってる。だから俺が代わりにきた。同じ捜査一課だし、同じ主任警部補だ。何も不都合はないはずだが」

だが、辰巳は態度を和らげない。

「駄目だ。俺はその、殺された大塚にいわれたんだ。もし何かあったら、姫川主任は信用できるから頼りにするといい、ってな」

引っかかるひと言だった。

「なんか、あったのか」

辰巳は、ぐっと奥歯を嚙み締めた。

「……誰かが、俺の部屋を荒らした。昨日の夜十時過ぎの話だ。ご丁寧にも、五台あるパソコン全部にウィルスを仕掛けて、ハードディスクごと吹っ飛ばしていきやがった。……ま、商売用データのバックアップは常に持ち歩いてるんでね。大した痛手でもねえけど」

辰巳が両手を広げる。どこにそのバックアップがあるのかは、勝俣には分からない。

「とにかく、俺はその姫川じゃないと話さない。あんたみたいな古狸じゃ駄目だ」

──失敬な奴だなぁ。

それでも勝俣は平静を装い、辰巳の隣に腰を下ろした。

「まあまあ、そう尖がるなって。要するに大塚は死ぬ前に、あんたに何か調べてくれって頼んだんだよな。真面目な大塚のことだ。それは、いま捜査中の事件に関係した何かだろう。おそらく、『ストロベリーナイト』っていう、殺人ショーに関してだ。違うか？……あんたは大塚が殺されたと知り、部屋を荒らされたこともあって、姫川に話をしようと連絡をとった。俺が代わりにきたのは予定外かもしれんが、まあそれはあんたにとっちゃ、大した不利益にはならんはずだ。……大塚は、あんたの調査結果を受け取っている。それは奴が二十四万円、何かに支払っていることで明らかだ。だったらどうだ、そいつを俺にもう一度、売ってみる気はないか。あんたは同じ働きで、報酬が倍になるんだ。悪い話じゃあないと思うが」

勝俣は声を優しく、内容は大きく譲歩したつもりだった。が、辰巳はなぜか、蔑むような目で睨んできた。

「フザケんな。報酬の元値は四十万だ」

「だったら俺と商売したら四十八万だ。いいじゃねえか」

「よくねえよ。同じ情報が欲しかったら、あんたは五十万出しな」

——なにいってんだコノヤロウ。調子に乗りやがって。

勝俣は片眉を吊り上げてみせた。

「ちょっと待てよ。なんで上乗せする話になるんだ。余計な経費がかかるわけじゃねえんだから、二十四万でいいだろうが」

「大塚は自分で調べてほしいネタを持ってきた。あんたはそれも知ることになるわけだから、額は大きくなって当然だろう」

確かに、一理ある。だが腹は立つ。

「なるほど、それはそうかもしれん。だが実際、バックアップはちゃんととってあるんだろう？　お前が改めて何かする必要はないんだ。何もしないで売上げ倍増なら、それで御の字だろうが」

「いや。俺はそもそも、今日は商売抜きで話そうと思ってきたんだ」

「だったらなおさら、二十四万でいいだろう」

「いいや、むしろ逆だね。商売する気がないから、あんたが払えないってんなら、それはそれでいいわけさ。御破算上等、俺は痛くも痒くもねえ」

——コ、コノヤロウ。

勝俣は、離婚した妻との間に生まれた娘の名義で作った口座の残高を思い浮かべた。確か先月の末には三百万弱あったはずだ。むろん払えない額ではない。が、こんな探偵崩れの情報屋に五十万は癪だ。しかし、大塚がこのネタに絡んで殺されたのが事実なら、五十万でも安い買い物だといえる。しかもホシは、辰巳の住居に侵入してまでそのデータを消そうと試みている。その価値は、保証されているも同然なのだ。

勝俣は腹を括った。

「分かった、五十万だな。出すよ。言い値で手を打とう」

条件を呑めば悦ぶと思っていたが、辰巳は、むしろ煙たそうに目を細めた。

「あんた、叩き上げのデカにしちゃ、羽振りがいいんだな」

じっとりと下から上、舐めるように全身を見られた。そのまま視線は吹き抜けになっている宙に上り、やがて何かに思い至ったか、辰巳はぽんと手を叩いた。

「……捜査一課、勝俣……そういや聞いたことがあるぜ。公安崩れで内部情報を売って小遣い稼ぎをする、捜査一課の悪徳刑事。通称、ガンテツ」

——おや、こりゃ驚いたね。

勝俣は褒めるつもりで「ほほぉ」と漏らした。悪徳刑事というのは気に喰わなかったが、おおむね当たってはいる。

「大したモンだな。それともそっちの業界じゃ、俺様は有名人か」

「下らねえこといってんじゃねえよ」

辰巳は鼻で笑ったが、その表情は和らいでいた。

「つまりあんたも、俺と同じ穴のムジナってわけだ。……ああ、いいだろう。俺はあんたがどこの誰だろうと、条件を呑むなら文句はねえよ。その代わり、即金現金で頼むぜ」

そう、こういう人間は分かりやすくていい。情だの信念だのと、ぐにゃぐにゃしたモノに囚われる奴はろくなものではない。金なら金、揺るぎない価値観で対等に話ができる人間は、むしろ信用に値する。

——その最たる人間が、この俺様ってわけよ。

勝俣も一つ、笑みを作ってみせた。

「分かってる。いま用意するよ。……ここで待ってるか。それとも一緒にくるか」

辰巳はやや考え、「いく」と答えて腰を上げた。

サンシャイン・アルパ内のキャッシュディスペンサーに勝俣が入ると、辰巳も一緒について入ろうとした。

「おい、出てろよ」

「年寄りはメカが苦手だろ。見ててやるよ」

「と、年寄りって、テメェ……」

「いいからさっさとやれよ」

ここはどうあっても、こいつの前で流暢《りゅうちょう》に機械を操ってみせる必要がある。

「コノヤロウ、覗くなよ」

「覗かねえよバーカ。俺にとっちゃ、暗証番号割り出すくらい屁でもねえんだ」

勝俣はカードを挿入し、娘の生まれたときの体重を入力した。

「……ほぉ。だったらどうして、それで稼がない」

間違いなく「5」と「0」に触れ、続けて「万」を触る。

「この情報化社会じゃな、オンラインである以上、必ず何かしらアクセスする方法はあるもんなんだ。それを割り出すのがプロの腕さ。だが、金はいずれ現金化しなきゃならない。どこかに移すにしても、口座は特定しなきゃならない。スイス銀行って手もあるが、額が小さきゃ、あの手の口座は持てないだろ。結局、どっかで足がつくのさ。そんな、ケチな挙句に危ないのは嫌だね。だからまあ、情報を仕入れて売るってのが、ビジネスとしては手頃なわけよ」

勝俣は、辰巳の饒舌を少々意外に思った。だがもしかしたら、こういう輩には、自慢話をする機会があまりないのかもしれない。同業者が相手では手の内をバラすことになるし、一般人では自分が犯罪者だと告白しているのと同じになる。だが自尊心は満足させたい。とりあえず、そんなところではないだろうか。

——俺がデカだってことを、完全に忘れてやがるな。

しかしそれが、不思議と不快ではなかった。むしろ、なんだか笑いたい気分にさえなる。

「ほらよ、五十万だ」

備えつけの封筒に入れて渡す。

「……おう」

辰巳は確かめもせず、尻のポケットに捻じ込んだ。

「おい、数えねえのか」

「ああ。あんたにとっちゃ泡銭《あぶくぜに》、俺にとっちゃ腐れ銭だ。二、三枚足りなくても文句いいやしねえよ。安心しな」

辰巳は、五十万とは反対のポケットから茶封筒を抜き出した。それを差し出す。が、勝俣が受け取ろうとつかんでも、なぜだか手を放さない。二人して、汗で湿った封筒をつかみ合う恰好になった。

「なんだよ、よこせよ」

「ああ。でもその前に、訊きたいことがある」

辰巳を気に入りかけていただけに、勝俣は無性に腹が立った。

「きたねえぞ。こっちゃキッチリ五十万払ったろうが」

「勘違いするな。こっからは俺の良心で訊いてやるんだ。答えたくなかったらそれでもいいんだぜ」

「なんだそりゃテメェ」

裏情報屋が良心とは笑わせる。勝俣はそういう、形がない上に押しつけがましい価値観が大嫌いだった。

——辰巳よ、あんまりがっかりさせるなよ。

勝俣は辰巳の目を睨んだまま、小さく頷いてみせた。

「……なんだ。手短に頼むぜ」

「ああ。実は俺は、あの大塚に、この件から手を引けと忠告したんだ。だが、結果的には残念なことになっちまった。……ちなみに、大塚の死体と一緒に、これと同じ封筒はあったか」

勝俣はつかみ合っているそれを改めて見た。

「いや。所持品に、封筒はなかった」

辰巳が溜め息をつく。

「……だろうな。新聞に載ってた死亡推定時刻から考えると、奴が殺されたのは、俺がこれと同じ封筒を渡した直後だ。俺が思ってたより、奴はきつくマークされてたことになる」

「なッ」

思わず引っ張ると、辰巳は呆気なく封筒を放した。だが今度は、勝俣が辰巳の話を聞きたくなってしまった。このままここを去るわけにはいかない。

「おい、どうしてテメェが大塚に手を引けだなんて忠告できた。さては、何か知ってやがるな」

辰巳は大きく息を吸い込み、それ自体が怒りであるかのように鼻から吹いた。

「……俺は、小耳にはさんだだけだ。俺たちの間でも、この『ストロベリーナイト』ってのは一時期話題になってたな。これはその頃の同業者の話だが、ある暴力団が興味を持って、調べるよういってきたんだ。そいつは調べて、まあ、俺は意外な結果だったとしか聞いてないが、それを報告したら、暴力団が手を引いたってんだよ。だが怖くて手を引いたんじゃない。放っといた方が面白いから、手を引いたんだとよ。……どういう意味だと思う？　連中が怖くなって手を引いたってんなら、話は簡単だ。自分たちよりデカい組が仕切ってるか、頭のイカレた、とんでもねえ金持ちが黒幕かの、どっちかだ。だが、怖くはないんだと。面白いんだとよ。連中が、放っといた方が面白いってのは、つまり黒幕が、利害の対立する奴だったって意味さ。バレたらバレたでかまわない相手って意味さ。分かるか？」

勝俣は答えなかった。だが、分からないから答えないのではない。言葉にしたくないから、答えないのだ。黙っていると、辰巳は勝手に続けた。

「球技も、全然です」

「んもぉ、何よ。乗馬？」

「いや……別に、いいじゃないですか。どうせ大したモンじゃないですから」

それは謙遜だろう。歩き方を見れば、その人の運動神経はおおよそ見当がつく。捜査中に見せる北見の、無駄のない軽やかな足運びは、抜群の運動神経の表われだと思う。

「それより姫川主任」

北見の口調には、話題を変えようという意思が窺えた。

「大塚さんと別行動していたとき、ブラブラ歩いていて見つけた物件があるんです。たぶん、建設会社が倒産か何かして、そのまま放置されてるんだと思うんですが、ほとんど完成してる空きビルなんです。工事用のフェンスも隙間だらけで、入ろうと思えば簡単に入れます。チェックする必要、ないでしょうか」

——大塚と別行動、か。

気を遣っているのだろう。北見は「単独捜査」という言葉を避けている節がある。それは故人への優しさか、あるいは情けない女主任への同情か。

普段の玲子だったら「キャリ坊に同情されるなんてまっぴらよ」と突っぱねるところだが、今はそれすらも、ありがたいと感じる。

——玲子ちゃん、焼きが回っちゃったかな。

思わず漏らした苦笑い。情けないが、それが妙に心地好い。今は、あまり無理に気持ちを作らない方がいいのかもしれない。

「そうね。じゃあ予定してるところを回ったら、いってみようか」

「は、はい」

時計を見ると、すでに三時を過ぎていた。

8

辰巳のよこした封筒の中には、B5判のコピー紙が二枚と、写真が三枚入っていた。

「部屋に仕掛けてあった赤外線カメラを回収して、データと一緒にネットカフェで切り出してきた。あんまはっきりとは写ってねえけど、進呈するよ。大塚殺しの参考にしたらいい」

全体が緑がかったその写真には、二つの人影が写っていた。黒っぽいポロシャツにGパンを穿いた体格のいい男と、黒革のツナギのようなものを着た小柄な男。大塚殺しのホシも二人組だといわれている。同一犯と思って間違いないだろう。

「テメェの部屋に赤外線カメラたぁ、ずいぶんと用心深いんだな」

「俺はむざむざ殺られるほどアマちゃんじゃねえよ」

「だが、一度は部屋に帰ったんだろう。よく無事だったな」

「侵入はプロだからな」

Ｂ５判コピー紙の方は、さらに興味深い内容だった。これを見た大塚はさぞや驚いたことだろう。何せ、自分で面接した男の名前が載っていたのだから。

田代智彦。長谷田大学時代、滑川幸男とは共にアウトドアサークル「岳友会」に在籍した仲で、現在は電器メーカーの営業をしている、三十九歳の男だ。

大塚に『ストロベリーナイト』のことを喋ったのは他でもない、この田代だ。こいつは「滑川から聞いた」と大塚にいったようだが、とんでもない嘘だった。「ダンベルディ」というハンドルネームで書き込みした内容を見る限り、田代は実際に『ストロベリーナイト』に参加している。金原や滑川のそれと一致する殺害方法を、まるで見てきたかのように書き込んでいる。こいつは自分で参加していながら「滑川から聞いた」などと大塚に伝え、伝聞の形で漏らすことによって、捜査の目を『ストロベリーナイト』に向けようとしたのだ。

——テメェで参加しといて、ダチが殺られたら、今度はタレコミか。

勝俣は柄にもなく正義の怒りに燃えた。

「いい仕事だ、辰巳。取り急ぎ、黒幕の方もよろしく頼むぜ」

辰巳と別れ、勝俣はすぐ、本部デスク担当の須山に電話を入れた。田代の連絡先を調べさせ、早速その番号にかける。

『はい。松本電器産業、東京第二営業所でございます』

出たのは若い女だ。勝俣はそれだけでわけもなく苛立った。

「警視庁の勝俣という者だ。そちらに田代智彦さんはいらっしゃるか」

まだ「さん」付けする余裕はあった。しかし、

『申し訳ございません。田代はただいま外出しておりますが』

「そうか。だが緊急の用がある。携帯持ってんだろ」

『はい。失礼ですが、どのようなご用件でしょう』

これで、こめかみ辺りの神経が二、三本ブチ切れた。

「うるせェ。そんなこたぁお茶汲み電話番のあんたは知らなくていいんだ。とにかく教えろ。できないというなら先に田代に連絡して、警視庁の刑事に番号を教えていいかどうか許可をとりやがれ。絶対に嫌だとはいわないはずだがな。どうする、あんたが教えるか、田代に許可をとるか、どっちだ。許可をとるなら三分後にもう一度電話してやる。それまでに教える準備をしとけ。いいかッ」

返事がない。

「聞いてんのかこの役立たずッ」

さらに二、三度怒鳴りつけると、彼女は泣きそうな声で田代の携帯番号を伝えてきた。

「……の、七〇九二、だな。分かった。それからあんた、今度からその足りない頭で考えるより前に、人のいうことは素直に聞けよ」

電話を切ると、少しすっきりした気分になった。

田代に連絡を入れると、今は高田馬場にいるとのことだった。すぐにいくから時間を作れというと、田代は「四時半なら」と応じた。それでかまわないから絶対に出てこいと続ける。逃げられても困るので、口調だけはできるだけ穏やかに心がけた。

待ち合わせのファミリーレストランに着いたのは四時二十五分だった。勝俣は田代の顔を知らないので先の携帯番号を鳴らすと、待ち客用のソファに座っている男のそれが鳴った。目の前に立ち、まずは猫撫で声を作る。

「田代智彦さん、ですか?」

「はい。あ、勝俣さんですか。どう……」

いい終わらぬうちに、勝俣は彼のネクタイをつかんで吊り上げた。

「テメェかコノヤロウ。ちっとこいやッ。おいネーちゃん、こいつの席はキャンセルだ」

そのまま店を出て、駐車場まで引きずり下ろす。車から降りてきたカップルが訝るような目でこっちを見たが、かまわず奥まで連れていく。

「な、なんなんですか……」

ほとんど泣き顔の田代は、転んでは立ち上がり、立ち上がっては転びを繰り返しながら、勝俣にぶら下がるようについてきた。

奥まった塀際で解放する。

「テメェ、今日は田代智彦に訊くんじゃねえぞ。ダンベルディとやらに尋ねてやるから、そのつもりで答えやがれ」

胸座をつかみ、塀に押しつける。田代は顔を引き攣らせ、目を逸らしたまま硬直した。

「テメェは殺人ショー、『ストロベリーナイト』に、参加したことがあるか」

くしゃくしゃと泣き顔になる。

「あるかって訊いてんだコラァ」

「……ぐっ、ふっ」

田代の、子供の頃の泣き顔が目に浮かぶようだ。

「オメェなぁ、黙ってりゃ何事もなかったように明日が迎えられると思ったら大間違いだぜ。テメェのやったことは立派な『殺人幇助』なんだよ。従犯として、この件なら確実に実刑にできるんだ。分かるか？　ムショいきになるんだよ。けどな、今だったら俺の裁量で、テメェのことは黙っててやってもいい。どうすんだ。洗いざらい喋んのか、それとも黙り込んで実刑喰らうか、どっちかテメェで決めやがれッ」

田代はビクッと背筋を伸ばし、ずるずるとヘタり込み、なんとその場で、小便を漏らし始めた。

「うわ、きったねえな、おい……」

勝俣は後退《あとじさ》り、コンクリートの地面に広がる黒い染みを避《よ》けた。小便を漏らして泣きじゃくる三十九歳。こいつは一体、どういうつもりで殺人ショーなど見にいっていたのだろう。

「さっさと喋っちまえよ。そしたらパンツとジャージくらい、買ってきてやっからよ」

勝俣はタバコに火を点け、田代が泣きやむのを待った。一本吸い終わる頃、

「最初は、ほんの……偶然、だったんです……」

田代は、ぽつりぽつりと語り始めた。

田代が『ストロベリーナイト』のサイトを偶然発見したのが昨年の九月。初めて実際に参加したのが十月だったという。最初は単なる興味本位だった。インターネット上のリアルな殺人映像に興味を持ち、「これを生で見たいですか」のメッセージのあと、冗談半分で「はい」をクリックした。だがそれ以上は何も起こらなかったため、招待状が届くなどあり得ないと高を括っていた。しかし――。

「半月くらいしてからです。自宅に真っ黒い封筒が届いたんです。切手も何も貼ってない、ただの黒い封筒です。表には白いインクで『親展、田代智彦様』とありました。裏にはサイトにあったのと同じロゴで、赤で『ストロベリーナイト』と……。

ぞっとしました。私はただ、あのホームページを見て、ボタンを一つクリックしただけなのに、連中は、私の自宅を突き止めたんです。買ったばかりの、建売ですが、新築の自宅を……。すごく、怖くなりました。それだけで、自分が殺されるような気がしました。

……中を見ると、もっと、怖くなりました。私の生年月日、どこで撮ったのか顔写真もありました。現住所はもとより本籍、勤め先、挙句に妻や子供の名前まで。文面の最後には、『以上に間違いがないことをお確かめ下さい。間違いがない場合、田代智彦様ご本人であると判断し、会員登録が完了いたします』とありました。でも間違っていたら連絡してくれとか、そういうことは何も書いてないんです。これは、ある種の脅しなんだと、思いました。こっちはこれだけ知ってるんだよ、お前はもう逃げられないよと、そういう意味なのだと思いました」

なるほど。手紙の文面はともかく、やってることはヤミ金のそれと大差がない。要は精神的に追い詰めて、相手の冷静な判断力を奪ってしまおうという寸法だ。素人には、それなりに効き目がある手法だ。

勝俣は「それで」と先を促《うなが》した。

「……その、三日くらいあとに、正式な招待状が届きました。開催日は去年の十月十三日、第二日曜です。新宿区歌舞伎町の住所が書いてあり、時間は午後六時十五分。料金は十万円となっていました。

いかなきゃ、あの映像のように自分も殺される……本気で、そう思い込んでました。だからいこう、とりあえずいって、警察に喋ったりしないから、一生黙ってるから、これっきりにしたいと、そう相手に伝えるつもりで、いく決心をしました。

そう決めてしまうと、不思議と気持ちは楽になりました。そもそも殺すなんて、ひと言もいわれてはいない。逆に殺すのを見にいくんじゃないかと、何度も自分にいい聞かせました。大体、本当にそんなことがあるだろうか、どうせ凝った映像と、悪趣味な脅しの冗談だと、時間が経つにつれて、楽観するようにもなりました。

ですが当日、現場にいってみると、その周到さにまた怖くなりました。看板も何も出ていない、廃ビルみたいな建物の前に何人か、うろうろしてる人がいるんです。時計を気にしながら、一人入り、二人入り……指定されていた時間が、わざわざ六時十五分となっていたことを思い出しました。一人ずつ入るんです。入場制限してるんです」

表に係員みたいなのはいないのか、と訊くと、それはいないと田代は答えた。指定された時間になったら、勝手に入っていくのだという。

「自分の番がきてビルに入ると、通路の奥に暗幕がかかっていて、でもそこ以外に入り口はないので、そこに入りました。暗幕の奥は、また暗幕のトンネルみたいになっていて、進んでいくと、急に『止まってください』といわれるんです。すぐ近くの切れ目から、黒い覆面を被った男が懐中電灯を持ってこっちを見ます。毎回、名前をいわされ、顔を確認されます。一緒に料金も払います。それがすむと、さらに進んで、ようやく、会場に入れます。

中は少し広くなっていて、多少は明かりもありました。舞台があるのですが、それ以外は何もない。そのときはすでに十人前後の客が入っていて、私のあとにも入ってきて、全部で二十人くらいになっていたと思います。

背後で、ガンッと大きな音がして、扉が閉まったんだなと思いました。でも、戻ろうとは思いませんでした。とりあえずどうなるのか、見届けようと思いました。いざとなれば私と同じ立場の人が二十人近くいるわけだし、そう簡単に危険な目には遭わないだろうとも思いました」

田代の涙目が、妖しい輝きを放ち始める。勝俣はなんだか、ひどく嫌なものを見ている気分になった。

「……やがてショーが始まります。最初のときは、十字架に男が張りつけられていました。十字架ごと、黒覆面の男が二人がかりで、舞台に運んできました。男は上半身裸で、ズボンは穿いていて、目と口は黒い布か何かで塞がれていました。あとからなぜか、火鉢が運ばれてきました。でもその意味も、すぐに分かりました。

今度は一人で、黒覆面の男が出てきました。その男は、火鉢に刺さっていた火箸を抜いて、それを、じっと見てから、腹の辺りに、無造作に、ジュ……。ふわっと腹から煙が出て、張りつけられた男が呻き声を漏らして、腹には赤黒く、火箸の形に火傷ができて、覆面男は、楽しそうに小躍りしながら、男の肌に火箸を何度も、何度も何度も押しつけて……。

火箸は何本もあって、冷めてしまうとまた一本抜いて、今度はね、鼻に、鼻の穴に、ズブッて、突っ込んだんですよ。周りでも悲鳴があがりました。やがて耳に、頬に、布もかまわずに、そして目に……目は特に執拗《しつよう》で、刺してグリグリほじくって、眼球なんてドロッと出ちゃって。血も出て煙も出て。臭いだってね、私の所まで届いてきましたよ。肉の焼ける、いい臭いが。

やがてぐったりと動かなくなった男の頬を、黒覆面はペチペチと何度か叩きました。気を失ったのです。まったく反応がありませんでした。水をかけたりもしましたが、意識を取り戻す様子はない。そしたらね、今度はカッターですよ。安っぽいカッターナイフ。それをね、スパッとね、こう、喉元に……」

自ら首を掻き切る真似をする。

「動作は無造作で呆気ないんですが、血がね、喉から噴き出る血が、シュワァァーッて、スパァァーッて、噴水みたいに飛ぶんですよ。かかっちゃった人とかもいたんじゃないですかね。それが派手でね、盛り上がるんです。

あれはね、ある種の芸術ですよ。ゲイジュツ。衝撃を受けましたね。死というものを目の当たりにして、人生観がガラッと変わりました。なんの分け隔てもない場所で、人間が一人、ボロボロになって殺されるんです。生と死を分けているのは、たった一枚の、カッターの刃なんですよ」

田代の表情は、くるくると目まぐるしく入れ替わった。笑ったり、怯えたり、目を輝かせたり、泣き顔になったり。人が狂っていく過程をビデオの早回しで見ると、こんな感じになるのかもしれない。

「……あとから気づいたんですがね、殺されてるのは、ショーに参加した客の一人なんですよ。会場に入る前に見かけた女性のスカートと、舞台で殺される女のスカートが同じだったときがありまして。おそらく会場に入る通路が、あの暗幕のトンネルが、運命の分かれ道なんです。あそこで拉致されて、舞台の上と下に、運命が分かれるんです。

それに気づいたときは、そりゃ怖かったですよ。でもね、それでもまたいきたいと思いましたね。いや、むしろ強く欲するようになった。今日、自分が舞台に上げられてしまうかもしれないと思っても、いかずにはいられなくなりました。あの、無事会場入りできたときの安堵。自分がなったかもしれない、その生贄が、目の前で、ズタズタに引き裂かれて、血だるまになって殺される。それを見る、この上ない優越感。自分は今日も生き残った。また明日から、少なくとも一ヶ月は生きられる。その、無上の悦び。自分の生が、惨たらしい死と隣り合わせなのだと実感する、その充実感……。素晴らしいですよ。世界が拓《ひら》けて見えるようになるんです」

勝俣は、開いた口が塞がらなかった。

——何が優越感だ。何が、無上の悦びだ……。

田代は、くすくすと声に出して笑い始めた。恍惚の表情で殺人ショーについて語る、三十九歳のお漏らし男。どう贔屓目《ひいきめ》に見てもまともではない。完全に精神が崩壊しているとしか、勝俣には思えなかった。

——尾室って精神科医なら知ってるが、紹介してやろうか。

勝俣は何本目かの吸殻を、乾きかけた田代の小便染みに落とした。

「で、なぜ滑川が参加することになった。お前が紹介したのか」

「そう。私が紹介したんです。いや、紹介というか、教えただけです。……元気がなかったですからね、彼。見たら絶対、生きることの意味を再確認できるといって誘いました。彼、ちょっとヤケになってた部分ありましたから。でもちゃんと自分でサイトを探して、自分で参加したんですよ。それしか、方法がありませんからね」

「なるほどな。……ま、あんたの『殺人ショー実況』は堪能させてもらったよ。こっからは大事なことを訊くから、しっかり答えろよ。一体、どこの誰が、その『ストロベリーナイト』をやってるんだ」

田代は恍惚の表情のまま、かぶりを振った。

「いいえ。まったく知りません」

「だったら、その主催者側というか、運営していた人間は何人だった」

「はっきりとは分かりませんが、五人くらい、かと……」

「確かか」

「いや、ですから、たぶんですよ。もっと少ないのかもしれないし、もっと多いのかもしれないし。……あ」

田代はふいに、正気を取り戻したかのように勝俣を見上げた。

「一度、ステージの袖の近くにいたとき、喋ってるのを聞いたことがあります。確か、そろそろエフを呼んでこいとか、いってましたが」

「エフ？　ローマ字の『F』か」

「それは、分からないです。何しろ、ちょっと聞いただけですから。……でも、その直後にショーが始まったんです。ですから、あの殺人鬼が『エフ』って名前なんだなぁと、漠然と思った記憶はあります」

——殺人鬼『エフ』……か。

「つまり、呼んでこいと命令した奴、命令されて呼びにいった奴、それから『エフ』の、最低でも三人はいるってこったな」

「ええ……と、思いますが」

——エフ、えふ、衛府、絵符……。

単純に考えれば、『エフ』は『F』だろう。常識的な発想では、ローマ字にしたときのイニシャルだ。そして今回の事件関係者で、頭文字が『F』で思い浮かぶのは、まず深沢康之だ。

しかし、深沢が実行犯であるとしたら、それは滑川殺害までに限られる。深沢に金原は殺せない。これはもう、どうにも動かしようのない事実だ。ならば金原殺害の回だけ、別の人間が実行犯だったのか。仲間が殺害方法を真似れば、それも十分に可能なはずだ。

「おい。テメェは確か、滑川が殺されたときは出張してたんだったな」

田代は、気味の悪い笑みを浮かべた。

「いやぁ、実は大阪での仕事を早めに切り上げて、急いでこっちに戻ってきて、会場にいったんですよ。そしたらなんと、滑川が生贄になっちゃってるじゃないですか。驚きましたが、ある意味、興奮としては究極でしたね。長年の友が目の前で殺される、それを目《ま》の当たりにする複雑な優越感。強烈な生存の意識。もうその充実感とい……」

勝俣は思わず遮った。

「もういい。もう一つ大事なことを訊くぞ。その滑川を殺した奴と、一番最近の回、ついこの前だ、八月十日に殺した奴は、同一人物だったか？　実行犯は、ずっと同じ奴だったか？」

「さあ」

田代は小首を傾げた。

「何しろ、全員が黒覆面をしてますから、確かなことはいえませんが、でも同じだったと思います。いつも黒い革のツナギを着ていて、背はそんなに高くなくて、痩せた男ですよ」

黒革の、ツナギ。

——ようやく、繋がったぜ……。

勝俣は慌てて封筒を出し、中の写真を見せた。

「つまり、『エフ』ってのは、こんな奴か」

田代は、小刻みに何度も頷いた。

「そう、そうですそうです、こいつが『エフ』です」

「じゃこっちは誰だ。受付をやってた男じゃないか」

「それはちょっと……うーん、恰好も違いますし、なんとも、いえないですね……」

田代は重要な証言をする一方で、同時に勝俣の考えた可能性を否定してもいた。

今回の事件関係者に、頭文字が『F』の人間はもう一人いる。いうまでもなくそれは、深沢康之の妹、深沢由香里だ。だがこの写真の、黒革のツナギを着ている人間はどう見ても男だ。体つきに、女性らしい凹凸というものがまるで見られない。

——どういうこった、こらぁ……。

何か一つ、どこか一ヶ所だけボタンを掛け違えている。そんな不快感に胸がざわつく。

——こりゃどうあっても、由香里に会ってみる必要があるな。

勝俣は「よし」と独りごち、写真を内ポケットにしまった。

「おい田代。テメェには後日、改めて事情聴取をするからそのつもりでいろ。それからそんときは、綺麗に洗濯したパンツを穿いてこいよ」

それだけいって、勝俣は踵を返した。後ろで田代が何かごちゃごちゃ喚いていたが、無視して手を上げ、タクシーに乗り込んだ。

第四章

1

玲子は北見と共に、最近経営者が入れ代わったというショーパブを一軒、不動産屋を二軒回ったが、これといった収穫はなかった。

──ああ。何やってるんだろう、あたし……。

池袋の街を歩き回っていると、ひょんな所で本部の捜査員を見かける。いうまでもなく、大塚殺しの地取りをしているのだ。顔もよく知った機捜や一課の刑事だから、普段なら挨拶くらいするのだが、自分でも無意識のうちに身を隠してしまう。

大塚殉職の責任の一端は自分にある。なぜ彼が単独捜査をしたのかはいまだに分からないが、それを把握していなかったという点だけをとっても、玲子の管理不行き届きは明白だった。それを負い目と感じずにいられるほど、今の自分は強くはない。

同業者から隠れてコソコソするくらいだから、聞き込みにも身が入らない。相手が喋るのを聞いてはいるのだが、それを瞬間的に分析することができない。捜査と呼ぶには遠く及ばない、ただ喋るその字面を頭で追うだけの、無意味な作業だった。こんなことで犯人が逮捕できるとは到底思えない。情けない。情けないが、この重たい自己嫌悪はちょっとやそっとでは払拭できそうにない。燻っているうちに、時間だけが無駄に過ぎていく。

時計を見ると六時半を回っていた。時間的にはこのまま帰ってもいいのだが、昼間、北見が空き物件を見つけたといっていたのを思い出した。捜査会議に出るのも気が重い。どうせなら、もう少し時間潰しをしていこうか。

「じゃあ、さっきいってた空き物件、ちょっといってみようか」

北見は、嬉しそうに頷いた。まだ暗くなりきらない池袋の街を、再び二人で歩き始める。

室外機が吐き出す蒸れた空気。立ち塞がる壁のような騒音。すれ違う人々の汗ばんだ額。四方から押し寄せては絡まり合い、ほぐれては散っていく雑踏。そんな都会の日常すら、今の玲子の目には、ただの絵空事のように映る。

明治通りを目白方面に南下し、西武デパートの前を過ぎると、同じ方向に歩く人より、すれ違って駅に向かう方が多くなった。

やがて、その数も減った頃、

「こっち、だったかな」

北見は自信なげにいい、右に折れた。玲子も黙って続く。

「この辺だったんですけど……。ほんと、もうほとんどできあがってるんですよ。窓にはガラスも入ってますし。ただ、入り口のドアとかはまだなんですけど。……不動産屋とか回って、事情くらい聞いといた方がよかったかな」

この辺なら明治通りからはほんの二、三分。駅からもさほど遠くはない。人を集めるにも悪い立地ではないように思えた。

やがて北見は、ここですと建物を示した。だが残念ながら、あまり『ストロベリーナイト』に適した物件には見えない。

「なんか、普通のマンションみたいだけど……」

「え……ええ。でもほら、二階三階は、テナントが入れるように、広くなってますし」

「広くても窓があれじゃ、外から丸見えじゃない」

「でも裏側とかは、見えなくなってて、使えるかもしれないですし」

「まあ……ね」

「立地も、悪くないですよ」

「ああ、まあ、そう……かもね」

「ほら、ここなんてヒモもほどけてるんですよ」

北見は通りとを隔てる工事用のフェンスを片手で押した。

「ほら、見てください。簡単に入れちゃいますよ」

「ああ、そうなんだ……」

玲子は曖昧に頷いた。

――参っちゃったなぁ。

どう考えても、玲子にはこの物件を見る価値が見出せなかった。だが妙に張り切る北見に、正面きって「見なくていい」とはいいづらい。大塚殉職に責任を感じ、北見は少しでも捜査の足しになろうと努力している。そこは、キャリアといえども二十二、三のお坊ちゃんなのだ。可愛いものと認めてやってもいいのではないか。

「そうね。ちょっと、見てみようか」

玲子が微笑んでみせると、北見はまた嬉しそうに頷いた。

確かにこのフェンスは、すでに何者かの侵入を妨げるものではなくなっている。入り口には扉すらなく、ただコンクリートの四角い口が開いたままになっている。一歩入れば砂や残材が、ズタ袋に詰め込まれて放置されている。

――いくら殺人ショーったって、ここにお客は呼べないでしょう。

中に入ると、通路左右の壁はまだ熱を持っていた。風の通らない屋内は、外よりさらに蒸し暑い。奥には階上まで抜けるエレベーター設置用の縦穴、その右にはコンクリート剝き出しの階段がある。

「上がってみましょう」

やけにノリノリな北見に続き、玲子もその階段を上り始めた。

折り返して二階に着くと、そこは確かに二つの広いフロアになっていた。さらに三階は、もっと大きなワンフロアだ。ここを店舗にするなら何がいいだろう。美容室、飲食店、ブティック——。

玲子はフロアを進み、窓の下を覗いた。

先のフェンスと入り口との間には、思っていたより距離があった。外からでは分からなかったが、見回すとこの窓を覗くような建物は近くになかった。正面はパーキングタワーの背面、隣はコインパーキングだ。駅周辺の明かりは遠く、実際に足を踏み入れると、思ったより寂しい場所だと分かった。

——こんなふうに空き物件を当たっていて、大塚は殺されたんだわ……。

元ライブハウスの、誰もいない空家。大塚を殺した犯人は暗い室内で、いつのまにか彼の背後に忍び寄っていた。そして鈍器で殴りつけ、手錠で自由を奪い、拳銃で頭を撃ち抜いた。

——誰？　誰なの……。

大塚は単独捜査で、何かつかんでいたのだろうか。だとしたらそれは、おそらくとても重要な何かなのだ。もしかしたらその何かを、すでに池袋の帳場はあげているのかもしれない。

そうなると、大塚殺しも殺人ショーも、全て池袋に持っていかれることになる。

だが今は、それならそれでいいとも思う。普段の玲子なら、絶対に自分で挙げてみせると奮起するところだが、今はどうにもその気になれない。もう誰でもいいから、早く大塚殺しの犯人を捕まえてほしい、というのが正直なところだ。

——これが被害者側の、本当の気持ちよね……。

そう思うと、自分が今まで、いかに殺人事件の捜査を「ゲーム」と捉えていたかが分かる。恥ずかしい限りだが、自分は殺人事件を「出世ゲーム」のカードとしか見ていなかった。日下には「お前が挙げろ」といわれたが、今の自分にそんな資格があるとはとても思えない。大塚殺しでも、戸田の帳場でもいい。早く誰かに、この一連の事件の決着をつけてもらいたい。

——埼玉県警か。どうなったかな、あっちの帳場。

玲子は戸田漕艇場の岸に並べられた、九個の包みを思い出した。青いビニールシートに包まれた、九つの死体。金原や滑川より前に殺された、九人の犠牲者。

——金原、滑川、そして九人。金原、滑川、その前に……九人？

玲子は突如、その疑問にいき当たった。どうして金原と滑川は内溜で、どうして九人は戸田漕艇場だったのか。どうして犯人は、それまでは戸田漕艇場に遺棄していながら、先月からは内溜に遺棄することにしたのか。

——なんでこのことを、今まで考えなかったんだろう。

脳裏にふと、井岡の言葉が蘇る。

——こっちに、先月からお世話になっとるんですわ。

先月。つまり七月から、井岡は亀有署勤務になっている。亀有に異動してきた。井岡は王子からといっていたが、事件は、戸田から亀有にやってきた。戸田から、亀有に移動してきた。

——そして、大塚が殺された。

砂の柱が崩れるように、玲子は全身から血の気が引くのを感じた。だがそれは、決して不快なものではない。むしろ今、自分がこの状況にいられることが嬉しかった。この総毛立つほどの恐怖を、玲子は全身全霊で受け止めようと心に決めた。

——やっぱりくるんだ。こういうのが、あたしの所に転がってくるようになってるんだ。

そうなんだよね、佐田さん。

玲子は振り返らず、背後の北見に訊いた。

「……ねえ、北見くん。きみ学生時代、もしかしてボート部だったんじゃない？」

「えっ」

素っ頓狂な声。数秒の沈黙。

やがて北見は、低く続けた。

「なんだよそれ、藪から棒に……」

ひどく下品な、それまでとは別人のような声色――。

「まったく、あんたって人は」

何かを取り出す気配。小さな衣擦《きぬず》れの音に振り返ると、すぐ目の前に銃口があった。

「……油断ならないな」

左手を添え、安全装置をはずす。玲子はとっさに首を傾けた。

「うわっ」

火花、銃声、熱い硝煙。

銃弾が玲子の右耳を射貫く。頭の右側に見えない風船が膨らむ。そっちだけ、何も聞こえなくなった。

「危ねえなぁ……駄目だよ急に動いちゃ。びっくりして撃っちまったじゃねえか」

玲子はほんの数秒前、まさにこの状況を想定し、覚悟した。だが今この瞬間は、むしろ信じられない気持ちの方が強かった。自分の当てずっぽうに、自分自身で驚いている。

――北見くん……本当に君が、犯人なの?

だが言葉にはできず、玲子は右耳を押さえてひざまずいた。

目の前、まだ構えを解かない北見が持っているのは、三十八口径ほどのオートマチックだ。大塚の頭を撃ち抜いた銃弾は九ミリパラベラム。一致している。だが大塚が襲われた頃、北見は喫茶店にいたはず。どういうことだ。

北見は、その端正な顔によく似合う、冷たい笑みを浮かべた。

「最初あんたが、ホシは金原の腹ん中を掻き回したんじゃないかっていったときは、可笑しくて、思わず笑っちまったよ。だがすぐに、水中に遺棄したんじゃないかっていい始めて……ほんと、驚いたよ。挙句にひと月も前に死んだ、深沢のことまで持ち出してきやがって……まったく、大したもんだよ」

今度は銃弾ではなく、北見の爪先が玲子の腹を襲った。

「ウグッ」

昼飯がせり上がってくる。冷たい熱が顔に貼りつき、石が詰まったように喉が硬くなる。息が――。

「確かに、こっちにもいくつのかミスがあったけど、おたくら刑事の動きってのも、なかなか予想外で、けっこう侮れないね。ほんと、まさかこんなことまでしなきゃなんなくなるなんて、思ってなかったもんなぁ……」

北見はポケットから、おもむろに手錠を取り出した。

2

勝俣は、中央医科大病院の新館六階でエレベーターを降りた。

前回ここを訪れたとき、勝俣はある一人の看護師を手なずけることに成功している。栗原《くりはら》彰子《あきこ》。医局はどこだと尋ね、その後に給湯室の前で再び顔を合わせた、そこそこ化粧の上手い、小銭の好きそうな顔つきの、あの女だ。

「ちょっとあんた、栗原さんがどこにいるか、知らねえかな」

手当たり次第にそう訊いて回っていると、ひょいとその本人と出くわした。

「あっ」

互いに顔を見合わせ、だが彼女の方から勝俣の手をとった。人気《ひとけ》のない階段室の方に引っぱられる。

——なんだなんだ。

一つ下の踊り場まできて、彼女は足を止めた。下から誰かこないか、窺ってから勝俣に向き直る。

「ちょうどよかった。私からも、連絡しようと思ってたんです」

「なんだ、なんかあったのか」

やけに真剣な目で頷く。

「深沢由香里が、一昨日の深夜、病院から抜け出したの」

「なにィ?」

ということはつまり、昨日の大塚殺害時に、由香里は病院にいなかったことになる。

だったらなんで一昨日知らせねえんだ、なんのために小遣いやったと思ってんだ、と怒鳴りつけたい気持ちを必死で堪える。ここで爆発したら、のちの諸々が台無しになる。

「そういうことはな、アッコちゃん、もっとタイムリーに、知らせてくれなきゃ……」

「そ、そんなこといったって」

彼女は、むきになったように口を尖らせた。

「私は夜勤なしの条件で雇われてるんです。それに昨日は非番だったし、直接の担当ってわけでもないし。私だって知ったのはついさっきなんだから、仕方ないじゃないですか」

そう。この手の女は、俗にいう「逆ギレ」というのを起こしやすい。勝俣は「分かった分かった」となだめ、前後の事情説明を求めた。

「……実は深沢由香里は、これまでにも何度か、病院を抜け出してるんです。でもいつもは、夜が明ける頃には戻ってきてました。ところが今回は、一日半経っても戻ってこない。先生方と事務局も、何度か話し合いをしてるんですが、まだ、警察に届けようってことにはなってないみたいです。もう少し、状況を見てからにしようってことなんだと思います。……お分かりでしょうけど、こういうとこって、とにかく警察沙汰になるのを嫌がるんですよ。だから逆に、今ってチャンスかもしれないです。ちょっとつついたら尾室先生、洗いざらい喋るかもしれませんよ。由香里ちゃんのこと」

胸にあったざわつきは、今や勝俣の全身に広がろうとしていた。

「尾室は今どこにいる」

「第三診察室です。私、一緒にいきますよ。もし患者さんがいたら、連れ出さなきゃいけないでしょ」

見込み通り、なかなか使える女だと思った。

栗原彰子の予想通り、第三診察室には患者がいた。

「ヨシムラさぁん、ちょっとお部屋、出てましょうねぇ……」

勝俣に目配せをし、やや動作の緩慢な中年女性を廊下に連れ出す。勝俣も目で頷き、二人をやり過ごしてからドアを閉めた。

尾室は、この前と同じ席に座ってこっちを見ていた。気乗りしない態度は相変わらずだが、表情には若干の困惑も見てとれた。

「……なんだか、大変なことになってるらしいじゃねえか、尾室先生。俺でよかったら、相談に乗るぜ」

勝俣は患者席にどっかと座り、禁煙は承知の上でタバコに火を点けた。尾室は、何もいわなかった。

「重度の精神病患者が逃げ出した。そういうの、放っとくのがこういうとこじゃ普通になってるのかい。俺は、問題だと思うがねえ」

携帯用の灰皿をカウンターに置く。蓋を開けて灰を落とす。尾室はそれを、じっと目で追っていた。

「由香里が外で何かやらかしたら、あんた、どうすんの」

はっと、彼の呼吸が止まる。

「たとえば、人でも殺しちまったら……あんた、どうやって事態を収拾するつもりなの」

チラリと勝俣を見、そっと息を吐きながら、尾室はあらぬ方に目を向けた。そういうこともあり得ると、いっているも同然の挙動だった。

「なあ、先生よ。実のところ、もうそれらしいことは起こっちまってるんだよ。だがまだ、俺には腑に落ちない部分がかなりある。そこんとこを潰しておかねえと、これ以上先には進めねえんだ。なあ、分かるだろう。……この前もいったと思うが、俺は何も、由香里の病状をどうこうしようだとか、頭がイカレてるからって、やってもねえことの罪までおっかぶせようってんじゃねえんだよ。由香里が無実だってんなら、もしくは由香里を守りたいって気持ちがあるんなら、逆にあんたは、進んで協力すべきなんじゃないのか？　それが由香里のためであり、ひいてはあんたのためにだってなると、俺は思うんだがな」

ゆっくりと、尾室は天井を仰いだ。目を閉じ、心を決めようとするように深く息を吐く。たまに、自白する前の被疑者がこういう仕草をする。

勝俣が意識して沈黙を作ると、疲れの溜まったような嗄《しわが》れた声で、尾室は語り始めた。

「由香里は……父親に、大変な虐待を受けていた可能性があります。元暴力団員で、薬物中毒だったと聞いています。おそらく、性的な虐待も受けていたはずです。それが、彼女の精神を、崩壊させた……」

その手の話なら前回の訪問後、勝俣も多少は勉強した。病名ばかりズラズラ並べられ、馬鹿にされた気がしたからだ。

「つまり由香里は、多重人格とか、そういうやつか」

娘が父親に性的虐待を受ける、つまり近親相姦を強要されると、当然のことながら娘の心の内には父親に対する憎しみが湧く。だが一方には、父親を好きでいたい、生みの親を憎みたくないという気持ちも存在し続ける。そのギャップが娘の精神を引き裂く。やがて無意識のうちに、虐待を受けているのは自分ではない、まったく別の誰かなのだと、自らに言い聞かせるようになる。そして内なる世界にもう一人、あるいは複数、別の人格を作り出す。父親に性的虐待を受けた少女が解離性同一性障害に陥りやすいのは、このような精神メカニズムによるものである、というのを、ものの本で勉強した。が、

「いえ、違います」

あっさりと否定され、勝俣は要らぬ恥を掻いた気分になった。

――ちぇ。知ったかぶりして損したぜ。

タバコをねじり潰し、「だったらなんだ」と先を促す。

「それは、相手があくまでも実の父親であった場合です。虐待したのは由香里の母親が再婚した相手ですから、ちょっとそういうケースとは違います。ですが、彼女が苦しんでいたことに変わりはありません。彼女は、自分が女であることそのものを、心の底から嫌いました。義理の父親に汚された自分の体を、彼女は何より憎みました。その結果、彼女がどういう行動をとったか、あなたに分かりますか」

もう適当なことはいうまい。黙ってかぶりを振ると、尾室は痛みを堪えるように短い息を吐いた。

「……由香里は、最初からこの、精神神経科にかかっていたんじゃないんです。彼女が最初にこの病院にきたのは、救急でですよ。彼女は児童養護施設で、自分で自分の右乳房を、カッターナイフで切り取って……それで、担ぎ込まれてきたんです」

——自分で、乳房を……。

さすがの勝俣も、頬が強張《こわば》るのを止められなかった。

「そのときすでに、左腕は切り刻みすぎて皺々になり、全体に皮膚が硬くなった状態でした。彼女のような状態に陥ると、自分の血を見るのが何よりの精神安定剤になってしまうんです。俗にいう『リストカット症候群』です。

自分には生きる価値がない、どうしようもなく汚れている、臭い、汚い、自分は人間じゃない、汚物だ……でも本当は、そうじゃないと思いたいんです。どうにかして、自分の人間としての価値を確かめたい。自分は生きている、自分にもみんなと同じ赤い血が流れている……そんな当たり前のことすら、実際に確かめなくてはいられなくなってしまうんです。

彼女の精神はとことんまで追い詰められ、悲鳴をあげていました。そして腕は切る場所がなくなり、とうとう乳房を、女性としての証である乳房を、彼女は自分で切り取ったんです。

不幸なことに、彼女はある種の特異体質でした。簡単にいうと、血が固まりやすく、比較的出血が早く止まる性質だったんです。そのお陰で一命は取り留めましたが、逆にいえば、彼女の苦悩も続く結果になった。彼女はこの病院内で、左の乳房も切り取りました。退院して新宿の街中で、尻の肉と腹の肉も削ぎ落としました。真っ昼間、歌舞伎町の路上で全裸になり、自分で自分の体を切り刻んだんですよ」

女性としての特徴を、全て自分で削ぎ落とした少女。その結果、体形がどんなふうになったかは、ある程度想像がつく。もはや、由香里が『エフ』であることに疑いの余地はなかった。

「先生よ……ちょっと、この写真を見てくれるか」

辰巳から受け取った例の写真を三枚、カウンターに並べる。尾室の表情の変化を見ていれば、もうほとんど質問は不要であるように思われた。

「ここに写っているのは、深沢由香里か」

尾室はうな垂れるように頷いた。

「ええ……私には、とてもよく似ているように、見えます」

「じゃあ、こっちの男はどうだ。見覚えはないか」

一度、尾室はかぶりを振った。だがすぐ、三枚のうちの真ん中、由香里ではない方の顔が、比較的はっきり写っている一枚に顔を近づける。

「……そういえば一、二度、従兄だという若い男が、彼女を見舞いに訪れましたが、その男に、若干似ているような気もします」

「確かか」

「いえ、ずいぶん前のことですから、はっきりとは覚えていませんが、でも、こんな感じだったような……」

「名前は分かるか」

「事務局が保管している面会者名簿が、期限切れで処分されていなければ、分かると思いますが」

「急いで調べるようにいってくれ」

尾室は「はい」と頷き、受話器に手を伸ばした。

勝俣はもう一本、タバコを銜えて火を点けた。

用件を伝え、受話器を置いた尾室は、まるで自らが容疑者であるかのように、すっかり観念した態度になっていた。

「……由香里は、しばしばここを抜け出していたそうだな」

黙って、小さく頷く。

「それは、決まって毎月、第二日曜ではなかったか」

困ったように首を傾げる。

「じゃあ、それもあとで調べといてくれ。ま、第二日曜ってことで、まず間違いはないとは思うがな」

承知したというふうに、尾室はゆるりと頭を下げた。

窓の外には、降りそうで降らない、危うい色合いの曇り空が広がっている。じっと見ていると、少しずつだがそれが、こっち向きに流れてきているのが分かる。だから何というわけでもないのだが、あまり気分のいい眺めではなかった。

事務局が面会者名簿の確認をするのに、あとどれくらいの時間が要るのだろう。そんなことを思っていると、ふいに尾室が口を開いた。

「……ここ一年くらいは、むしろ、由香里の容体は落ち着いていたんです。ですが、七月の半ばに、お兄さんが亡くなったと、知らせを受けまして。唯一の肉親ですから、知らせないわけにもいかず、相当ショックを受けるだろうことは、こっちも覚悟していたのですが……

それは、想像以上でした。

激しいうつ状態、離人症、自傷行為に加え、他人を傷つけようとする行為も顕著に見られました。看護師を羽交い締めにして、どこからか持ち出したカッターナイフを喉元に当てたこともありました。説得で、その場はなんとか事無きを得ましたが、そのとき彼女は、ぞっとするようなことを口走りました。……私が人を殺せば、きっとお兄ちゃんが、助けにきてくれる……と」

胸が、臭い煙に燻されるようだった。

「それは、いつの話だ」

「先月の、末頃です」

タイミング的には、西新井署の巡査長が訪ねたのより、あとということになる。

「……先生よ。俺は患者の人権を守ろうとする、あんたのその、医者としての姿勢をどうこういうつもりはねえよ。だがな、もしあんたが、その等々力って警官に、今のような話をしてくれていたなら、もしかしたら、金原太一って男は、殺されずにすんだかもしれねえんだ。それが無理だというんなら、遅くとも前回、俺がここにきたときに、由香里の異常性について何かしら教えてくれていたなら……大塚って、俺と同じ課にいた若いデカは、死なずにすんだ……それだけは、確かなんだよ」

携帯が、胸のポケットで震えた。

「……勝俣だ」

『ああ、辰巳だ。例の黒幕が割れたぞ』

どんと重たいものが、胸の真ん中を突き抜けていった。

「なんだ、ずいぶん、早えじゃねえか」

『当たり前だ。あんたにもらった二百万、そっくり全額叩きつけた。いやそんなこといってる場合じゃねえ。驚くな。黒幕はな、警視庁第三方面本部長の息子、北見昇だ。今あんたらが捜査本部を置いてる亀有署に研修にいってる、若造が黒幕だ』

「クソッ」

勝俣は「またくる」といい捨て、ドアロへ踵を返した。

3

北見は携帯電話で、誰かを怒鳴りつけていた。

「お前がいうなよ。撃っちまったんだからしょうがねえだろうが。いいからこいよ。……ああ、だから前に下見した池袋の、あの空きビルだよ。……ちゃんとエフにも知らせろよ。……ば、馬鹿いってんなよ、そんなもん放っとけよ。なんでもいいから、さっさとくりゃいいんだお前はッ」

ぱたりと二つ折りのそれを閉じ、足下に唾を吐き捨てる。同じコンクリートの床に玲子は今、後ろ手に手錠をはめられ、転がされている。そう。殺されたときの大塚と、同じように。

「姫川主任。あんたの死亡予定時刻は、八時半か九時頃になるよ。ちょうど、俺が捜査会議に出てる頃だ」

仲間を呼び、玲子を殺させ、自分だけはのうのうと会議に出てアリバイ作りか。つまり大塚の死亡推定時刻、彼が喫茶店にいたというのも、同じ手口ということか。

北見は、玲子の頭の辺りに座り込んだ。いわゆる、ヤンキー座りというやつだ。その状態でこめかみに銃口を当てられると、もういかなる抵抗も不可能だった。

「……俺はね、もう学生時代に、ワルはやり尽くしちゃったのよ。スピード、コーク、エル、切手、ヘロインもハッパもやったな。キメて女を姦ったり、第三京浜カッ飛ばすのも好きだった。そうそう、気に入った女を拉致って輪姦したり、監禁したりもしたな。金に不自由はしなかったけど、面白いからビデオに撮ってネットで流したりもした。渋谷、新宿を我が物顔で歩いてるクソガキどもは、ボコって縛って、羽田空港の滑走路に置き去りにしてやったよ。

……けどまぁ、そういうのって、いずれは飽きがくるんだよな。限界がある。俺には警察官僚としての未来もあったしね。表沙汰になるわけにゃいかなかった。無茶もせいぜい喧嘩、クスリ止まり。揉めたら金でケリをつけてきた。ちょうどそんな頃だよ。俺が『エフ』と出会ったのは」

玲子は「エフ?」と訊き返した。確か北見は、さっきも電話でその名前を呼んでいた。

「ああ。もうそろそろ、くるはずだよ。泊まってるのは、このすぐ近くのホテルだから」

その言葉通り、しばらくすると、フロアの入り口を人影が塞いだ。

「おお、真打登場だ……よお、待ってたぜ」

だが、影はこっちには入ってこない。

「迷ったか」

答えもしない。

「……ま、いいさ」

北見はおどけた表情で、玲子の顔を覗き込んだ。

「紹介しますよ、姫川主任。こいつが『エフ』。殺しの芸術家、『ストロベリーナイト』のヒロイン。またの名、っつーか本名、深沢由香里」

――これが、実行犯……？　深沢、由香里？

その立ち姿は、「由香里」という響きから漠然と思い描く像とは、あまりにもかけ離れたものだった。背は玲子と同じくらいだが、棒のように痩せ細っている。髪も切ったというよりは、毟《むし》って短くなったような感じだ。皮膚病の野良犬。そんなものを髣髴《ほうふつ》させる佇《たたず》まいだ。

「こいつはね、ちょいとオイタがすぎた俺のダチを追っかけてきたんだ。事情が事情だから、俺は金で片づけようと思ってた。けどさ、そんなのこいつには一切通用しないの。いきなりスパッて、ここ、ダチのここを、真一文字に切りやがった。……それがね、実に鮮やかだったのよ。手際も、血の噴き方も、こいつの存在感も、全てが芸術だった。

殺られたダチだって、生きてりゃ今頃どっかの省庁の官僚候補になってたはずさ。でも、そんな俺と似たようなレールを走ってきた奴が、ほんの一瞬、ほんの一瞬でだよ、血だるまになってビクビク痙攣して、死んじまうんだよ。こいつの持ってる、百円かそこらのカッターナイフで、人生なんてスッパリ、断ち切られちまうんだ。

俺はその頃ね、心のどっかに、いくらヤンチャやっても埋められない何かを抱えてた。このまま若い頃の無茶は風化して、エスカレーターに乗るみたいに、自分は警察官僚としての階段をどんどん上っていくんだろうなって、そう漠然と思うだけでね、人生ってこんなもんかなって、なんか冷めてたところ、あったんだ」

北見は、うっとりとした眼差しで由香里を見つめた。

「でもよ、その甘ったれた性根を叩き直してくれたのが、このエフだったんだ。見ろよ、こんなに近くに、『死』はリアルに存在してるぜ。テレビでも滅多にお目にかかれないリアルな『死』が、今お前の目の前にあるんだぜ……ってな。こいつがそれを、俺に教えてくれたんだ。

ガキの頃から上ばっかり見て育ってきた俺には、確かに下が見えなくなってた。首が痛くなるほど上ばっかり見てきたから、自分が今どれくらいの高さに立ってるのかなんて、全然分からなくなってた。でもこいつのお陰で分かったんだ。俺は何十万って、地面に這いつくばって生きてる連中の頂点に立たなきゃいけないんだって。ただ漠然と生きて、熟れすぎて腐ったイチゴみたいに、そのダチの死骸みたいになっちまったらお終《しま》いなんだって、悟ったんだよ。

それでね、俺はこの、殺しの芸術家をサポートするパトロンになったわけ。何より俺自身が、こいつの実演を見たかったから。観客たちも俺と同じ感動を味わったはずさ。目の前にある『死』という現実。そしてその対極として存在する、『生きる』という価値観。リアルな自分を、再認識するのさ」

実際の、ショーの一場面でも思い出しているのだろう。北見は目を閉じ、両手を広げ、まるでオーケストラの演奏を全身に浴びるように、恍惚とした表情を浮かべていた。

「……思えば現代人なんて、病院で生まれて病院で死ぬもんなんだよな。誰も『死』をリアルに感じたことなんてない。きっとみんな感じたがってる。見たがってる。だから俺は見せてやったんだ。リアルな『死』を。その対極として存在する、リアルな『生』を。……『ストロベリーナイト』ってのは俺が考えたタイトルだが、こいつは賛成してくれたぜ。ひとっ言も喋りゃしねえけど、コクンってさ、頷いてくれたんだ」

玲子は話を聞く振りをしながら、もう一人の仲間がくる前に、なんとかこの状況を打開できないかとチャンスを窺っていた。だが、調子に乗って喋っているようでいて北見は、実に冷静に玲子を監視し続けていた。せめて、後ろに回った手を前に戻すことができれば、チャンスも見出せると思うのだが。

「……あんたのお察し通り、最初は戸田に沈めてたが、亀有にきてからあの内溜を知ってね。七月からはそこに沈めようってなった。けどまさかね、康之が死ぬとは思わなかったよ。しかもあんな死に方をするなんて。……お手上げだよ、あんたの勘には。全っ然、納得できないけど、結果的には当たってるんだから始末に負えないよ。……本当は俺たち、大塚なんかより、あんたを先に始末するべきだったんだ」

どういうつもりか、北見は玲子から銃口を外した。顎をしゃくって、立てと示す。玲子は従い、ゆっくりと立ち上がった。

「もったいないな……嫌いじゃないんだよ。あんたみたいな女」

北見が玲子の胸元に左手を差し入れる。汗ばんだブラウスの上から、乳房を揉まれる。いま抵抗したらどうなるか。玲子はそれだけを冷静に考えようと努めた。だが、無遠慮に玲子を犯す北見の指、その動きが、集中力を削いでいく。喉元から直接肌に触れ、下着の中に入り込んでくる。乳首を見つけ出し、痛いほどにつまむ——。

「あんたなら分かるだろ。あんただって、そうだったろ。同じだろ。捜査一課で、毎日毎日惨たらしい死体を見て、どう思った。こうはなりたくないって、思ったことなかった？　あったでしょ」

銃口は依然こめかみにある。北見は背後から玲子を抱き、いまパンツのジッパーを下ろそうとしている。

「自分は生きている。生きててよかったって、思ったでしょ。優越感感じたでしょ」

——違う、あたしはそんなこと、思ってない……。

だが、言葉にはできなかった。北見の指先は、玲子の敏感な部分を探している。黒い夏の闇が、玲子の意識をからめ取っていく。

「同じなんだよ、あんただって。いや、あの観客たちよりタチが悪いかもね。だって、死体見て金貰ってんだもん。仕事でございって、もっともらしい顔してさ、腹ん中じゃ、こうなっちゃったらお終いよねえ、とか考えてたんでしょ。よかった、わたし刑事で、とか思ってたんでしょ」

くちゃくちゃと、北見の指先が卑猥な音をたてる。もはや玲子には、それすらも遠い他人事のように感じられた。ただ、黒い夏の闇に抱かれ、無力化していく自分を感じるのみだ。

——またあたしは、これを、受け入れてしまうの……？

そう、思ったときだ。

「……違う」

ふいにか細い声が聞こえた。それが誰の声なのか、とっさには分からなかった。北見が玲子の股から指を抜く。

「……違う。あんた、僕と、全然、違う」

由香里だった。外見からは想像もつかない、透き通るような少女の声だった。しかしなぜ、自らを「僕」と称するのか。

「何が違うんだ、エフ」

北見の声が、思いのほか優しい。

「僕は、上なんて、見たこと、ない。ただ、自分が、生きてるんだって、みんなと同じ、血を流しながら、生きてるんだって、感じたかった。自分も、人間なんだって、思いたかった……」

消え入りそうな、それこそ幽霊が喋っているような声だった。だが不思議と、その言葉には力がある。

北見は玲子を置き去りにし、ふらふらと由香里に向かう。

——チャンスだ……。

玲子は二人に悟られないよう、ゆっくりとその場にしゃがんだ。

「なにいってるんだよ。同じだよ、同じじゃないか。俺とお前は同志だろ。リアルな『死』を感じて、リアルな『生』を感じて、そうやって、今があるんじゃないか」

「違う……」

黒い影がかぶりを振る。

玲子は後ろにあった手首を、小さくまたぐ。

「……僕は、『死』しか、感じなかった。自分が生きてるなんて、全然、信じられな、かった。当たり前に、『生』しか、感じなかった、あんたとは、全然……違う」

「な、なにいってんだよ、なにいってんだよいまさら」

北見の背中に、狼狽《ろうばい》が見てとれた。

——今だッ。

玲子は中腰のまま北見の背中に体当たりした。

「んむッ」

北見は振り向きざま、玲子に膝を突き出した。体を二つに折り、ダメージを最小限に食い止める。

「な、舐めやがってッ」

また、北見の爪先がみぞおちに飛んでくる。一発、二発。だが玲子は急所をはずしながら耐えた。そして三発目で、ついに北見の足首を、手錠のかかった手でつかんだ。そのまますくい上げる。

「んのァ」

北見が大きくよろける。その隙を突いて出入り口に走る。外に出て叫べば、誰かが聞いてくれるかも。だがその刹那、

——はッ。

背後に銃声がし、同時に玲子は、足を払われたように前のめりに倒れた。眼前に迫るのはコンクリートの床ではなく、ぽっかりと口を開けた四角い穴だ。エレベーターが設置されるはずだった、突起も何もない縦穴だ。

――お、落ちる……。

とっさに体を捻った。右半身は穴に落ちかけたが、なんとか床の縁を右手でつかんだ。いや、指先しか引っかからなかった。腰から下がすべり落ちる。左手も添えるが、全身が落ち、床にぶら下がる恰好になった。体が振れる。コンクリートに乗った砂で、指先は今にも滑りそうだ。あと何秒、この状態で持ち堪えられるだろうか。ここは三階。落ちたらまず助からない。

絶望が圧しかかる。

北見の頭が見え、近づいてくるのが分かる。

銃口の黒い穴がこっちを見据える。

そのとき、

「アァアーッ」

「なッ」

銃声が、何発か――。

「やめろ北見ッ」

「動くなァ」

また銃声が、何発も——。

「んッ、ぬあァァーッ」

「北見ィィーッ」

誰が誰を撃っているのか、玲子にはさっぱり分からなかった。

一瞬のうちに、三階では様々なことが起こった。かろうじて穴にぶら下がっている玲子には、北見の名を叫んだのが誰なのかも分からない。

「……はっ」

ふいに血みどろの、由香里の顔が目の前に現われた。彼女は這いつくばり、玲子の手首をグッとつかんだ。信じられないほど強い力で、由香里は玲子を引き上げようとした。

「……マコ、助けに、きたよ」

そう短く漏らし、やがて由香里は目を閉じた。

4

勝俣はタクシーの中で、何十回と姫川の携帯を鳴らした。そのたびに、電波の届かない場所におられるか、というメッセージを聞かされた。

——まったく。バカ女の携帯は糸電話より役に立たねえな。

そんなこんなしているうちに、池袋に着いてしまった。

今日、北見は姫川と池袋の空き物件を当たっているはずだ。上手く合流できれば、その場で北見を締め上げて緊急逮捕だ。棚から牡丹餅、手柄は丸儲け。辰巳に二百五十万とられたのは少々痛かったが、所詮は泡銭。未練はない。

——しっかしなぁ……。

池袋の東口繁華街を見渡す。西武デパート、三越百貨店、家電量販店、だがそんな所に玲子たちがいるはずもない。空き物件そのものを当たっているのか、不動産屋を回っているのか。どちらにせよこの広い池袋で、たった二人の刑事を探し出すのは至難の業だ。それも、たった一人で。

——ん、一人？　そういえば……。

急に井岡のことを思い出した。あいつは、昼に撒いてからどうしているのだろう。あれからどこで、何をしているのだろう。近くにいるなら呼び出してみようか。一人より二人の方が、多少は発見できる可能性も高まる。

早速携帯にかけてみると、ワンコールで出た。

『はいィ。こちら亀有署のプリンス、井岡の博みっちゃ……』

「俺だバカヤロウッ」

勝俣は、交差点の人込みもかまわず怒鳴った。

「テメェ今どこにいやがる。俺は池袋だ。今すぐきやがれッ」

『ほへぇ、奇遇でんなぁ。ワシも今、池袋ですわ』

勝俣の背中を、生ぬるい汗が伝った。

——まさか、ずっと俺をつけてたんじゃねえだろうな。

思わず周りを見回すが、井岡の姿はない。

「テメェ、い、池袋で、何やってやがる」

『へ？　あ、はぁ……あの、いうは恥ずかし、仲良しこよし……』

「く、こ、コノヤロウ……」

『いやいや、いいますいいます。あのね、ワシね、やっぱり玲子ちゃんが、心配で心配で』

姫川が、心配？　一瞬、井岡はすでに事件の全容を知っているのかと思ったが、そうではなかった。

『ほら、今日からあの、キャリアのボンボンとコンビやないですか。あいつ、あれでなかなか、ハンサムボーイやし……もしかしたら、玲子ちゃんが、コロッといってまうんやないかて、心配で……。それでなくとも空き物件の捜査ですやん。そないな、人気のない所に、あ、あの……北見と玲子ちゃんが入って……チュッチュでもしてたらと思たら、もうワシ、居ても立ってもいられんようなってもうて……』

井岡の、親指を嚙む芝居が目に浮かぶ。

「あーあーあー、居ても立ってもいられなくて、それで今お前は何をやってるんだ」

『そやからホンマ、女々しいことやて分かってはいたんですけれども、ワシ、池袋で、玲子ちゃんを探してて……そ、そいでもって、見つけてしもたんで、ホンマ、恥ずかしいんですけれども、ずっと、つけてたんですわ』

——本当かよ、おい！

願ってもない幸運。勝俣は生唾を飲んだ。

「それで、い、井岡巡査長。君は、い、今も、姫川と北見の居場所を、押さえて、いるのかね」

『へぇ。それがでんなぁ、よりによって、街はずれの建設中のビルに、入っていきましてなぁ。あん中で、もし、もしですよ、あの北見が劣情でも催して、玲子ちゃんに襲いかかったりしたらと思うと、ワシもう、生きた心地が……』

——でかした井岡。お前、ちょっと最高じゃねえかッ。

勝俣は走り出したい気持ちを抑え、努めて冷静に、井岡にその住所と駅からの行き方を訊いた。

『……の、二つ目の角を入ってぇ、真っ直ぐきてぇ、三つ目を左に折れてぇ』

そこまでいって、井岡はしばし黙った。

「おい、左に折れて、それからどうした」

『あ、いや……今なんか、パンッて音がしたような、しないような……』

「なにッ」

銃声だ。大塚を撃ち殺したのが北見かどうかは分からないが、姫川を大塚同様、また空き物件で始末しようとする可能性はないとはいいきれない。

——ヤッベェぞ、こりゃあ……。

とりあえず続きを聞き、井岡には「絶対にその場を動くな」と命じて切った。


すぐ近くの家電量販店に飛び込み、人を掻き分けながらエスカレーターを駆け上った。確か、最近は上の方で玩具も取り扱っているはずだ。

——頼むぜ、おい。

息を切らして七階に着くと、果たしてそこは百貨店も顔負けの立派なオモチャ売り場になっていた。

近くを通った店員を呼び止め、モデルガンの売り場を尋ねる。店員は訝るような目で勝俣を見たが、今は取り繕《つくろ》う余裕も怒鳴りつけている暇もない。

「どこだ、案内しろ」

「こ、こちらでございます」

二つ先のブロックまでいき、示された棚を見渡す。目は無意識に使い慣れた日本警察専用の拳銃、ニューナンブM60を探すが、そんなマニアックなモデルがあるはずもない。それでなくともリボルバーは時代遅れ。棚にあるのは全てオートマチックだった。

ワルサーP88、S&W・M3906、ベレッタM92F、SIG/ザウエルP228。なかなか、男心をくすぐる品ぞろえだ。

——ま、無難にこれでいいか。どうせ気休めだ。

「おいあんた、これを出してくれ」

勝俣はP228を指差した。

「それ、ちゃんと鳴るんだろうな」

「ええ、それはもう。音はもちろん、本物と同様、ちゃんと十三発にプラス一発が装弾できるようになっております」

「弾は付属か」

「はい。フル装弾、十四発分は付属しておりますが」

「ちゃんと鳴るのか。不発ってこたぁないだろうな」

「え、ええ……ない、とは思いますが、ご心配でしたら、こちらを」

別売りの弾を勧められる。

「あんた商売上手いね。よし分かった。それも買うから、新しい弾をフルに詰めてくれ。すぐ使うんだ」

また怪訝な顔をされたが、かまっている暇はない。

勝俣はちゃんと現金で支払い、今度は階段を駆け下りて店を出た。

それからもまた走った。

——なんか、今日は、やけに、走らされるなぁ……。

さすがの勝俣も少々バテた。が、事態が事態だけに泣き言もいっていられない。一度は所轄に応援を頼むことも考えたが、なかなか上手い理由を考えつかなかった。そもそも違法捜査で仕入れたネタだけに、あまり公にはできない。

そんなこんなしているうちに、目的の建設中マンションにたどりついた。

「……主任、こっち、こっち」

一つ先の角、声を殺した井岡が手招きをしている。

「くっ……は、はぁ……はぁ……ど、どうだ」

井岡は下唇を噛んでマンションを見上げた。

「出てきまへんのや。挙句にでんなぁ、変な痩せこけたガキがあとから……」

痩せこけた、ガキ？

勝俣は井岡の胸座をつかんだ。声を殺して訊く。

「まさかそいつは、黒い、ツナギを、着ていなかったか」

「あ、ああ、着てました着てました。なんや、主任のお知り合いでっか」

もう口でいうのも面倒なので、直接ゲンコツを喰らわせた。

「ホシだ。その黒いのが、実行犯の深沢由香里で、操ってる黒幕が、北見だ」

「は？　なんですの、それ」

井岡は鼻で笑ったが、勝俣は無視して紙袋を広げた。

「もう、応援を頼んでる暇もねえ……強行突入だ」

勝俣が構えたP２２８を見て、また笑う。

「それ、オモチャですやん」

「いいんだよ威嚇の音が出りゃ。あっちは確実に道具を持ってる。こんなんでも、暗いところで構えりゃそれなりに見えるだろ」

実をいうと、大塚殺害の件を受け、捜査員は今朝から、全員が拳銃を携帯する予定になっていた。だがなんのトラブルか、警視庁本部から拳銃が届くのは昼過ぎになるという連絡が今朝早く入った。

待つべきか否か。正直、勝俣もほんの少しだけ迷ったのだが、結局は丸腰で出てきてしまった。その後にこの井岡と追いかけっこを演じたお陰で、拳銃のことはすっかり頭から消え去っていた。

「お前は、持ってんだろ」

「は？　何がでっか」

「拳銃だよ。携帯命令、出てたろ」

「ああ……いや、気づいたときには勝俣主任がおれへんかったんで、しまった、置いてかれたァ思て、慌てて出てきてもうたんで……ワシは、持ってまへんけど」

——なんだよ、使えねえなぁ。

妙に鼻が利くところもあるようだが、総体でいえば、やはり使えないとしかいいようがない。

「もういい。いくぞ」

マンションに向かうと、井岡も黙ってついてきた。音を立てないようフェンスをすり抜け、入り口に向かう。耳を澄ますと、上から誰かの話し声が聞こえるが、内容までは分からない。

通路突き当たりには空っぽのエレベーター設置孔。その隣にはコンクリート打ちっ放しの階段。足音を殺して上る。二階。誰もいない。だがその上には人の気配がある。

「んのァッ」

突如、階上に怒声が響いた。

「急げッ」

「はひっ」

もう足音を殺している余裕はない。最後の力を振り絞って二段飛ばし。三階に顔を出す。と同時に銃声が響いた。次の瞬間、ほとんどスライディングの状態の姫川が滑ってきた。そのまま右の壁に姿を消す。

——そこ、穴だろ？　落ちたんじゃねえか？

冷静に見たら滑稽な場面だが、さすがに笑いはしなかった。もうすぐそこに、銃を構えた北見が迫っている。

デカの習性か、勝俣は「動くな北見」と警告しようとした。が、よく考えたらその必要はない。こっちが持っているのはモデルガンだ。どうせ撃っても弾は出ない。しかしいきなり発砲して、反射的に北見が撃ち返してきたらどうしよう。などと迷っているうちに、

「アァアーッ」

北見の背後に由香里が迫ってきた。手に何か握っている。

「なッ」

振り返った北見はいきなり二発、由香里を撃った。

「やめろ北見ッ」

「動くなァ」

とっさに勝俣も何発か撃った。

北見がこっちに気づき、銃口を向け直す。

だがすぐさま、起き上がってきた由香里が、チョップの要領で北見の喉元を薙《な》いだ。空振りか、いや、当たったのか。

「んッ、ぬあァァーッ」

北見は喉元を押さえ、再び由香里を狙った。

「北見ィィーッ」

パンパンパパンパンパパパン——。

北見は倒れながら撃った。勝俣も撃った。だがこっちの弾は出ていない。音だけ。由香里は弾かれ、だが倒れながら、なぜか玲子に手を伸べた。

「北見ッ」

「玲子しゃんッ」

勝俣は由香里をまたいで北見に駆け寄った。銃を蹴り上げ、みぞおちに膝を落とした。こっちがモデルガンだと見破られぬよう、顎の下に銃口を突きつける。

「……ゲームは終わりだ、このクソガキがッ」

北見の、喉元の傷を押さえる左手に手錠をかけた。見れば、出血はさほどでもない。いくら十人以上殺している由香里でも、相手を拘束していなければ、そうそう的確に頸動脈を断つことはできないということか。

「放さんかいコラッ。なんやこいつ、気色悪いやっちゃな」

井岡が、引っ張り上げた姫川を横抱きにしている。その手首を、いまだ由香里が握っている。井岡が引き剝がそうとするが、よほど握力が強いのか、なかなか放れない。その姫川の手首には、なんと手錠がはめられている。

「いいの、井岡くん……」

姫川の声は、思いのほか落ち着いていた。うつ伏せの由香里を仰向けに返し、膝に抱える。手首を握る細い指を撫でる。

由香里は、腹と脚を撃たれているようだった。頰もかすったのか出血している。息が荒い。もう、助からないかもしれない。

「ありがとう、助けてくれて。つらかったね……。でも、もう大丈夫。大丈夫だから……」

その場で姫川は泣き始めた。隣で井岡が救急車を呼ぼうとするが、そのやり取りができないくらい、大声で泣いた。

「い、いや、いや、死んじゃ、死んじゃ駄目ッ」

勝俣はそんな姫川を、ひどく冷めた気分で眺めていた。

――同病相憐れむ、か……。

ふと思い出し、勝俣は腕時計を見た。

「ああ、お前、緊急逮捕な。ええと、何日だ……八月二十六日か。午後七時十八分。とりあえず殺人未遂と、拳銃の不法所持、銃刀法違反な。分かった？」

勝俣は溜め息をつき、思わず、埃に汚れたガラス窓を見やった。
墨を流したような曇り空。陰鬱な灰色の世界。
だがほんの少し、西の空にはまだ、赤味が差して見えていた。

終章

八月二十六日火曜日、午後七時過ぎ。『水元公園連続変死体遺棄事件』をはじめとする一連の事件は、北見昇、深沢由香里、他一名の逮捕により、一応の収束を見る結果となった。

北見昇の負傷は命に関わるほどのものではなく、警察病院に収容されての事情聴取にも現在、問題なく応じている。一方、別の病院に収容された共犯の深沢由香里は重態。胸部に二発、顔面、腹部、左大腿部に一発ずつ被弾しており、一命は取り留めたものの事情聴取には応じられない状態である。深沢由香里の過去には不明な点が多く、今後の捜査で焦点となるのはその経歴だろうと見られている。

さらにもう一人の共犯者、大川春信も同日、逮捕されるに至った。

大川は北見に呼び出され、自家用車で現場を訪れたが、直後に救急車と池袋署のパトカーが到着し、偶然にも包囲される恰好になった。現場前に停まった車両を不審に思った池袋署員が職務質問したところ、大川は車を急発進させ、同署員や救急隊員数名を撥ね飛ばして逃走を図った。が、直後に電柱に衝突し、あとを追った同署員らに傷害と公務執行妨害の容疑で現行犯逮捕された。

東大理学部の四年生で情報科学を専攻している大川は、一連の事件の中で情報処理などを担当していたものと見られ、現在取り調べが続けられている。

また同署の調べにより、大川の所持していた拳銃と、大塚巡査殺害に使用された拳銃が同一のものであることも併せて判明した。北見昇、大川春信の両名には、殺人、殺人未遂、殺人教唆、殺人幇助、死体遺棄、銃刀法違反など複数の嫌疑がかけられ、極刑は免れないものと考えられている。今後は『戸田事件』の埼玉県警蕨警察署、『大塚巡査射殺事件』の池袋署と合同捜査本部を設置し、捜査に当たることが決定している。


八月二十七日水曜日。玲子は都内の大学病院に入院していた。

北見に撃たれて失くなったと思い込んでいた右耳は、実は弾がかすっただけで、鼓膜は破れたものの、聴力はいずれ回復するだろうと診断されていた。担当医の説明はこうだった。

「銃弾は激しく回転していますから、耳だったらかすっただけで、根こそぎ引っこ抜かれたような衝撃を受けるでしょうね。それに聞こえなくなったものだから、余計失くなったように、感じられただけでしょう」

右耳はないものと落ち込んでいたので、あるといわれたのは嬉しかったが、自分の怪我についてはかなり大袈裟に申告していたので、若干気恥ずかしくもあった。

また、その他に被弾した個所はないという。あってもせいぜい打撲傷か擦過傷で、一番目立つおでこの擦り傷も、大した跡は残らないだろうといわれた。

——だったらどうして、あのとき、あたしは転んだんだろう……。

玲子はエレベーターの穴に落ちる直前の記憶をたどった。

北見は、確かに背後から玲子を撃った。だがその弾は、結果的にはどこにも当たらなかったようだ。しかし玲子には、足に激痛を覚えて転んだ記憶がある。あれは一体なんだったのか。

パジャマの裾をめくってみると、左の脛、足首に近い所にひどい打撲痕があった。

——もしかして……由香里？

あのとき、由香里は逃げようとする玲子の左側に立っていた。もしかすると由香里が、撃とうとする北見を見て、とっさに玲子の足をはらったのかもしれない。転ばせることによって、玲子を助けようとしたのかもしれない。

——あの娘、「マコ、助けにきたよ」って、いった……。

マコとは誰なのか。玲子には分からない。だが由香里が、玲子をそのマコに見立てて、あるいは何かの錯乱でそう信じて、助けようとしたと考えることは充分にできる。

由香里はある意味、印象的な少女だった。佇まいはまるで幽霊のようだったが、それでいて不思議なほど透明感のある声の持ち主だった。カカシみたいに細いのに、凄い握力だった。

初めて間近に見たときはすでに血みどろだったが、本当はどんな顔をしていたのだろう。彼女はどんな過去を負い、『ストロベリーナイト』に身を投じたのだろう。『死』しか感じなかったといっていたが、それは一体、何を意味していたのだろう。

——知りたい。

『ストロベリーナイト』実行犯としての、深沢由香里の罪は極めて重い。聞けば年は十八歳だという。極刑も充分あり得る年齢だ。だが精神科に入退院を繰り返していたのだから、心神耗弱が認められれば、その罪はぐっと軽くなる。それが良いことなのか悪いことなのか、今の玲子には分からないが。

ただ、由香里が骨の髄まで真っ黒な悪人だとは、玲子には思えない。昨日のあの場での印象だけで、少なくとも十一人殺している人間を「悪人ではない」と口に出していうことはできないが、玲子の心は、そちらに傾いている。

——やだな。あたし、ホシに同情してる……。

朝食をすませ、検温とガーゼ交換が終わると、個室での病人生活はなんとも暇なものだった。面会時間開始早々に珠希がきてはくれたが、

「二人も面倒見きれないわよッ」

着替えの入った紙袋を置いて、すぐに帰ってしまった。

窓の外は雨。室内はエアコンが利いていて涼しいので、何やらその眺めまでもが寒々しく

見える。カラッと晴れてでもくれれば、多少は気も楽になるのだろうが、この天気では滅入るばかりだ。

大塚の殉職。北見に受けた暴行。検挙のし損ない。挙句、ホシの一人に命を助けられ、今また調子よくそのホシに同情しようとしている。どっぷりの自己嫌悪。雨にぬかるんだ冷たい泥に、顎の下までズブズブと埋まった気分だ。

十一時半を過ぎた頃、

「どうだ、姫川」

「主任……あ、なぁんだ。大したことないじゃないですか」

「顔色も、悪くないですな」

「玲子ちゃん、ワシでっせ。引っ張り上げて助けたの、ワシでっせ」

今泉と姫川班のメンバー、それと井岡が見舞いにきてくれた。

「すみません、係長。みんなも忙しいんだから、いいのに……」

そうはいったが、本当は涙が出るほど嬉しかった。タイミングとしては朝の会議を終え、そのまま直接きてくれた感じだった。廊下に何人か待たせているのは、それぞれの相方だろう。

井岡は相変わらず。石倉もいつも通りの穏やかな表情をしていた。が、菊田だけは黙ったまま、表情を強張らせている。こっちを見もしない。

——なんかいってよ、菊田……。

だがその心中を、玲子はおおよそ察することができた。菊田はたぶん、玲子が危険に晒された場面に居合わせず、助けられなかった自分を責めているのだ。挙句、実際に助けたのは井岡と勝俣。菊田にとってみれば、最悪の取り合わせだ。

——でもそんなの、しょうがないじゃない。

玲子がたまに視線を投げても、菊田は頑なにこっちを見ない。だがそれならそれで、仕方ないと思う。しばらくは放っておいた方がよさそうだ。

湯田は、妙に空はしゃぎしていた。大塚の不在をカバーしているつもりなのだろうが、それが逆に大塚の影を色濃く浮かび上がらせる。頭数でいえば井岡がいるため、一応そろっているようにも見えるが、どうしても菊田と湯田の間、そのポジションが埋まらない。やはり、もう大塚はいないのだと、改めて実感させられる。

——ごめん、みんな。あたし、駄目な主任だわ……。

しばし沈黙が立ち込め、気を遣ったのだろう、石倉が促した。

「じゃあそろそろ、私らはいきますか。なぁ菊田」

頷く菊田は、まるで逮捕された被疑者のようだった。

「ありがと。忙しいのにゴメンね。大したことないから、もうこないでいいわよ」

「当ったり前っすよ。早く退院して、主任も働いてくださいよ」

湯田の憎まれ口が、右耳の傷に沁みる。

調子に乗るな、と石倉が小突く。

「ワシ、またきちゃうかも……」

井岡がそんなことをいっても、菊田は黙っていた。

——ほんと、しょうがない男……。

「こ、な、い、で」

だが本音でいえば、またきてほしいと思う。できれば、井岡をはずしたメンバーで。

「では係長、お先に」

頭を下げた石倉に、今泉が頷いてみせる。

「ああ、頼む」

「ありがと。あたしの分も、お願いします」

「はい。では」

「じゃ、お大事に」

石倉と湯田が出ていく。菊田も、黙ったままそれに続く。

「早よ、よくなってくださいねえ……ワシもぉ、寂しゅうて寂しゅうて……」

「ほら。いきますよ、井岡さん」

「ああ……お名残《なごり》惜し……」

「ほら、閉めますよ」

「……ああ……れい……」

四人が出ていき、廊下の連中の気配も消えた。今泉だけが残り、二人きりになった。

訪れた静寂。今泉は腰に手を組んで窓の外を見やった。

「……北見第三方面本部長が、首を吊った」

「首……って、自殺、ですか」

根拠もなく、顔もよく知らない中年男が、和室の鴨居に帯で首を吊るのを想像する。

「ああ。今朝の五時だ。セガレの不祥事の責任をとったつもりなんだろうが……なんだかな。後味が悪い」

今泉は苦いものを飲み込むように唇を歪めた。空を見上げ、深く吸い込む。

「……今回はガンテツに、してやられたな。奴の一人勝ちだ」

それとなく、こっちに目をくれる。

「はい。あのとき、ガンテツさんと井岡くんが、きてくれなかったらと考えると……正直、ぞっとします」

日下に受けた忠告は、悪い意味で現実となった。それなのに、不思議と悔しさはなかった。むしろ、自分で挙げなくてよかったとすら思っている。負け惜しみではなく、そう思う。

人としての勝俣は今も大嫌いだが、刑事としては一枚も二枚も上手だと分かった。今は、素直にそう認められる。彼ならこの一件、綺麗にまとめて送検するだろう。それでいいと思う。自分にはできないし、する資格もない――。

ふと、つまらないことだが疑問が浮かんだ。

「……係長。どうして勝俣主任のあだ名は、ガンテツなんですか」

今泉が、珍しくひょうきんに眉を吊り上げる。

「お前、今まで知らないで呼んでたのか」

「……はい」

溜め息をつき、今泉はまた空を見上げた。

「あいつはな、若い頃は『頑固一徹』だったんだよ」

なんと。

「それで、縮めて『ガンテツ』ですか」

「ああ。想像できないか」

「あ、いえ、そうではないですが……」

正直、分かるような分からないような、据わりの悪い気分だった。

今泉は頷いて続けた。

「奴も、若い頃は今ほどアウトローじゃなかった。ほんと、ガッチガチの『現場百遍』でな。古いタイプのデカだった。その頃を知っていたら、お前も『頑固一徹』で納得できるはずだ。

だが奴は、公安部にいって変わった。捜査畑を離れた八年、奴に何があったのか、詳しくは知らん。まあ、大体の想像はできるがな……。

公安から戻ってきたときの奴は、もう今のスタンスで固まっていた。でもな、変わってないといえば、変わってないんだ。お前は知らんだろうが、奴は警察の内部情報を売って、裏金を作っている。これはある程度、上も知りながら黙認している事実だ。なぜなら上の連中も、勝俣に痛い所をつかまれてるからだ。だから黙認せざるを得ない。

けどな、奴は私腹を肥やすために裏金を作ってるんじゃない。情報を売って作った金は、全て捜査上の賄賂、買収……まあ、よくいえば礼金に当てているんだ。決して自分のために使ったりはしない。びた一文、自分のためには使わない。奴はいまだ、一人で『公安』をやっているんだ。これも一つな、奴の『頑固一徹』なんだよ……」

今泉は、はにかんだように微笑んだ。

照れた自分を恥じたか、そういえばと前置きし、今泉は話題を捜査関係に戻した。

夕方、午後の面会時間も終わろうかという頃、いきなり勝俣が見舞いに訪れた。

「耳が失くなったーって騒いでたくたばり損ないの病室はここかァーッ」

「ちょ、ちょっと、そんなこと、大声で……」

「けッ、個室かよ。田舎モンが生意気に」

つまらなさそうに鼻で笑い、勧めもしないのに勝手に椅子に座る。

——こ、このオヤジ……やっぱり、大ッ嫌い。

見舞いだと差し出されたのは、興味のある記事は読み終えたのだろう丸まった週刊誌だった。要らないと返すと「可愛げがねえ」と呆れられた。

珠希が持ってきたパジャマは「ガキじゃあるめぇし。花柄はねえだろ三十女が」とけなされ、「スッピンは見られたもんじゃねえ」とか「尿瓶でも洗ってやろうか」「なんか臭ぇぞ」とか、もう散々、それこそいいたい放題だった。

それでも玲子は、これだけはいわなければと思っていたので、悪態のネタも尽きた頃を見計らって切り出した。

「あの……ありがとう、ございました。お陰で、命拾いしました」

すると、勝俣はやけに中途半端な表情を浮かべ、目を逸らした。

「けッ。そういうのが、可愛げがねえってんだ……田舎モンが」

急に、口調にもキレがなくなった。

重たい沈黙が垂れ込め、手持ち無沙汰になったか、勝俣は内ポケットに手を入れた。だが何も取り出さず、また手を膝に置く。タバコを吸おうと思ったが、ここが病室だと思い出してやめた。そんなところだろう。

「勝俣主任」

声をかけても、顎は向けるが返事はしない。目も見ない。ただ小さく溜め息をつく。ふと、その顔が疲れて見えたのは気のせいではあるまい。勝俣も人間なのだ。そう感じた。

今なら、訊ける――。

そんな気がした。

「あのぉ……主任は、あたしのことを何度か、『危険だ』と、仰いました。あれ、どういう意味だったのですか」

「ふん……」

また鼻で笑う。

「じゃあその前に、こっちにも訊きたいことがある。それに答えたら、教えてやるよ」

勝俣一流の引き延ばし。だが、今は乗ってもいいと思える。

「はい。なんでしょう」

勝俣は顔をしかめた。

「なんだよ……調子狂うじゃねえか」

首を傾げ、ま、いいかと座り直す。

「まず……昨日だ。俺は井岡にお前たちの居場所を聞いた。その電話のときに最初の発砲があったはずだが、なぜお前はそれで殺られなかった。耳をかすっただけですんだんだ」

「ああ、それですか」

玲子はあのとき、北見が東大時代、もしボート部に所属していたとしたら、と考えた。それによって、死体遺棄現場が戸田漕艇場から水元公園内溜に移動してきた理由が説明できる気がした。遺棄現場の移動と、北見が東大を卒業し、警大を経て亀有署に研修にきたタイミングとは、奇妙なほど一致する。そのことに気づいた、と説明した。

「それで撃たれるのを覚悟の上で、北見に訊いたんです。学生時代はボート部だったんじゃないか、って。そしたら案の定撃ってきたんで、避けました。ちょっと、当たっちゃいましたけど」

勝俣は落胆ともとれる表情を見せた。

「……お前の勘は、鋭いんだかなんだか、よく分からねえな」

「は？　どうしてですか。すごい鋭いじゃないですか」

「バーカ。ボート部だったのは北見じゃない。共犯の、大川春信の方だ」

――ありゃりゃ。なんと……。

玲子は、額に噴き出る冷や汗を拭った。

「遺棄場所を亀有に変えたのは、北見が内溜を見て、こっちの方が車を付けやすいと判断したからだそうだ。……まあ、結果的に、お前はそれで助かってんだから、いいんだろうけどよ。俺も、お前らをどうして追っていったのか、その理由をどう報告書に書こうか困ってたからな。そのネタ、もらうわ」

勝俣が内ポケットからボールペンを出す。

「は？　どうして困るんですか」

「いいんだよ、そんなこたぁ」

「ああ、そうですか。……ええ、どうぞ。使って下さい」

「ふん」

勝俣は、掌に直接メモした。

「……それから、そのあとだ。俺たちがいくまでに随分と時間があったはずだが、その間、お前らは何をやってた。まさか、北見と由香里と、三人エッチしてたわけでもねえだろうが」

——ギクッ。

いや、さすがの勝俣も、あの時間にあったことまで知るはずがない。玲子は、北見に弄られたことは伏せ、大川の到着を待つ間、彼の武勇伝を聞かされていたのだとだけ説明した。

「……北見は、上ばかり見て生きてきた、といいました。だから、死というどん底を見て、自分の立ち位置を確かめたくなったのだと。反対に由香里は、どん底しか見たことがなかった。だから他人を傷つけ、殺害することで、誰もが自分と変わらない、同列の人間なのだと感じたかった……。赤い血を流す、自分もみんなも、同じ人間なんだと、確かめずにはいられなかった……つまり、共に『ストロベリーナイト』を運営しながら、あの二人の動機は、実はまったく逆だったんです。それが、あの場で露呈したんです」

「それで、俺たちがいったときには、仲間割れか」

「ええ」

玲子も一つ、溜め息をはさんだ。

「……あたし、北見にいわれました。あんたも同じなんだろう、って。捜査一課で殺人事件を扱って、日常的に死体を見て、ああ、こんなふうになりたくないな、刑事でよかったなって、思ってるんだろうって。死を目の当たりにして、生きてる自分を再確認して、優越感に浸ってたんだろうって。……正直、ショックでした。ほんと、その通りだったから」

すると、勝俣は「呆れた」といわんばかりに両手を広げた。

「俺がな、お前を『危険だ』といったのは、まさにそれだよ。お前の勘は、確かに鋭い。天性のプロファイリングセンスがあるといっても過言ではないだろう。実際にそれで、今までホシを挙げてきたんだからな。そこは俺も認めてやるよ。

だがな、厳密にいえば、お前はプロファイリングをしてるのとは、たぶん違うんだ。お前は少ない情報からホシを割り出してるんじゃない。自分では無意識なんだろうが、お前はおそらく、ホシの意識に同調してるんだ。なんの根拠もなしにホシをいい当てたり、行動を読んだりできるのは、おそらく、お前がホシと極めて近い思考回路を持っているからだ。

お前は北見にいわれてショックだったといった。現場では傷ついた由香里を抱いて号泣した。それから前に俺が訊いた、あの、深沢康之が死んだにも拘わらず、連中が植え込みに遺体を放置した理由な、あれは実際に、大川の連絡ミスが原因だったそうだ。……つまり、そういうことなんだよ。俺が、お前の発想を危険だといったのは、要するに、そういうことだよ」

犯罪者に近い、思考回路——。

玲子は自分の中に、そんなものがあるとは思ってもみなかった。そういわれるとショック、といえばショックだが、反論する気にはなれなかった。思い当たる節があるからだ。

以前にも罪を重ね、逮捕直前に自殺した少年を、玲子は抱きしめて泣いたことがあった。あのときも、周りはまったく理解できない様子だったが、玲子だけはその少年が犯人だと確信し、身柄拘束に動いた。そんなことが、これまでに何度かあった。そのたびに玲子はホシに同情し、涙を流してきた。

確かに、同情の余地のない殺人犯は多い。そんな連中のために涙するほど、玲子も無分別な泣き上戸ではない。だが、ときとしてホシは、被害者よりもはるかにつらく追い詰められている場合がある。殺人は群を抜いて悪質な犯罪だが、それを犯させるだけの理由がある場合も、間々あるのだ。そんなとき、玲子は刑事であることも、法律のしがらみも忘れ、涙してしまう。犯人に同調してしまう。

今回の由香里がそういう類《たぐい》の犯罪者だったのか、それは今は分からない。だがおそらく、そうだったのだろうと思う。今泉が帰り際、由香里について報告してくれたのを思い出す。

「心肺機能、免疫力、全てが急激に低下しているそうだ。意識もほとんどないはずなのに、看護師が目を離すと、すぐ点滴を引っこ抜いちまうらしい。まるで死にたがってるみたいだって、担当医がいってたよ。そもそも、生きてるのが不思議な体なのに」

そのまま由香里は死ぬだろう。そう思う。そして由香里の死が、事件の解決に大きな穴を空けると分かっていても、死なせてやりたいと思う自分がいる。説明するに値する理由はない。ただそう思う。そう思ってしまうのだ。

——あたし、刑事、向いてないのかも……。

また溜め息をつくと、勝俣はつまらなさそうに鼻息を吹いた。

玲子は今、自分がどんな顔をしているのかは分からない。だが勝俣が自分をどう見ているのか、それはよく分かる。情けない奴、駄目な奴。そう思っていることだろう。不愉快を隠さない勝俣の視線が痛い。だがそれは、甘んじて受けなければならないと思う。

やがて勝俣は、面倒臭そうにいった。

「お前なぁ」

「……はい」

「なに情けねえ顔してんだよ」

思った通り。やはりそんな顔をしているらしい。

「すみません」

とりあえず謝ってみるが、それがなんのための謝罪かは、自分でもよく分からない。

勝俣はふらりと立ち上がった。窓際に進み、エアコンを入れているのもかまわず、窓を開け放つ。

「お前なぁ、下らねえホシの戯言《たわごと》なんぞに、一々惑わされんじゃねえぞ。上ばっかり見てたから下が見たくなった？　下しか見えないから上が見たい？　馬鹿いうなって。そんななぁ、上だの下だの右だの左だの、余計なとこばっか見てっから、肝心なものが見えなくなっちまうんだよ」

勝俣は振り返り、力強い目で玲子を捉えた。

「いいか。人間なんてのはな、真っ直ぐ前だけ向いて生きてきゃいいんだよ」

思わず、玲子は息を吞んだ。

――前を向いて、生きろ……。これいわれたの、あたし、初めてじゃない……。

そう。それは、佐田が日記に残した言葉だった。

『玲子ちゃんに立ち直ってほしい。前を向いて生きてほしい』

――そうか。前、か……。

ずっと昔から分かっていたような、でも忘れていたような言葉。

「じゃ帰るぞ。俺は忙しいんでな」

玲子が呆然としているうちに、勝俣は勝手に帰ってしまった。

開け放った窓からエアコンの冷気は逃げ、代わって湿気に膨らんだ熱気が入り込んできた。寒いことなどあるはずがない。今は夏。あの大嫌いだった夏。だが今はその熱気が、玲子の凍えた心を溶かしてくれるような気がする。

——そうか、前か。

玲子はどこにも晴れ間のない、びっしりと灰色の雲で埋まった空を見上げた。この曇り空は、永遠のものではない。いずれは必ず晴れる。そしてまた曇って、雨や雪も降るだろうが、またいつかは晴れる。必ず晴れる。そんな当たり前のことを感じるのが、今はなぜだか、とても嬉しい。

——佐田さん。

玲子は空に向かっていった。

「あたし、もうちょっと、戦ってみようかな……」

すぐにあの日のような、高く澄んだ青い空も見られるだろう。

玲子は久しぶりに、短いスカートを穿きたい気分になっていた。

〈参考・引用文献〉

『警視庁捜査一課殺人班』　毛利文彦（角川書店）
『ミステリーファンのための警察学読本』　斉藤直隆（アスペクト）
『警察裏バイブル』　別冊ベストカースペシャル（三推社・講談社）
『警視庁刑事の事件簿』　李尾堯（中公新書ラクレ）
『裸の警察』　別冊宝島編集部編（宝島社文庫）
『死体は知っている』ほか死体シリーズ　上野正彦（角川文庫）
『法医学ノート』　石山昱夫（サイエンス叢書）
『こころの科学93　人格障害』　福島章編（日本評論社）
『臨床心理学』　松原達哉（ナツメ社）

解説

梅原潤一《うめはらじゅんいち》
（書店員／有隣堂横浜駅西口店）

参った！　熱さと勢いにほだされてまさに一気読み。こいつは面白すぎる！

開幕早々吐き気を催すほどの強烈な描写がなんとも凄まじい殺人事件に首根っこを引っ摑まれ、個性を剝き出しにした刑事達による白熱の捜査にそのまんまぶち込まれて引きずり回される！　この圧倒的なハイテンション！　オープニングにドカンと派手な事件でつかみ（だけ）はＯＫ！　というミステリーは巷《ちまた》に数多く存在するが、この作品がそういった凡百な代物とは一線を画しているのは、そのテンションが物語が進むにつれ落ち着いてくるということが無く、まさにボルテージ上がりっぱなしでクライマックスまで一直線に疾走してみせるそのエンターテインメント性の高さ、物語の持つそのパワーと持続力だ。

中盤明らかにされる、主人公姫川玲子《ひめかわれいこ》に警察官になることを決意させた過去のエピソードの何たる熱さ！　何たる浪花節《なにわぶし》！　こういうストレートなクサさがドラマをますますヒートアップさせる！　そして姫川を囲む脇のキャラクターのなんと魅力的なことよ。読み進むにつれ姫川をリーダーとする捜査チームの面々が愛《いと》しくて堪《たま》らなくなる。更には単なる敵役としての存在と思われた〝悪徳刑事〟という形容がピタリとはまる〝ガンテツ〟こと勝俣《かつまた》が見せる刑事としての矜持《きょうじ》！　こういうキャラクターをこそ読みたかった！　彼の言動に怒り、笑い、最後にはジーンと胸をうたれない者は居まい！

重厚だがシリアス一辺倒ではなく時折繰り出されるオフビートなギャグも見事に冴え渡り、小説としての懐もなんとも深い。冒頭を含めちょっとしか出ない國奥《くにおく》や、姫川との恋の行方《ゆくえ》（笑）も気になる今回いいところなしの菊田《きくた》など、今回描かれなかったキャラのエピソードをもっと読みたい！　もっともっとこの小説世界に浸りたい！　シリーズ化大切望！

警察小説の新たなる地平はこの誉田哲也が切り拓く！　いや、切り拓いた！

以上が、『ストロベリーナイト』発刊前、私が、版元である光文社から送られてきたゲラを読んだ直後に、大興奮のままに書き上げて編集担当者に送りつけた檄文のほぼ全文である。当時光文社では「新鋭作家応援プロジェクト」と銘打たれた、新人作家を書店と協力して売っていこうという取り組みが行われていて、その第一弾がこの誉田哲也さんの『ストロベリーナイト』であったのである。よーし、そのプロジェクト乗らせてもらうぜ！　と『最悪の事件！　白熱する捜査！　このスピード感、このハイテンション！　こいつは面白すぎる！』という一文を大書したＰＯＰも作成、『ストロベリーナイト』発売と同時にほぼ全店の有隣堂でこのＰＯＰをつけて販売し、かなりの成果を挙げることに成功、それがご縁で誉田さんとの交流が始まり、今回文庫化に際して解説を書かせて頂くという栄誉を授かることになったわけですが、まあ所詮一介の書店員、小説に対して所謂《いわゆる》解説めいた解析を加えることなんて出来ませんし、誉田さんも恐らくそんな事は望んでいない。ここは一つ「売り屋」に徹してこの小説がいかに面白いかを口八丁手八丁でアピールしてやろう、と踏んで、まずは初読当時の私の興奮を分かって頂くために檄文からドドン！と入らせて頂いた。まあ言いたい事はこの檄文に殆《ほとん》ど全て詰め込んであるので、ここまで読んで「おっ！　面白そう！」と思ってくださった皆さんは、このままレジに直行してください。本当に面白いですよ。では！……と終わってしまってはあまりに愛想がないので、今回再読してあらたに発見した『ストロベリーナイト』の更なる魅力や『ストロベリーナイト』発表以降の誉田さんの活躍ぶりにも触れておきます。

誉田さんの小説がイイのはとにかくキャラクターがイキイキとして立ちまくっている所。前述したガンテツこと勝俣は勿論、今回再読してイイなあこいつ、と思ったのが井岡《いおか》巡査長（このキャラ、ある役者さんをイヤでも彷彿させますがそれは後述）。初読の時は怪しげな大阪弁と姫川に対するストーカーめいた愛情表現がハナにつき、「なんなのこいつ！」と鬱陶《うっとう》しがる姫川に完全に同調して読んでいたのですが、窮地に立たされた姫川に要所要所で助け舟を出していて、こいつ実はさりげない思いやりに満ちた（菊田なんかよりも断然イイ）男なのではないかと認識を新たにさせられた。刑事としても実は有能なのではないか、という面を随所に窺わせる。彼とコンビを組まされたガンテツがいつものように単独行動すべく彼を撒《ま》き、新大久保のサウナで一休みしている時に前も隠さずに姿を現す場面はその白眉。「わざわざ全裸になっている」という行動が笑いを誘うが、「この野郎、油断ならねえな」とガンテツに一目置かれることになる名シーンだ。しかし普段の言動が余りと言えば余りなので「実は偶然で本当は単なるバカキャラなのでは……」とも思わせる所が誉田さんのうまい所。情報屋の辰巳《たつみ》、姫川の母と妹などといった警察関係以外の脇キャラもいい味で物語に深みを与えているので、その辺りもじっくりと楽しんで頂きたい。

そしてそんなキャラ立ちまくりの中で描かれる事件とその犯人像がキャッチーかつ派手であることが、物語のボルテージをまた高めてくれる。腹部を切開された遺棄死体。何故犯人は殺してからわざわざ腹を切り裂いたりしたのか。姫川独自の感覚的推理によりやがて発見される同じような処理をされた死体の数々、事件は一挙に連続殺人事件に。やがて捜査線上に浮かび上がる『ストロベリーナイト』と呼ばれる殺人ショーを生中継するという都市伝説のようなｗｅｂサイト。そしてその背後から徐々に浮かび上がってくる犯人の悲しい過去としがらみ——。犯罪を描く作者の筆致は存外容赦無い。ちょっと引いてしまうような残虐描写も多いし、殺人者と化してしまった者の過去もなにもそこまでと言いたい位に悲惨である。

しかしそれは単なる残酷趣味では決してなく、事件を解決しようと躍起になる刑事達の思いと読み手である我々の思いとを同調させる大掛かりで巧みな仕掛けなのだ。「殺人を中継するサイト」という現代社会に添い寝するかのようなリアルな設定もまた然り。事件や犯人を身近な物事に感じさせることで、物語のエンターテインメント性を高めていくこの手腕には、並々ならぬものがある。

自ら創り出したキャラクター、小説世界に作者が心底惚れ込み、楽しんで書いているのであろう事が読む側にも伝わる。そんな熱気、躍動感が全編に漲《みなぎ》っているのがこの小説の最大の魅力であるわけですが、そんな「作者の作品への愛」を裏打ちするエピソードが一つある。

なんと誉田さん、自分の小説に出てくるキャラは全て実在の役者をキャスティングしてわざわざキャスト表を顔写真まで添えて作っているのだそうだ。まあ顔写真まで添えたキャスト表までは作らずとも面白い小説を読んだ時「こいつは映像化したら誰かな」なんて考えるのは本好きなら誰もが空想する事で、それを自分の小説でノリノリでやっているなんて何とも微笑ましくも羨ましい遊び心満載の趣向ではないか。実は以前お会いした時に誉田さんの想定したキャスト例の幾つかは伺ったのですがそれも踏まえて私もそんな遊び心に乗っかってキャスティングしてみました（尚、この趣向は以前小林信彦《こばやしのぶひこ》さんの『唐獅子株式会社』（新潮文庫）の解説で筒井康隆《つついやすたか》さんがやってらした事の真似でもある事をお断りしておきます。またイメージを固定されたくない人は小説を読み終えて自分なりのキャスティングをするなりしてからご覧下さい)。

姫川＝松嶋菜々子（これは作者公認。特に映画「リング」の頃の彼女と仰っていました)、菊田＝坂口憲二（チト若いか、だけど単細胞ぶりがはまるかと……)、大塚＝妻夫木聡、石倉＝石倉三郎（すいません苗字に引っ張られました)、湯田＝小池徹平、井岡＝生瀬勝久（いやこれはこの人しか浮かばないでしょう。誉田さんに聞いたときも苦笑いしつつも「当たりです」と)、北見＝オダギリジョー（ここは大塚役の妻夫木クンと交換でもいい。どちらがどちらをやっても面白い)、國奥＝藤村俊二、日下《くさか》＝遠藤憲一（爬虫類のような目と風貌と言われればこの人しか)、橋爪＝西田敏行、今泉＝堤真一、佐田＝星野真里（ガンバリ屋で不幸な感じが)、辰巳＝北村一輝、勝俣＝青木義朗（スイマセン故人です。でも松田優作の「野獣死すべし」の青木さんピッタリなんです。反則だというなら竹内力で)。こんな感じで如何か。ああ楽しかった。しかし我ながらオールスターキャストだなあ!

読み終えた直後からシリーズ化を切望していた私にとって嬉しいことに捜査一課殺人犯捜査係所属、姫川玲子警部補の活躍を描く物語はこのあと『ソウルケイジ』『シンメトリー』（共に光文社）と書き続けられている。『ストロベリーナイト』が連続殺人事件を軸とした、姫川とガンテツの熱い闘いと和解の物語だったとすれば長編第二作『ソウルケイジ』は死体なき殺人事件を軸とした、姫川と（『ストロベリーナイト』にもチラと登場する同じ殺人課の）日下とのクールな確執と理解の物語とでもいおうか。お馴染みのキャラがズラリと揃い、御存知モノの趣も楽しい快作である。そして三冊目の『シンメトリー』は姫川の様々な活躍を描く短編集で姫川ファンには堪らない、プレゼントのような作品集となっている。本書を気に入った読者は是非このまま読み進めていただきたい。作者の誉田哲也さんはその後姫川シリーズ以外の作品も意欲的に描いていて、誉田小説としては珍しく女ッ気の殆どないシブい警察小説『国境事変』（中央公論新社）や、警察小説から離れ、しかし元気な女子が大活躍するというお得意路線の延長線でもある剣道を題材とした青春小説『武士道シックスティーン』『武士道セブンティーン』（共に文藝春秋）を発表し、作家としての幅を着実に広げている。そんな誉田さんの（大沢在昌さんにとっての新宿鮫シリーズのような）ライフワーク的なシリーズと今後なっていくであろう姫川シリーズ、その記念すべき第一作である本書が今回文庫化されることでますます多くの姫川フリーク、誉田フリークが生み出される事を期待して止まない。っていうか私の本業は書店員なのでゼッタイ売ってみせます！　そして姫川シリーズ長編第三弾の登場も一ファンとして心待ちにしています!!

二〇〇六年二月　光文社刊

光文社文庫

ストロベリーナイト
著者　誉《ほん》田《だ》哲《てつ》也《や》

2008年9月20日　初版1刷発行
2013年10月20日　43刷発行

発行者　駒井稔
印刷　慶昌堂印刷
製本　ナショナル製本

発行所　株式会社 光文社
〒112-8011　東京都文京区音羽1-16-6
電話　(03)5395-8149　編集部
8113　書籍販売部
8125　業務部

ISBN978-4-334-74471-7　Printed in Japan

組版　慶昌堂印刷

お願い　光文社文庫をお読みになって、いかがでございましたか。「読後の感想」を編集部あてに、ぜひお送りください。

　このほか光文社文庫では、どんな本をお読みになりましたか。これから、どういう本をご希望ですか。

　どの本も、誤植がないようつとめていますが、もしお気づきの点がございましたら、お教えください。ご職業、ご年齢などもお書きそえいただければ幸いです。当社の規定により本来の目的以外に使用せず、大切に扱わせていただきます。

光文社文庫編集部